Une étoile s'est levée en Acadie

Camille-Antonio Doucet

Lauréat du prix Champlain 1974

Mgr Marcel-François Richard,
prélat domestique de Sa Sainteté le pape Pie X en 1905.

AVANT-PROPOS DE L'AUTEUR.

Evoquant "la génération des patriotes acadiens" qui oeuvrèrent après la confédération canadienne, M. Emery Leblanc écrivait en 1949: "Le rôle qu'a joué Mgr Richard dans la renaissance du peuple acadien est unique; pendant de longues années, il fut l'âme de toutes les activités acadiennes... Malgré la reconnaissance que l'Acadie lui doit, sa mémoire semble plongée dans un oubli regrettable" (1).

En parlant "d'oubli regrettable", le rédacteur de *l'Evangéline* fait sans doute allusion à l'absence d'une biographie élaborée de celui qu'on a appelé "le Père de l'Acadie", car des articles élogieux consacrés à sa mémoire et à son oeuvre périodiquement publiés dans les journaux, et les pèlerinages annuels à son tombeau à Rogersville témoignent en faveur du souvenir reconnaissant d'un peuple qui doit beaucoup à Mgr Richard.

Si la grande piété de ce dernier, profondément marquée par une fervente dévotion mariale, l'intégrité morale de sa vie sacerdotale et la multiplicité étonnante de ses oeuvres s'imposent à l'admiration de tous, néanmoins, dans les situations parfois dramatiques où le plaça son ardent patriotisme, surgirent de graves conflits d'intérêts nationaux d'où il ne sortit pas toujours avec des lauriers.

De là ce linceul du silence dont on a voulu envelopper sa mémoire durant la première décade qui suivit son décès; de là cette pudeur instinctive de ses contemporains vis-à-vis d'une vie féconde, sans doute, qui tient presque du mystère, mais dont l'activité ne fut pas toujours jugée à la hauteur des bonnes intentions qui l'inspiraient; de là aussi la délicate position du biographe soucieux d'aborder sa vie à la lumière de la stricte vérité des faits.

Mû par le sentiment d'une profonde gratitude envers celui que les Trappistes et les Trappistines de Rogersville considèrent toujours comme leur insigne bienfaiteur et même leur fondateur, le R.P. Gildas, religieux du même Ordre, avait, dès 1918, une biographie prête à publier. Mais les exécuteurs testamentaires du vénéré défunt jugèrent prématurée la publication d'une vie de Mgr Richard trois ans seulement après sa mort. Trop de brûlants problèmes couvaient encore sous la cendre qu'il eût été imprudent de remuer (2).

---

(1) **Emery Leblanc, l'Evangéline du 15 septembre 1949.**

(2) **Thomas Albert, ptre, lettre du 14 mai 1918 au R.P. Gildas, o.c.r. Nous citons une partie de cette lettre au chapitre XI.**

Contrarié par ce refus — les exécuteurs testamentaires avaient d'abord promis d'assumer une part des fais d'impression de cet ouvrage —, l'auteur confia alors son manuscrit à la revue *Le Canada Français* qui le publia en divers articles dont le premier parut en janvier 1919.

Vingt ans plus tard, soit vers 1939, Son Exc. Mgr Arthur Melanson, premier archevêque de Moncton, obtint du R.P. Gildas son manuscrit et le fit imprimer au cours de l'année suivante.

Les graves lacunes d'une biographie "écrite à une date aussi rapprochée de la mort de celui qui en fut le héros" sont manifestes. Le R.P. Gildas le reconnaît humblement dans l'avant-propos (3).

Des documents de première importance manquaient à l'auteur pour conférer à son oeuvre le caractère d'une monogaphie complète de l'éminent patriote acadien .On ne saurait lui en faire le reproche, puisque ces sources d'information, très probablement inaccessibles, étaient soigneusement cachées sous les scellés des archives de l'évêché irlandais de Chatham; telles les nombreuses lettres adressées par Mgr Richard aux deux évêques qui se sont succédés sur le siège épiscopal de cette ville: Mgr Rogers et Mgr Thomas-F. Barry; tel encore le long dossier rédigé en 1885 par Mgr Rogers sur l'épineuse question de la fermeture du collège Saint-Louis.

La connaissance de ce dossier, faisant contrepoids à celui de Mgr Richard écrit cette année-là sur le même sujet, est indispensable à l'élucidation d'un problème qui fut à l'origine des difficultés que rencontra, par la suite, notre héros national. La comparaison de ces deux dossiers, que nous citerons sous le vocable de *Mémoire*, nous permet de porter un jugement équitable et éloigné de toute partialité; enfin, les lettres de l'abbé Eugène-Raymond Biron à M. Rameau de Saint-Père, longtemps conservées chez ce dernier en France et récemment acquises par les archives acadiennes de l'Université de Moncton, projettent sur le même problème de la fermeture du collège Saint-Louis, dont l'abbé Biron fut le directeur, une lumière très éclairante.

Si l'on en juge par ce qu'il écrit à la page 73 de son bouquin, le R.P. Gildas a surtout puisé ses renseignements dans la tradition orale: "Cependant nous avons eu garde de négliger d'interroger quelques-uns des pionniers de la première heure qui vivent encore et dont les souvenirs sont les seules archives où il nous a été possible de puiser, Mgr Richard n'ayant laissé aucun récit de ses rudes labeurs dans la fondation de cette paroisse" (4). Or, la tradition orale est souvent déformante; des détails parfois très importants échappent aux informateurs populaires et font place à la légende au mépris de la vérité des faits. Nous en avons eu maintes preuves au cours de nos recherches. Cette même réserve s'applique aux articles de journaux de l'époque qui ne sont pas toujours écrits avec toute l'objectivité et le souci de l'exactitude qui s'imposent.

---

(3) Fr. M. Gildas, ptre, o.c.r., **Mgr Richard, Sa Vie et ses Oeuvres**, Moncton, 1940, p. 11.

(4) Fr. M. Gildas, ptre, o.c.r., op. cit:, p: 73:

La source la plus véridique d'information se trouve, sans contredit, dans les lettres ci-dessus mentionnées et surtout dans celles de Mgr Richard lui-même. Outre qu'elles peignent sur le vif le personnage, elles nous renseignent, dans leur spontanéité, sur les faits qu'il a vécus, et nous montrent ceux-ci à la lumière de la vérité.

Comment demeurer fidèle à la vérité sans soulever le voile qui recouvre les faiblesses de l'homme? En dépit de son zèle et de ses nobles intentions, l'éminent patriote acadien a commis des erreurs, dont les unes s'expliquent par l'enchevêtrement des faits au milieu desquels il a oeuvré, mais d'autres nous étonnent. Il serait malséant de répéter le geste de Sem et de Japhet en étendant le manteau du silence sur ces erreurs par crainte de choquer ses admirateurs. Les droits de la vérité sont sacrés: on peut la trahir aussi bien en la taisant qu'en la niant.

Pourquoi ne pas mentionner ces erreurs? Ne sont-elles pas comme les ombres qui font mieux ressortir la beauté du tableau? L'époque est révolue où les hagiographes, assoiffés de légendes, élevaient leur héros sur un piédestal.

Dans son audience générale du 7 juin 1972, le pape Paul VI disait: "Même les meilleurs, ceux qu'on appelle les saints, ont eu eux aussi leurs défauts. Dans l'histoire de l'Eglise, il y a de nombreuses pages qui n'ont rien d'édifiant" (5).

Le pape Léon XIII écrivait à Dom Gasquet: "Publiez des archives du Vatican tout ce qui a quelque valeur historique, que cela jette du crédit ou du discrédit aux autorités ecclésiastiques... La première loi de l'histoire, c'est de ne pas mentir; la seconde, est de ne pas craindre de dire toute la vérité" (6).

A l'instar des autres humains, Marcel-François Richard s'est débattu tant bien que mal au milieu des vicissitudes d'un monde en évolution, s'avançant tantôt en pleine lumière, tantôt dans l'obscurité, tantôt dans le tourbillon des tempêtes. Rien de surprenant qu'il ait parfois, au plus fort du brouillard, exécuté de fausses manoeuvres d'aiguillage et qu'en de telles circonstances, il ne se soit pas montré aussi magnanime qu'on l'aurait désiré.

Il faut lui savoir gré de ne jamais avoir failli à son double idéal de prêtre et de patriote. Même dans les tempêtes, où d'autres ont sombré, il est demeuré fidèle. C'est un de ses plus beaux titres de gloire.

Nous voulons remercier tous ceux qui nous ont aidé dans l'élaboration du présent ouvrage et tout particulièrement Son Exc. Mgr Edgar Godin qui, comme chancelier puis évêque du diocèse de Bathurst,

---

(5) Paul VI, Discours prononcé à l'audience générale du 7 juin 1972. Voir **Documentation Catholique**, No 1612, juillet 1972, p. 608.

(6) Léon XIII, lettre à Dom Gasquet, citée dans **l'Introduction des Voix Canadiennes**, tome X, par Arthur Savaète.

nous a ouvert avec beaucoup d'amabilité les archives de l'évêché; le T.R.P. Dom Alphonse Arseneault, abbé de l'abbaye des RR. PP. Trappistes de Rogersville qui nous a accordé toutes les facilités dans les nombreuses recherches nécessitées par l'accomplissement de notre travail; le R.P. Anselme Chiasson, o.f.m.c., qui nous a éclairé de ses conseils judicieux et revu notre texte; le R.P. Clément Cormier, c.s.c. à qui nous devons la reproduction des photographies que nous ont aimablement prêtées Mlle Yvonne Melanson de Montréal et M. Réal Richard de Rogersville; M. Ronald Leblanc, bibliothécaire au Centre d'Etudes Acadiennes de l'Université de Moncton, toujours empressé à nous communiquer ses découvertes puisées dans les nombreux dossiers des archives.

Nous étant limité aux questions d'intérêt général, nous avons omis ou simplement signalé celles qui dépassaient le cadre de cet objectif.

La voie demeure donc ouverte aux écrivains qui voudront traiter d'une manière exhaustive tel ou tel aspect de la vie de Mgr Richard.

Si cette vie féconde et méritante est inspiratrice de dévouement, de courage, de constance et de fidélité dans la poursuite de nobles idéaux, l'auteur sera amplement dédommagé de ses efforts et récompensé de son travail.

Camille-Antonio Doucet, trappiste.

Rogersville, Nouveau-Brunswick,

Le 18 juin 1973, 58ième anniversaire de la mort de Mgr Richard.

TABLE DES MATIERES

APPENDICE

CHAPITRE PREMIER

DANS LE DÉCOR D'UN VILLAGE ACADIEN

Dans un poème demeuré célèbre, Longfellow a chanté l'idylle de deux jeunes gens, Gabriel et Evangéline, prototypes des paisibles habitants, vivant au village de Grand-Pré, dont l'heureuse fraternité fut soudainement troublée et rompue par des mains iniques et brutales.

Dépouillés de leurs biens, souvent séparés les uns des autres: l'époux de son épouse, le frère de sa soeur, le fiancé de sa fiancée, la plupart de ces nobles Acadiens furent dispersés aux quatre coins du monde, où plusieurs périrent de misère et de faim.

On avait cru, sans doute, à jamais disparu ce peuple minuscule d'origine française, premier colonisateur des terres de la Nouvelle-Ecosse. On s'était trompé. Les proscrits qui réussirent à s'échapper de la tourmente, en trompant la vigilance de leurs persécuteurs, vécurent dans les forêts, au prix de souffrances inouïes et, quelques années plus tard, ceux des déportés revenus en petits groupes apparurent sur les rives du détroit de Northumberland, de la baie des Chaleurs, de la rivière Saint-Jean et de la Miramichi.

Ils construisirent de nouveaux villages afin de retrouver les charmes de cette vie heureuse que leurs pères avaient vécue au bassin des Mines.

Au nombre de ces nouveaux villages construits par les descendants du peuple martyr, grâce à leur énergie et à leur volonté de survivre, celui de Saint-Louis de Kent, au Nouveau-Brunswick, situé en bordure à l'entrée du détroit de Northumberland, mérite une mention spéciale, étant le berceau du héros dont nous entreprenons le récit de l'émouvante et féconde carrière.

Pendant longtemps, cette région fut enveloppée du silence impressionnant de la forêt, silence parfois troublé par le passage des oiseaux migrateurs ou par les Indiens qui descendaient périodiquement le long des rivières afin de s'adonner à leurs exploits favoris: la chasse et la pêche.

Attirés, sans doute, par ses beautés naturelles et les eaux poissonneuses de la rivière Kouchibougouacis, des réfugiés acadiens, tels les Babineau, les Vautour, les Maillet, les Barriault, les Richard, etc., vinrent, vers 1797, s'établir à Saint-Louis de Kent [(1)].

La rivière Kouchibougouacis, ainsi nommée par les Indiens à cause de son faible courant [(2)], en séparant le village, ajoute à sa poésie une tranquilité qui symbolise éloquemment la paix retrouvée par les fils des exilés.

Sur la rive sud s'élève, en pente douce, une falaise au sommet de laquelle est sise l'église paroissiale [(3)] dont le haut clocher domine toute cette région si riche en souvenirs, si évocatrice du labeur, de l'énergie et des souffrances des braves pionniers.

Quand s'estompèrent les lugubres réminiscences d'un malheureux passé et la crainte de nouvelles persécutions possibles, la joie reparut sur les visages si longtemps assombris, la vie champêtre reprit son cours normal et, à tous les nouveaux villages acadiens, à l'instar de celui de Saint-Louis, on pouvait appliquer les paroles du poète à l'adresse des anciens habitants de Grand-Pré:

> "Ainsi vivaient alors des laboureurs chrétiens:
> "Ils servaient le Seigneur et leur vie était sainte.
> "Ignorant les tyrans, ils ignoraient la crainte.
> "Les fausses libertés, les enivrants banquets
> "Ne les séduisaient point. Ni verroux, ni loquets
> "Ne fermaient, dans la nuit, leur modeste demeure,
> "Et la porte s'ouvrait, comme l'âme, à toute heure" [(4)].

Sur la liste des premiers colons de Saint-Louis de Kent, figure le nom de Joseph Richard. Né le 2 décembre 1778 du mariage

---

(1) L.-Cyriaque Daigle, **Histoire de Saint-Louis de Kent**, Moncton 1948, pp. 18-19.

(2) Robert Cooney, **History of the Northern part of New-Brunswick**, 1832 p. 148, cité par L.-Cyriaque Daigle, op. cit., p. 10.

(3) La première des quatorze églises construites par Mgr Richard.

(4) Henry W. Longfellow, **Evangéline**, traduction libre par Pamphile Lemay, troisième édition, Montréal 1912, p. 23.

La mère et le père de Mgr Marcel-François Richard.

de François Richard et de Marie Daigle, arrivé à Saint-Louis en 1798, il épousa, le 16 novembre 1801, Marguerite Babineau, fille de Jean Babineau et d'Anne Bastarache, et mourut à Saint-Charles de l'Aldouane le 23 décembre 1805 (5).

Joseph Richard laissa à son épouse deux fils, dont l'aîné, Pierre-Luc était né le 19 septembre 1802 et devait épouser Marie-Tharsile Barriault. Dix enfants naquirent de cette union : Joseph, Marie-Blanche, Nathalie, Pélagie, Marguerite, Philomène, Olivier, Ursule, Pierre et Marcel-François.

Ce dernier, le futur Mgr Richard, est de souche foncièrement acadienne. Par son père, il remonte en ligne directe à Michel Richard qui vint en Acadie vers 1649. Par sa mère, il descend de Nicholas Barriault dont le nom figure à Pisiguid, au recensement des Mines de 1714, avec son épouse et ses quatre garçons (6).

---

(5) L.-Cyriaque Daigle, op. cit., pp. 18-19.

(6) Voir l'Appendice I du présent ouvrage.

Pierre-Luc Richard, un des premiers colons de Saint-Louis, n'avait pour toutes ressources que sa hache, de bons bras et une âme noble.

"Il ne craignait, écrit le R.P. Gildas, ni la fatigue, ni les intempéries des saisons. A l'époque de la récolte, avec un maigre salaire de vingt-cinq cents par jour, il s'acquittait de sa tâche aussi consciencieusement que s'il eût gagné trois dollars. Grâce à ses économies et à son industrieux courage, il améliora sa position et finit par s'établir sur un petit domaine de cent arpents de terre qu'il avait défrichée dans toute son étendue. Un jour d'hiver rigoureux, il partit de grand matin avec ses boeufs pour aller chercher du foin à une dizaine de milles. Le pauvre homme tomba, avec sa charge, dans un étang glacé d'où il ne sortit qu'au prix d'efforts surhumains. Trempé jusqu'aux os, il regagna son logis où il arriva exténué. Son épouse et ses enfants s'empressèrent autour de lui. Pour lui enlever ses chaussures, ils furent contraints de lui faire tremper les pieds dans l'eau chaude, ceux-ci n'étant plus qu'un bloc avec les souliers" (7).

Illettré à l'instar de la plupart de ses concitoyens, souffrant comme eux d'une telle carence occasionnée par les malheurs de l'exil, Pierre-Luc Richard, père de dix enfants, fut très heureux quand, en 1828, s'ouvrit la première école du village. Cette dernière, bien modeste, se tenait dans la demeure de Pierre Vautour, sous la direction de Jean Brouard qui, au dire de Cyriaque Daigle, pouvait parler le latin avec l'abbé Tétreault, quand ce missionnaire était de passage dans la mission (8).

A Jean Brouard succéda, en 1840, un fils de Saint-Louis dans la personne d'Augustin Johnson, jeune étudiant en belles-lettres au collège de Sainte-Anne de la Pocatière.

Augustin Johnson, frère d'Urbain Johnson qui fut longtemps député de Kent à la législature provinciale de Fredericton, enseigna jusqu'en 1845. Il fut ensuite remplacé par sa soeur, Geneviève Johnson, une élève de Jean Brouard.

En 1847, l'année de la naissance de Marcel-François Richard, on construisit la première école à Saint-Louis de Kent (9).

---

(7) Fr. M. Gildas, ptre, op. cit., p. 30.

(8) L.-Cyriaque Daigle, op. cit., pp. 85-86.

(9) Ibid.

Des dix enfants de Pierre-Luc Richard et de Marie-Tharsile Barriault, Marcel-François fut le benjamin. Né le 9 avril 1847, baptisé dans l'église paroissiale par l'abbé Joseph-M. Paquet, il eut son cousin Marcel Barriault comme parrain et sa soeur Pélagie comme marraine.

A l'école du village où il entra à l'âge de sept ans, Marcel-François se fit remarquer par une grande facilité d'apprendre.

Mise en éveil par ses premiers contacts avec les rudiments de l'abécédaire, sa curiosité intellectuelle ne fut jamais prise en défaut : "Les ardoises et les crayons étaient rares à cette époque à Saint-Louis et la tradition nous apprend que le jeune Marcel-François Richard, futur apôtre de l'éducation, fit ses premiers essais d'écriture en se servant d'un bardeau et d'un morceau de craie rouge trouvée dans un ruisseau voisin" (10).

A l'école, on vit déjà se dessiner chez lui le trait caractéristique du futur patriote : la bonté. Cette qualité lui attira vite la sympathie de ses camarades, particulièrement des plus faibles, dont il ne manquait jamais de prendre la défense contre les plus forts (11).

Marcel-François fréquenta l'école paroissiale jusqu'à l'âge de quatorze ans. "Les heureuses dispositions et les progrès de l'enfant décidèrent alors ses parents à lui faire suivre un cours d'étude plus élevé" (12).

Le choix d'une institution posait, vers 1860, un difficile problème aux Acadiens désireux de poursuivre des études supérieures ou universitaires. Avant la fondation, en 1864, du collège Saint-Joseph de Memramcook, il n'existait aucun collège français au Nouveau-Brunswick.

Les maisons d'éducation françaises les plus proches se trouvaient dans la province de Québec et n'étaient accessibles que par la voie du fleuve Saint-Laurent. Ainsi, les quatre premiers prêtres de la renaissance acadienne, un Girouard, un Poirier, un Boudreau et un Babineau, avaient dû s'embarquer sur des bateaux de pêche, et affronter un long et périlleux voyage de trois ou quatre semaines

---

(10) L.-Cyriaque Daigle, op. cit., pp. 96-97.

(11) Fr. M. Gildas, ptre, o.c.r., op. cit., p. 32.

(12) Fr. M. Gildas, ptre, o.c.r., op. cit., p. 34.

pour faire leurs études. Ils ne revinrent au pays qu'après avoir reçu le sacerdoce [13].

Le collège de Saint-Dunstan, dans l'île du Prince-Edouard, était le plus rapproché de Saint-Louis; mais le français y était plus ou moins enseigné. Pour accéder à ce collège anglais, il suffisait de traverser en bateau le détroit de Northumberland.

Quels motifs prévalurent dans le choix d'une telle institution ? Economie d'argent ? Accès plus facile ? Possibilité de revenir chaque été au foyer paternel ?

Quoi qu'il en soit, il nous est permis de voir dans un tel choix une disposition providentielle préparant ainsi de longue date celui qui, grâce à sa maîtrise parfaite de la langue anglaise, sera en mesure de faire valoir, auprès des autorités anglophones, les revendications de ses compatriotes français et de défendre leurs droits injustement lésés.

Il confiera plus tard à un ami: "Quand j'étais jeune et que j'écoutais le récit des malheurs de mes ancêtres et voyais mes compatriotes saisis de crainte à l'approche d'un Anglais, je bondissais d'indignation et je me disais : quand je serai grand, cette situation changera".

Simple illusion de jeunesse ? Non ! Un idéal qu'il devait poursuivre opiniâtrement sans prévoir, en ce moment d'exaltation, tout ce qu'allait comporter de luttes et d'ennuis la mise en pratique d'une telle détermination.

Faute de documents, il nous a été impossible de connaître les impressions du jeune étudiant durant ses six années à Saint-Dunstan.

La tradition nous rapporte un trait qui met en évidence l'esprit de justice et de loyauté de Marcel-François toujours prêt à s'ériger en défenseur du faible. Un Haïtien, noir et trapu, était souvent l'objet des railleries et des vexations de ses condisciples irlandais. Un jour, Marcel-François bondit sur les agresseurs et les étendit tous par terre. Personne n'osa protester devant la force

---

(13) M.-F. Richard, ptre, Mémoire conservé au Centre d'Etudes Acadiennes de l'Université de Moncton.

Marcel-François Richard à l'âge de vingt ans.

herculéenne du jeune Acadien dont l'audace, loin de les aliéner, leur inspira le plus profond respect [14].

Parmi ses condisciples, était Cornelius O'Brien, le futur archevêque d'Halifax, qui lui voua une amitié fidèle et indéfectible [15].

A l'automne de 1867, muni des diplômes de son Alma Mater et de l'approbation de son évêque, Marcel-François Richard, âgé seulement de vingt ans, se dirigea vers le grand séminaire de Montréal où, durant trois ans, il suivit les cours de théologie en vue du sacerdoce.

Deux lettres qu'il écrivit à son évêque nous renseignent sur ses dispositions et son état d'âme.

---

(14) On demandait un jour à Pierre Richard si, dans sa jeunesse, il avait connu un homme plus fort que lui? "Oui, dit-il, je crois qu'il y en avait un: c'est Mgr Richard". Voir L.-Cyriaque Daigle, op. cit., p. 145. La tradition nous rapporte un autre trait assez typique de la force herculéenne de Mgr Richard. Un Indien, un peu trop grisé, un colosse, était entré dans l'église de Saint-Louis et, durant le sermon, faisait du bruit et parlait tout haut. Le curé demanda aux marguilliers de le sortir; personne n'osa bouger. Sans hésiter, l'intrépide curé alla droit vers le récalcitrant, le saisit par les épaules, le souleva au-dessus de sa tête, à l'instar d'un jouet qu'on manie, et le conduisit au-dehors de l'église, sans autre forme de procès.

(15) Voir le chapitre XI.

Marcel-François Richard âgé de 22 ans,
durant son séjour au grand séminaire de Montréal.

Dans la première, datée du 28 août 1868, il affirme, au terme d'une première année de théologie, son intention, à moins d'obstacles imprévisibles, de poursuivre ses études jusqu'au sacerdoce en dépit de deux offres d'emploi, comme professeur d'anglais, reçues des autorités du collège de l'Assomption et du séminaire de Saint-Hyacinthe.

Chez un homme de vingt et un ans, il fallait une vocation solide pour résister à l'appas de ces propositions d'autant plus alléchantes que le besoin d'argent était impérieux en Acadie. "Toutefois, dit-il, si mes parents sont en mesure de payer mes études au grand séminaire, je préfère continuer".

Il termine sa lettre en annonçant à son évêque que la tonsure lui a été conférée, avec l'autorisation du vicaire général, l'abbé Joseph-M. Paquet et, "aidé de la grâce de Dieu, il espère devenir un jour, un fidèle coopérateur dans l'oeuvre missionnaire de son évêque" (16).

---

(16) M.-F. Richard, ecclé., lettre du 28 août 1868 à Mgr James Rogers.

La seconde lettre, écrite en français, est datée du 8 janvier **1869 :**

"Un double motif m'engage à vous présenter mes humbles, mais sincères souhaits : l'amitié et la charité. D'abord l'amitié, car quoiqu'il ne m'ait été permis de voús voir et de vous parler que pour un temps peu notable, vous avez néanmoins tellement gagné mon estime à cette occasion que les liens d'affection qui m'unissent à vous, j'ose le dire, ne pourront se rompre qu'avec la mort [17]. C'est donc pour satisfaire ce penchant de mon coeur que je prends la liberté de vous écrire en ce moment. Je dis, en second lieu, que c'est la charité qui m'engage à vous faire mes souhaits de bonne année. En effet, quand je considère le fardeau dont vous êtes chargé, comme évêque et pasteur d'un si nombreux troupeau, je sens le besoin de vous venir en aide, en adressant au ciel, en ce temps solennel, les voeux les plus ardents, afin de vous obtenir les grâces nécessaires pour porter ce fardeau avec joie et bonheur et mériter, par là, les avantages qui y sont attachés. La pensée du long trajet que vous êtes appelé à faire dans le cours de la nouvelle année, en vue d'assister à Rome, au concile oecuménique, me fait redoubler mes voeux, afin que ce long et périlleux voyage vous soit propice et que vous retourniez au milieu de votre troupeau avec la santé et tous les autres biens propres à votre sublime position.

"J'ai reçu les Ordres mineurs lors des ordinations de Noël et j'espère y avoir apporté les meilleures dispositions. Toutefois, ce n'est pas tout d'avoir reçu les Ordres, il faut de plus, acquérir les vertus qui y sont attachées. A cette fin spéciale, j'implore le secours de vos prières, dont j'ai grandement besoin. Afin de vous donner l'occasion de vous souvenir le plus souvent de moi dans vos prières, je me permets de vous envoyer ma photographie, avec l'espoir que vous me ferez l'honneur et le plaisir de m'envoyer la vôtre avant votre départ pour Rome. Je vous serais très reconnaissant de cette faveur. J'ai le plaisir de vous apprendre que les autres ecclésiastiques de votre diocèse se portent

---

(17) Cette affection filiale ne se démentira jamais. Même aux jours sombres de sa disgrâce, l'abbé Richard souffrira d'autant plus que son affection envers son évêque avait été fidèle et sincère. Voir le chapitre XI.

Mgr Peter McIntyre, évêque de Charlottetown,
qui a ordonné Marcel-François Richard à la prêtrise,
le 31 juillet 1870.

bien et qu'ils font de rapides progrès dans la science et la vertu. Espérant que Votre Grandeur voudra bien excuser mon importunité, je termine, en vous faisant de toute l'ardeur de mon coeur, les souhaits les plus appropriés à votre position. Si le ciel daigne exaucer ces voeux, rien ne manquera à votre bonheur" (18).

Promu au sous-diaconat, le 18 décembre 1869, au diaconat le 28 juin de l'année suivante, Marcel-François Richard reçut l'onction sacerdotale le 31 juillet 1870, des mains de Mgr Peter McIntyre, évêque de Charlottetown, alors que Mgr James Rogers assistait, à Rome, au concile du Vatican.

De retour dans sa paroisse natale, le nouveau prêtre célébra sa première messe le dimanche suivant, assisté de son curé, l'abbé Hugh McGuirk (19).

Dans l'enivrement des joies surnaturelles, il ne pensait probablement pas que le divin Maître l'associerait à sa Passion en lui faisant gravir les marches d'un douloureux calvaire quand, dans cette paroisse de Saint-Louis qui fut le berceau de son enfance, il allait être lancé à pleine voile dans la tempête.

---

(18) M.-F. Richard, ecclés., lettre du 8 janvier 1869 à Mgr James Rogers.

(19) D'après un document conservé au monastère des RR.PP. Trappistes de Rogersville.

CHAPITRE II

UN JEUNE APÔTRE DANS LA TEMPÊTE

Il est normal de placer un jeune prêtre inexpérimenté sous la tutelle d'un curé capable de le conseiller et de l'orienter dans ses nouvelles fonctions. Tel ne fut pas le cas de l'abbé Richard. Le titulaire de la mission de Saint-Louis de Kent, depuis son arrivée au mois de novembre précédent, offrait tous les signes d'un profond déséquilibre névrotique.

L'abbé Hugh McGuirk n'était pourtant pas un inconnu à Saint-Louis où, de 1846 à 1857, il avait exercé le ministère pastoral.

Le décès, en juillet 1869, de l'abbé Joseph-M. Paquet, vicaire général, ayant nécessité quelques permutations dans le diocèse, l'abbé Joseph Pelletier remplaça le vénéré défunt à Caraquet et l'abbé Hugh McGuirk qui, depuis 1857, était curé à Saint-Basile du Madawaska, fut désigné comme successeur de l'abbé Pelletier à Saint-Louis de Kent [(1)].

Située en bordure de la rivière Saint-Jean qu'il suffisait de traverser pour atteindre le territoire américain où coulaient "le lait et le miel" de l'abondance, la paroisse de Saint-Basile jouissait, à ce point de vue, d'une incomparable supériorité matérielle sur celle de Saint-Louis.

Celle-ci, par sa position retirée et loin des centres urbains, était plus difficile d'accès et plus pauvre. En outre, le missionnaire était souvent obligé de battre des sentiers à travers la forêt afin de se rendre aux diverses missions dépendantes.

---

(1) Mgr Rogers, évêque du diocèse, avait transféré l'abbé McGuirk à Saint-Louis de Kent dans le but de confier la mission de Saint-Basile aux RR. PP. de Sainte-Croix. Il espérait que ceux-ci fonderaient une académie en faveur des jeunes de la région. Voir le chapitre VIII.

M. l'abbé Hugh McGuirk

Dépassant la cinquantaine, après douze années d'un ministère fructueux à Saint-Basile du Madawaska, l'abbé McGuirk n'avait probablement jamais envisagé l'heure fatidique où un ordre de son évêque l'obligerait à s'arracher aux oeuvres qu'il avait créées au "paradis des chasseurs" pour retourner à son ancienne mission [2].

Ce transfert inattendu lui parût-il comme une déchéance? Si l'on en juge par son étrange comportement peu après son arrivée à Saint-Louis, ses crises de violence et d'agressivité, symptômes non équivoques du délire de revendication, on peut facilement conclure à l'état d'un homme atteint de névrose et profondément frustré.

En janvier 1870, sur la recommandation du Dr. Benson, les abbés Michael Egan, vicaire général, et Thomas Barry, curé de Chatham, allèrent rendre visite à l'abbé McGuirk. Ils le

---

(2) L'abbé McGuirk avait terminé la construction de l'église de Saint-Basile; celle-ci fut solennellement bénite en 1863 par Mgr Connolly, archevêque d'Halifax. Il avait déménagé le presbytère, oeuvre de Mgr Langevin, en vue de le convertir en une salle paroissiale et lui-même s'était fait construire une résidence de "grand style" sur le site historique, en 1864. Ce presbytère fut incendié en 1871. Voir Thomas Albert, **Histoire du Madawaska**, Québec 1920, p. 420.

Une lettre de l'abbé Richard, datée du 4 février 1871, nous apprend que l'abbé McGuirk avait fait assurer en son nom personnel tous les édifices du culte et leurs dépendances, même le couvent qu'il avait construit en 1857 et confié aux religieuses de la Charité de Saint-Jean, N.-B.

persuadèrent de l'urgence d'un traitement médical et l'amenèrent à Chatham où il fut confié aux soins des religieuses hospitalières. De retour dans sa paroisse après quelques semaines, ses crises de violence reprirent de plus belle [3].

Pensant que la présence du jeune prêtre, initié jadis à la vie chrétienne par l'abbé McGuirk et tout récemment accompagné par lui au saint autel, exercerait sur le malade une influence salutaire, Mgr Rogers nomma l'abbé Richard vicaire à Saint-Louis, au mois d'août 1870.

L'évêque rendit ce témoignage élogieux au sujet de ce dernier: "Ce jeune prêtre, pieux et intelligent qui, au grand séminaire, par ses aimables et excellentes qualités naturelles avait gagné l'estime et l'affection, non seulement de ses maîtres et de ses condisciples, mais encore de toutes les personnes avec lesquelles ses études cléricales l'avaient mis en relation, se consacra à sa pénible tâche avec un esprit de patience et de sacrifice vraiment admirable. Son tact, sa gentillesse, sa docilité et ses prévenances eurent, durant quelques mois, une influence bienfaisante sur son confrère plus âgé, de telle sorte qu'elles contribuèrent, en éloignant les occasions d'irritation, à espacer les crises d'agressivité. Mais quiconque est doué d'expérience et de bon sens comprendra combien fut pénible la situation de l'abbé Richard placé, au tout début de son ministère pastoral, sous la tutelle d'un homme à moitié dément et d'un tel tempérament que celui de M. McGuirk" [4].

L'état du malade s'étant aggravé, Mgr Rogers fut contraint de le décharger temporairement de l'administration de sa paroisse. Voici ce qu'il écrivit: "Au mois de décembre, en passant par Saint-Jean à mon retour de Rome, Sa Grandeur Mgr Sweeney me communiqua une lettre qu'il venait de recevoir de M. McGuirk. Ecrite sans provocation de la part de l'évêque de Saint-Jean, cette lettre par le fond et la forme me persuada que, si l'auteur n'était pas déjà insensé, il s'acheminait vers la démence.

"De plus, les renseignements obtenus à mon arrivée à Richibouctou à propos d'un sermon que M. McGuirk avait récemment prononcé dans l'église de cet endroit, me confirmèrent dans ma conviction. A Chatham, le courrier m'apportait chaque jour

---

(3) D'après un document conservé au monastère des RR.PP. Trappistes de Rogersville.

(4) Mgr James Rogers, **Statement of the Case McGuirk versus Richard**, June 1872. La traduction française est de nous.

quelques lettres absurdes de ce Révérend Monsieur. Dans une première lettre, il me disait qu'il refusait de se rendre à Chatham par crainte d'amoindrir la joie de mon retour en donnant, en ma présence, des coups de cravache au Très Rév. Administrateur du diocèse.

"Astreint à de nombreux devoirs qui absorbèrent tout mon temps durant les trois premiers jours qui suivirent mon arrivée de Rome, je fus empêché de m'occuper du cas de M. McGuirk. Finalement, il m'envoya, sous enveloppe adressée à mon nom, la copie d'une lettre écrite par lui-même et dont il avait envoyé l'original à un laïque et plusieurs autres copies à diverses personnes. La teneur de cette lettre était telle qu'aucun homme sensé, encore moins un prêtre, ne l'aurait écrite sans être dépourvu de raison. La réception de cette lettre ajoutée à tant d'autres preuves manifestes de son incapacité à exercer le ministère auprès des âmes ne me laissèrent d'autre alternative que celle de le décharger de ses fonctions et de lui écrire, par le retour du courrier, la lettre suivante:

> "La joie ressentie à mon retour dans mon diocèse à la suite du concile oecuménique fut hélas! assombrie par le chagrin d'apprendre que vous souffrez d'une maladie qui vous enlève toute liberté d'esprit. Les lettres que vous avez écrites à différentes personnes de qualité et dont j'ai eu connaissance sont si outrageantes qu'elles prouvent que leur auteur doit être ou très méchant ou atteint de folie. Mais comme j'ai toujours eu en très haute estime vos excellentes qualités et que je vous ai connu comme un prêtre bon et zélé, j'attribue toutes ces extravagances, non à la malice, mais à l'affaiblissement passager de vos facultés mentales, lequel, je l'espère, sera de courte durée. Mais en attendant, il m'est impossible, étant donné votre état actuel, de vous confier le soin des âmes. Vous avez besoin d'un bon repos, facilité durant quelques temps par l'absence des responsabilités de votre charge et, de saines distractions au milieu de vos amis et de vos connaissances, afin de calmer la surexcitation de vos nerfs et de recouvrer la santé. A cet effet, je vous décharge de la mission de Saint-Louis et de ses dépendances et j'en confère la responsabilité à votre vicaire, l'abbé Marcel Richard qui administrera la mission jusqu'à nouvel ordre ou quand vous serez en mesure de la reprendre. Pour la même raison, je vous retire la faculté

d'exercer le saint ministère dans le diocèse aussi longtemps que je n'aurai pas une preuve évidente de votre rétablissement. Je vous autorise à vous absenter du diocèse si cela vous convient pour visiter vos parents et vos amis afin de pouvoir ainsi retrouver votre santé. Priant Dieu de vous bénir et de vous accorder un prompt retour à la santé afin d'être utile à son service. Je demeure, etc . . ." (5)

Par le même courrier, Mgr Rogers écrivit à l'abbé Richard pour le charger temporairement de l'administration de la mission et de ses dépendances, au double point de vue spirituel et temporel, en attendant que l'abbé McGuirk recouvre la santé ou jusqu'à nouvel ordre.

Sa Grandeur témoigne au jeune missionnaire toute sa confiance:

"Je confie à votre prudence, à votre fermeté et à votre piété sacerdotale tout ce qui concerne la mission. Dans la situation si difficile et si délicate où vous vous trouvez présentement, vous remplirez votre devoir avec énergie et discrétion en vous appuyant sur la grâce de Dieu. Quand les nouveaux ordonnés seront arrivés de Montréal, je vous enverrai une aide si la chose est possible" (6).

L'abbé Richard assuma ses nouvelles responsabilités le dimanche 26 décembre 1870. Le lendemain, il écrivit à son évêque:

"Je me suis annoncé hier comme remplaçant de l'abbé McGuirk. Après avoir exhorté les paroissiens à oublier le passé et à mettre tout sous leurs pieds, je leur ai défendu de parler, en aucune manière, des faits récents, ni entre amis, ni en famille. Enfin, j'ai demandé un silence complet sur tout. J'ai cru devoir agir ainsi afin de maintenir l'ordre et l'union entre les deux partis qui existent" (7).

Une injonction si impérieuse en faveur du silence était hautement motivée. Les bizarreries de l'abbé McGuirk, on le conçoit, avaient provoqué de grands émois dans la localité: des propos circulaient et les commères y allaient de leur train. Si les gens modérés acceptaient sans réticence le nouvel administrateur,

---

(5) Mgr James Rogers, ibidem.
(6) Idem, lettre du 23 décembre 1870 à l'abbé M.-F. Richard.
N.B. Toutes les lettres de Mgr James Rogers que nous citons dans le présent ouvrage furent écrites en anglais. Nous les avons traduites en français.
(7) M.-F. Richard ptre, lettre du 27 décembre 1870 à Mgr James Rogers.

nombreux étaient ceux qui, prenant fait et cause pour leur ancien curé, le considéraient comme un persécuté, victime des intrusions du jeune vicaire dont l'ambition aurait circonvenu l'évêque et machiné ce changement.

De son côté, jouant au diplomate, feignant d'accepter sa déchéance en saluant gentiment son remplaçant du titre de M. le curé, l'abbé McGuirk maniait habilement les intrigues afin de gagner la sympathie des gens [8].

La situation était d'autant plus ambiguë qu'il persistait à demeurer au presbytère où il continuait à agir en maître [9].

Dans sa lettre du nouvel an, l'abbé Richard décrit cet état de chose:

> "M. McGuirk est encore ici avec servant et servante. Tantôt il dit qu'il partira dans quinze jours, tantôt dans trois mois et tantôt quand il voudra... Il voulait occuper tout le bas du presbytère et ensuite opérer des divisions, ouvrir des portes, etc., etc. Quant à l'occupation du bas de la maison, je n'ai mis aucun obstacle. Mais en ce qui regardait les divisions projetées, je m'y suis opposé. Il s'est fâché très fort en me menaçant de me faire passer par la fenêtre. Bientôt il a repris son calme. Il ne porte plus la soutane et est presque toujours sur le chemin. Quant à moi, je puis facilement me tirer d'affaire, mais sa présence dans la paroisse mettra certainment obstacle au succès de mon ministère. Les gens n'osent pas venir au presbytère: c'est un inconvénient. Il y en a d'autres qui viennent beaucoup trop" [10].

Cette situation allait durer jusqu'au 17 janvier suivant, alors qu'une nouvelle crise de quérulance, beaucoup plus grave que les précédentes, décida du sort de l'abbé McGuirk et projeta le jeune apôtre en pleine tempête.

Pour empêcher son jeune remplaçant d'exercer son ministère, il consomma les saintes espèces, ferma à clef les portes de l'église et, muni d'une hache, brisa les portes et les fenêtres du presbytère en menaçant de tuer quiconque oserait l'approcher.

---

(8) Ibidem.

(9) M.-F. Richard, ptre, lettre du 3 janvier 1871 à Mgr James Rogers.

(10) M.-F. Richard, ptre, lettre du 3 janvier 1871.

Abasourdi, l'abbé Richard s'empressa, le jour même, de raconter à son évêque la scène de violence dont il venait d'être témoin:

"Les choses en sont rendues à un terrible point. M. McGuirk garde les clefs de l'église après en avoir barré les portes. D'après ses propres paroles, il a consommé la Sainte Eucharistie enfermée dans le tabernacle. Devons-nous, oui ou non, pénétrer dans l'église par des moyens extraordinaires? De plus, il a voulu me mettre à la porte, mais j'ai résisté fermement. Les syndics de la paroisse sont maintenant au presbytère et veillent continuellement. Tout le monde serait flatté de vous voir au milieu de nous, surtout votre humble serviteur. Vous comprenez que ma position est loin d'être facile: les choses, Monseigneur, étant terriblement sérieuses. Veuillez me dire si vous pouvez venir, afin de prendre des mesures en conséquence" (11).

Une seconde lettre écrite le soir du même jour raconte l'attentat contre le presbytère:

"Monsieur McGuirk, arrivé de la ville depuis une heure, a défoncé les portes et les fenêtres du presbytère d'une manière vraiment terrible et cela, en présence de 40 à 50 personnes. Je me suis avancé suivi de ma petite armée. Il s'élançait vers moi pour me frapper de sa hache, mais il n'a pas osé. Après avoir fait un tel dégât, il a échappé sa hache et on en profita pour s'emparer de lui. On lui a lié les mains. Je suis parti immédiatement pour Richibouctou et je l'ai fait arrêter pour insanité; un officier de la loi est venu . . . Voilà les difficultés par lesquelles j'ai passé aujourd'hui: je m'en souviendrai durant toute ma vie".

Après avoir réitéré son grand désir d'avoir la présence de Mgr Rogers à Saint-Louis, l'abbé Richard termine sa lettre en disant: "Je vous avoue que je suis épuisé par le manque de sommeil et aussi par l'inquiétude" (12).

---

(11) M.-F. Richard, ptre, lettre du 17 janvier 1871 à Mgr James Rogers.

(12) Ibid.

Mgr Rogers s'empressa d'écrire la lettre suivante où il uve en tout la manière d'agir de l'abbé Richard dans cette triste affaire:

"En arrivant hier de Newcastle, j'ai trouvé de nouveaux devoirs qui m'attendaient de telle sorte que je ne pouvais pas songer à quitter la maison immédiatement sans une raison grave.

"Votre lettre, relatant les nouveaux développements de la folie de M. McGuirk, est dans la ligne de mes prévisions. Si j'avais été présent à cette scène, il est probable que ma présence l'aurait irrité davantage. Par mes lettres antérieures, vous avez déjà reçu toute l'autorité de ma présence morale. Néanmoins, je voudrais vous aider, vous encourager et vous soutenir par tous les moyens efficaces que la prudence me dicte dans la situation difficile et délicate où vous vous trouvez. Même si j'avais été sur les lieux, je n'aurais fait que ce que vous avez fait vous-même, c'est-à-dire faire appel au concours des gens de la paroisse pour protéger l'église, le presbytère et vous-même contre la folie d'un homme exaspéré. S'il persiste à fermer et à barricader les portes de l'église, vous pouvez assurément, avec la coopération de votre comité de défense, user de tous les moyens extraordinaires pour y entrer et empêcher M. McGuirk de commettre d'autres infractions. À cette distance, il m'est difficile de vous indiquer une directive particulière touchant la manière suivant laquelle vous devez agir. Votre seul bon sens, votre jugement et les conseils des gens qui vous assistent vous dicteront ce qu'il y a de mieux à faire dans les situations concrètes. Vous avez toute l'autorité nécessaire, en tant qu'administrateur de la paroisse de Saint-Louis et des missions dépendantes qui sont placées sous votre juridiction.

"Et s'il devient nécessaire de recourir à la loi civile afin de vous protéger contre la méchanceté et l'agressivité de M. McGuirk, adressez-vous au Magistrat ou à tout autre officier civil.

"Ecrivez-moi par le retour du courrier; si je puis faire autre chose pour vous aider, même en allant vous visiter, je ne manquerai pas de le faire. Vous comprenez qu'à la suite de ma si longue absence de mon diocèse, il m'est difficile de me soustraire, même durant quelques jours seulement, aux multiples problèmes d'administration auxquels je dois faire face depuis mon retour de Rome" (13).

Deux jours après, l'évêque écrit de nouveau. Tout en regrettant la tournure tragique des récents événements, il pense que c'est peut-être un mal pour un bien:

> "On aurait pu craindre, qu'à l'occasion d'un repos dans sa famille, M. McGuirk se serait répandu en invectives contre les évêques et les prêtres, critiques qui, dans les milieux protestants surtout, eussent causé beaucoup de scandale ainsi que chez tous ceux qui, incapables de diagnostiquer son état, auraient sympathisé avec lui, en le croyant persécuté, incompris ou maltraité par son évêque, par vous-même ou par d'autres personnes.
>
> "A la suite de ce qui vient de se passer, nul ne peut mettre en doute son insanité. Votre recours au Magistrat civil, à un moment où son comportement était devenu intolérable, doit être reconnu par tous comme étant une démarche absolument nécessaire, afin d'épargner à ce pauvre malade d'autres méfaits encore plus graves, et pour vous protéger ainsi que votre peuple et les propriétés de l'église" (14).

Mgr Rogers réitère ensuite l'expression de son grand désir de se trouver auprès de son fidèle serviteur, son vif regret de ne pouvoir obtempérer à ce désir à cause des multiples devoirs qui le retiennent à l'évêché et aussi de la crainte bien fondée d'une sérieuse aggravation de la violence de l'énergumène dans le cas où celui-ci se trouverait en présence de son évêque.

"Avoir été moi-même sur les lieux, lui répète-t-il, je n'aurais pas agi autrement que vous l'avez fait: recourir à la protection de la loi civile".

Enfin, il termine sa lettre en félicitant l'abbé Richard qui, en pleine tempête, s'était conduit en tout comme un vrai ministre du Christ.

Mgr Rogers, on le voit, était très sensible aux doléances de son jeune missionnaire aux prises avec de si sérieuses difficultés.

---

(13) Mgr James Rogers, lettre du 17 janvier 1871.

(14) Mgr James Rogers, lettre du 19 janvier 1871.

Aussi lui délégua-t-il son vicaire général, l'abbé Michael Egan, afin de pacifier la population et démontrer que la conduite de l'abbé Richard était dans la ligne des directives de son évêque et hautement approuvée par lui [15].

La mission du grand-vicaire n'eut pas les résultats escomptés si l'on en juge par le billet suivant de l'abbé Richard: "Je viens juste de recevoir une note du Juge de paix me disant que la présence de l'évêque est absolument nécessaire afin de porter un jugement sur l'insanité de M. McGuirk et sur sa conduite passée. De plus, la tension monte chez la population et plusieurs pensent que, dans toute cette affaire, j'ai agi suivant mes caprices et non d'après vos ordres, de sorte que je me vois obligé, encore une fois, de vous demander de venir et cela, le plus tôt possible" [16].

Dès le retour du vicaire général à Chatham, Mgr Rogers envoya à l'abbé Richard une aide dans la personne de l'abbé William Varrily qui devait lui servir de compagnon et de soutien durant cette période critique.

En recourant à la protection civile que dans tout pays civilisé la législation assure contre les malfaiteurs et les individus dangereux, l'abbé Richard avait donc agi conformément aux directives ou à l'approbation de son évêque. En présence du magistrat, il avait exposé sous serment les faits et les raisons qui lui faisaient craindre d'autres violences à l'avenir. Quand le magistrat lui demanda si c'était comme fou ou comme criminel qu'il exigeait l'arrestation de l'abbé McGuirk, il répondit: "Je ne désire autre chose que la protection à laquelle, en ma qualité de citoyen, j'ai le droit contre la violence".

Le magistrat ne fut pas satisfait de cette réponse puisque, selon lui, nul citoyen ne pouvait être privé de sa liberté par la volonté arbitraire d'un représentant de la loi. Il fallait donc spécifier le chef d'accusation. Par respect envers le caractère sacerdotal de son malheureux confrère, l'abbé Richard préféra le déclarer irresponsable à cause de folie dangereuse plutôt que comme criminel.

Arrêté par un officier de la police, l'abbé McGuirk fut conduit à Richibouctou où il comparut devant le shérif. Celui-ci en le voyant dans toute sa lucidité d'esprit, crut à un malicieux

---

(15) Ibid.
(16) M.-F. Richard, ptre, lettre du 19 janvier 1871.

subterfuge de la part du jeune prêtre français de Saint-Louis et le fit aussitôt remettre en liberté [17].

Or, voici les rôles intervertis: d'accusé, l'abbé McGuirk devient accusateur et poursuit l'abbé Richard pour diffamation. La partie est d'autant plus belle que les membres du tribunal sont tous, ou presque tous, des sectaires fanatiques qui ne laisseront pas passer l'occasion de mettre en mauvaise posture l'évêque catholique romain de Chatham et le jeune prêtre français de Saint-Louis.

Sans doute, les actes de violence dont l'abbé McGuirk s'est rendu coupable justifient pleinement la démarche du curé de Saint-Louis. Outre la mesure disciplinaire prise par l'évêque, le 23 décembre précédent, lui enlevant l'administration de la paroisse, une cinquantaine de témoins peuvent attester les faits incriminés comme étant l'oeuvre d'un homme exaspéré ou d'un fou furieux.

Néanmoins, le chef d'accusation porté par l'abbé Richard, ayant été jugé irrecevable par le shérif, l'abbé McGuirk, une fois remis en liberté, pouvait désormais patauger à son aise dans la boue de ses morbides et injustes revendications. Il tentera même de légitimer sa conduite en alléguant son titre de propriétaire des biens de l'église: allégation fallacieuse, même au point de vue civil, puisqu'en vertu d'un acte de la législation du Nouveau-Brunswick passé en 1862, toutes les propriétés, alors confiées à des administrateurs pour l'usage de l'Eglise catholique romaine, avaient été investies en corporation au nom de l'évêque de Chatham.

Déchargé par son évêque de l'administration de la mission de Saint-Louis, l'abbé McGuirk n'avait donc pas le droit de détruire inconsidérément les biens appartenant à l'église paroissiale.

L'abbé Richard ignorait-il cette législation civile? S'il avait déclaré son confrère criminellement responsable, de quel poids aurait pesé un tel chef d'accusaton dans la balance d'un tribunal prévenu d'avance contre le prêtre français de Saint-Louis à une

---

(17) D'après un document conservé au monastère des RR.PP. Trappistes de Rogersville.

époque où les préjugés de religion et de nationalité étaient si tenaces?

Quoiqu'il en soit, l'abbé Richard allait payer le prix de son respect et de sa condescendance à l'égard de son malheureux confrère: deux procès, une forte amende et deux semaines aux limites du pénitencier.

CHAPITRE III

AUX LIMITES DU PENITENCIER

La lettre officielle par laquelle son évêque le déchargeait temporairement de la mission de Saint-Louis n'obligeait pas l'abbé McGuirk à quitter les lieux. Sa présence dans les environs du village était plus que gênante pour l'abbé Richard qui vivait constamment dans la crainte et l'anxiété. Ses lettres en témoignent. Citons-en quelques extraits:

Le 26 janvier:

"M. McGuirk est encore à Richibouctou où il s'efforce de convaincre l'un de mes paroissiens de le prendre chez lui. J'ai menacé ce dernier des censures ecclésiastiques s'il se laisse entraîner jusque-là. L'excitation de la population anglaise et irlandaise commence à se modérer. Quant à Richibouctou, je ne crains rien. Le Grand Kouchibougouac est moins raisonnable. Ceci ne m'occupe guère. Tout ce que je désire, c'est que M. McGuirk s'éloigne de la paroisse et, ensuite, les choses s'arrangeront bien vite. Il a dit hier à la ville que je serais envoyé à la maison de pénitence. Les temps vont devenir durs avec moi, Monseigneur! Ce n'est pourtant pas pour cela que je me suis fait prêtre. Enfin, saint Pierre lui-même n'y est-il pas allé? Pourquoi pas votre humble serviteur?

"Vous m'invitez à vous rendre visite. Je ne demande pas mieux. Il m'est difficile de m'absenter du presbytère. Les gens sont bien prêts à m'obéir, mais il leur faut un chef. Mon absence serait toujours considérée par eux comme trop longue, d'autant plus que je me sens trop fatigué pour entreprendre ce voyage" (1).

Le 12 mars:

"M. McGuirk est arrivé de Montréal. Il est un peu plus calme. Il ne dit presque rien à personne. Hier, dimanche, il est venu à la messe à Saint-Louis. Il s'est tenu en arrière de l'église et s'est parfaitement bien conduit. Hier soir, je suis venu à Richibouctou pour la mission de Pâques et, ce matin, il était à la messe. J'agis comme s'il n'était pas présent. J'ignore ce qu'il médite. Il paraît pensif et abattu. Il s'attend, dit-on, à reprendre la paroisse le 20 de ce mois. *Fiat voluntas tua*! Je tiens toujours un homme au presbytère comme gardien durant mon absence. On ne sait ce qu'il (M. McGuirk) a dans l'idée" (2).

Le 19 mars:

"J'ai fini hier matin les Pâques à Richibouctou. Je croyais d'abord que les difficultés passées empêcheraient un certain nombre de s'adresser à moi; au contraire, la mission a été très satisfaisante. Ayant assisté à la messe presque tous les matins, M. McGuirk est venu me trouver à la sacristie pour me réprimander sur ma manière d'agir. Je lui ai répondu que je n'avais aucune réponse à lui donner avant le procès" (3).

Le 28 mars:

"M. McGuirk est parti pour le Madawaska, je ne sais pour combien de temps. On respire toujours, en attendant. Il est venu me voir quand j'était à Richibouctou. Il ne m'a rien dit de nouveau: il n'a fait que de parler des évêques et me réprimander sur ma conduite. Il paraît fort abattu" (4).

Le 15 juin:

"Je vous écris pour vous informer que votre ancien collaborateur est de retour, je veux dire: *The special Messenger of the ever Blessed and Immaculate Virgin* comme il a osé se

---

(1) M.-F. Richard, ptre, lettre du 26 janvier 1871.

(2) Idem, lettre du 12 mars 1871.

(3) Idem, lettre du 19 mars 1871.

(4) M.-F. Richard, ptre, lettre du 28 mars 1871 à Mgr James Rogers.

personnifier lui-même. Il est arrivé hier à Richibouctou et, ce matin, il est passé et n'a pas daigné entrer saluer son ancien vicaire!

"Ainsi, Monseigneur, voilà le guerrier arrivé! Peut-être me faudra-t-il entrer de nouveau dans le champ de bataille. Je n'en suis pas effrayé, car je crois que le plus dur coup a été donné et, d'ailleurs, on s'habitue à tout, à la guerre comme au reste. Je ne pense pas qu'il donne du trouble à moins qu'il n'use de marques de corruption. Personne ne semble s'émouvoir de son arrivée. C'est une preuve que l'on ne s'en occupe guère. Si toutefois il survenait quelque chose d'important, j'en informerais Votre Grandeur sans délai" (5).

Mettant tout son espoir dans la réussite du procès intenté contre son ancien vicaire, l'abbé McGuirk multipliait les démarches et les intrigues afin de "pousser les choses à la vapeur" (6).

Les avocats n'étaient pas aussi pressés. Les témoins ne furent entendus qu'à la fin du mois de mars 1872 et "ils s'acquittèrent honorablement de leur tâche" (7).

Il manquait toutefois un témoignage important: la production des lettres diffamatoires, écrits indispensables au dire de l'avocat, pour prouver l'insanité de l'inculpé. L'abbé Richard insiste, et sollicite même la présence de son évêque:

> "Bien que la seule signature de l'évêque serait suffisante pour attester l'authenticité de ces lettres, je pense que si Votre Grandeur pouvait se trouver à Saint-Louis et devant la cour de Richibouctou, cette seule présence démontrerait aux personnes mal intentionnées qu'il ne s'agit pas d'un *French Plot*, mais d'une question où les intérêts de la religion sont sérieusement impliqués. Etant seul à combattre, plusieurs pensent que je ne suis pas dans le droit, que j'agis de ma propre initiative, car autrement, les autorités supérieures prendraient une part plus personnelle et plus active dans ma défense" (8).

---

(5) Idem, lettre du 15 juin 1871.

(6) M.-F. Richard, ptre, lettre du 18 septembre 1871 à Mgr James Rogers.

(7) Idem, lettre du 1er avril 1872.

(8) Idem, lettre dc 22 avril 1872.

Le 20 mai suivant, l'abbé Richard revient sur le même sujet:

"J'ai eu l'occasion de parler longuement à notre avocat au sujet du procès. Il m'affirme que notre cause est bonne mais, à cause des préjugés qui peuvent exister contre nous, il convient de produire tout ce qui est possible afin de prouver au public et à la cour que nous avions parfaitement le droit d'agir comme nous l'avons fait. De son côté, M. McGuirk s'efforce de faire croire au public qu'il a été maltraité par Votre Grandeur et par moi-même. Il raconte à qui veut l'entendre les mêmes diatribes qu'il se plaît à écrire à divers personnages, de sorte que le scandale ne saurait être plus grand . . .

"C'est pourquoi, au dire de l'avocat, il est nécessaire de frapper le premier et d'un grand coup. De plus, remarque le même avocat, la présence de l'évêque, comme chef du diocèse, durant la tenue de la cour, aurait un effet certain, parce que tous verraient clairement qu'il s'agit de droits ecclésiastiques attaqués. Tous les catholiques sont de cet avis et moi-même, je pense que ce serait le parti le plus sûr" (9).

A l'objection que la présence de l'évêque serait incompatible avec la dignité épiscopale, l'avocat pense, au contraire, qu'une telle présence serait de nature "à couper la gorge au coupable".

Si ce dernier se permettait, en pleine cour, quelques libertés déplacées, le juge et les jurés verraient dans cette incongruité le caractère équivoque et suspect des prétentions de l'abbé McGuirk.

Bien que l'abbé Richard soit disposé à lutter dans la mesure de ses forces, il trouve cependant le fardeau lourd pour le porter seul.

Il voudrait que son évêque prenne une part plus active dans le conflit:

"Ce n'est pas une cause personnelle que je défends, mais une cause religieuse: je défends l'autorité dans l'Eglise de Dieu.

"Si Jésus n'a pas jugé qu'il était incompatible avec sa

---

(9) M.-F. Richard, ptre, lettre du 20 mai 1872.

dignité de paraître devant Pilate et Caïphe pour être interrogé, puisque le serviteur n'est pas plus que le maître, je ne vois pas pourquoi il serait malséant pour vous de prendre part à cette cause qui concerne tant la gloire de Dieu et les intérêts de l'Eglise.

"S'il s'agissait d'une cause purement temporelle, jamais je n'aurais consenti à m'exposer à la critique autant que je l'ai fait. Si j'ai été aussi loin, ce ne fut que pour défendre et conserver la vraie autorité dans la personne de mon évêque" (10).

Une année après les pénibles incidents relatés au chapitre précédent, le vent des critiques malveillantes soufflait encore sur le dos du jeune administrateur de la mission de Saint-Louis.

On l'accusait même d'avoir usé d'intrigues afin d'obtenir la charge de cette paroisse:

"A Dieu ne plaise! Je pouvais vivre sans m'imposer tant de peines et de troubles! Vous savez, Monseigneur, si oui ou non, j'ai ambitionné cette paroisse! Quoiqu'il en soit, j'espère avoir fait mon devoir jusqu'ici et avoir le courage et la force de le faire jusqu'à la fin. Dans le cas présent, vous savez beaucoup mieux que moi la ligne de conduite à suivre" (11).

Cette longue lettre dont nous avons reproduit de larges extraits fait bien ressortir l'état d'angoisse où était plongée l'âme du jeune curé de Saint-Louis. Il souffrait de la solitude du naufragé agrippé à une épave, criant au secours, pensant que le capitaine restait indifférent à son sort.

Mgr Rogers était loin de demeurer indifférent. En dépit des multiples devoirs de sa charge épiscopale, il suivait de près son missionnaire aux prises avec tant de difficultés. La prudence lui conseillait de temporiser et il doutait de l'opportunité de produire les écrits de l'abbé McGuirk devant un juré composé de personnes antipathiques à la cause catholique.

Il écrit:

Sans doute, ces lettres suffisent à démontrer, du moins à un catholique, que leur auteur doit être ou méchant ou insensé.

---

(10) Ibid.
(11) M.-F. Richard, ptre, lettre du 20 mai 1872, à Mgr James Rogers.

"Je les ai toutes et je ne manquerai pas de les produire, si je suis obligé de le faire. Mais, est-il bien sûr qu'un jury protestant et, peut-être prévenu, verra dans ces écrits une marque évidente d'insanité? Tel est le problème. En outre, quel rapport peut-il exister entre ces lettres et votre recours à l'autorité civile, non dans le but de poursuivre M. McGuirk, mais d'obtenir qu'elle vous protège, vous, votre entourage ainsi que les propriétés de l'église dont vous avez la garde, contre les actes de violence de M. McGuirk que vous avez décrit comme "brandissant une hache en présence de nombreux témoins"? D'ailleurs ces lettres, en elles-mêmes, ne seraient d'aucune utilité à moins que d'autres témoins aillent en cour afin de démontrer leur authenticité. De là la nécessité d'y aller moi-même en qualité de témoin. Souvenez-vous que je n'ai jamais reculé devant l'accomplissement de mes devoirs et plaise à Dieu que je ne le fasse à l'avenir, même en dépit de ma répugnance personnelle.

"Mais que pensez-vous de l'opportunité de me présenter à la cour sans y avoir été invité par qui de droit afin d'attester l'authenticité de ces écrits? Cette question mérite d'être considérée par de sages conseillers. Si vous pouviez venir passer une journée à l'évêché, nous pourrions discuter entièrement de ce problème" (12).

Mgr Rogers raconte ensuite comment il avait avancé le retour d'un voyage à Québec, afin d'être présent au moment de la convocation du jury. Retenu durant deux semaines à Saint-Jean, à cause de la tempête, il avait appris de M. Anglin que, pour la même raison, le juge ne s'était pas rendu à Richibouctou et que la convocation du tribunal avait été remise au mois de juin. "Ce qui, dit l'évêque, me délivra de mon inquiétude" (13).

Fidèle à sa promesse, Mgr Rogers se fit un devoir de paraître comme témoin à la cour de Richibouctou. Malgré les preuves éclatantes de la culpabilité de l'abbé McGuirk, le jury condamna l'abbé Richard à une amende de douze cents dollars.

Le 13 juin, un journal de Moncton décochait ce trait malicieux à l'adresse de l'évêque de Chatham: "Il appert que des tentatives furent faites par l'abbé M.-F. Richard, avec l'appui de

---

(12) Mgr James Rogers, lettre du 20 avril 1872.
(13) Idem.

Mgr Rogers, dans le but d'enlever l'administration de la mission de Saint-Louis à M. McGuirk qui pourtant travaillait à la construction d'une belle église en faveur de son troupeau. Si ce que l'on rapporte est exact, l'attitude de l'évêque Rogers en cette affaire mérite certainement un commentaire, car on le représente comme se réclamant des décrets du concile oecuménique et de l'infaillibilité pontificale pour appuyer son autorité dans une telle transaction: prétention qui ne doit pas être un seul instant admise dans l'administration de la justice au Nouveau-Brunswick.

"Les paroles qu'il a prononcées dans l'église de Richibouctou [14], nous font supposer qu'il attribue aux lois ecclésiastiques plus de poids qu'elles n'ont dans les tribunaux du Nouveau-Brunswick" [15].

Le lendemain, le *Moniteur Acadien* écrivait: "Notre voisin de Moncton n'est pas véridique dans ses commentaires au sujet du procès "McGuirk & Richard" tenu récemment à Richibouctou. Ses insinuations sont beaucoup plus inspirées par la mauvaise foi que par un esprit de justice" [16].

Mgr James Rogers rectifia les fausses allégations du *Moncton Times* dans une brochure publiée sous le titre *Statement of the Case McGuirk versus Richard.* Il y écrit: "D'abord il est absolument faux d'avancer que M. McGuirk construisait une belle église à la mission de Saint-Louis" [17].

Après avoir indiqué les raisons des permutations nécessitées par le décès de l'abbé Joseph-M. Paquet, Mgr Rogers continue: "Je me sens humilié et affligé d'être, par devoir, obligé de défendre un jeune prêtre pieux et zélé contre les injustices commises envers lui par un confrère plus âgé. Mon chagrin s'intensifie davantage à la pensée qu'un prêtre de mon diocèse, non seulement a violé toute discipline ecclésiastique en poursuivant son jeune confrère devant les tribunaux, mais encore a calomnié et outragé son évêque ainsi que les honorables prélats des diocèses voisins sous le

---

(14) Allusion à l'allocution de Mgr Rogers qui, après avoir parlé de son voyage à Rome, crut devoir protester publiquement contre la conduite de l'abbé McGuirk.

(15) Le **Moncton Times**, le 13 juin 1872.

(16) Le **Moniteur Acadien**, le 14 juin 1872.

(17) La mission de Saint-Louis avait déjà une église à l'arrivée de l'abbé McGuirk. Les travaux d'une nouvelle église seront entrepris par l'abbé Richard.

fallacieux prétexte de zèle envers le Chef suprême de l'Eglise catholique, infligeant ainsi au Saint-Père la plus grave insulte.

"Sans doute, le fait incontestable que l'auteur de ces actes est partiellement, sinon complètement privé de sa raison, diminue sa culpabilité. Toutefois, n'était-ce la notoriété qu'il a acquise et l'encouragement qu'il a reçu de la part de certaines personnes étrangères à notre foi qui n'en retireront ni avantages, ni honneur, j'aurais continué à supporter ma peine en silence. Mais afin d'éclairer les esprits qui pourraient être induits en erreur par la lecture d'une telle falsification des faits relatés dans le *Moncton Times*, j'ai cru de mon devoir de les rectifier en exposant publiquement la vérité" [18].

Une révision du jugement de la cour de Richibouctou s'imposait. Elle fut demandée et obtenue. L'affaire traîna en longueur durant deux autres années. Pendant ce temps, l'abbé McGuirk multiplia ses démarches pour obtenir, non seulement une confirmation du jugement prononcé en sa faveur par la cour de Richibouctou, mais une aggravation.

Ce ne sont plus douze cents dollars qu'il réclame, mais cinq mille, en réparation du dommage subi à sa chère réputation [19]. Les nombreuses lettres qu'il écrivit à son avocat, M. Sayers, l'ennemi juré du catholicisme, mettent on ne peut mieux en évidence le caractère haineux de leur auteur atteint, nous l'avons déjà dit, du délire de revendication.

D'après une relation publiée dans le *Moniteur Acadien*, le jugement de la cour supérieure confirma celui de Richibouctou [20].

Le curé de Saint-Louis demeurait condamné à payer les douze cents dollars réclamés par l'abbé McGuirk, plus les honoraires des avocats, au montant de six cents dollars.

"Je confesse, écrit l'abbé Richard, que je n'ai pas six cents dollars à donner dans le temps actuel. Je suis fermement décidé à ne pas les payer, à moins qu'on me les enlève de force. Toutefois, je suis prêt à me soumettre aux directives de Votre Grandeur" [21].

---

(18) Mgr James Rogers, **Statement of the Case McGuirk versus Richard, June** 1872. La traduction française est de nous.

(19) Hugh McGuirk, lettre du 12 juillet 1873 à son avocat M. Sayers.

(20) **Moniteur Acadien,** édition du 25 juin 1874.

(21) M.-F. Richard, ptre, lettre du 25 février 1874.

Cette décision de ne vouloir payer les honoraires des avocats allait lui créer d'autres ennuis.

Le 24 juin, l'abbé Richard se rendait à Saint-Jean dans l'intérêt de sa nouvelle église en construction quand, à Moncton, il fut arrêté par le shérif. Conduit à Dorchester, il devait être incarcéré s'il ne trouvait pas de cautionnement.

Avec une bienveillance dont tous les Acadiens lui doivent un souvenir reconnaissant, M. Albert-S. Smith, alors député du comté de Westmoreland et ministre des pêcheries au parlement fédéral, consentit, à la demande de l'avocat Pierre-A. Landry, à fournir le cautionnement exigé par la loi. L'abbé Richard fut quand même placé aux limites du pénitencier jusqu'au paiement des honoraires des avocats.

Quand la nouvelle de cette détention parvint à Saint-Louis, un sursaut d'indignation s'empara de la population consternée. On assista à une véritable levée de boucliers. En une seule journée, on réunit la somme d'argent requise à la rançon du vénérable détenu. Deux citoyens, Jacques Vautour et Michel Leblanc, s'empressèrent d'aller porter à qui de droit la somme recueillie. Le prisonnier fut aussitôt libéré.

De Richibouctou à Saint-Louis, ce fut, au dire du *Moniteur Acadien*. une ovation continuelle. L'abbé Richard entra dans sa paroisse, non en condamné, mais en triomphateur. Une foule immense l'acclama, même des paroisses environnantes.

Quant à l'infortuné abbé McGuirk, il fut relégué à la maison de santé de Fairville, près de Saint-Jean, N.-B.

En l'été de 1889, il revint à Chatham où Mgr Rogers le reçut avec bonté et le confia aux bons soins des religieuses hospitalières.

"Il semblait heureux de revenir au bercail et de recevoir de nouveau son habit ecclésiastique" [22].

Ainsi se termina le drame qui avait coûté tant d'ennuis à l'abbé Richard.

---

(22) Mgr James Rogers, lettre du 18 juillet 1889 à l'abbé L.-N. Dugal.

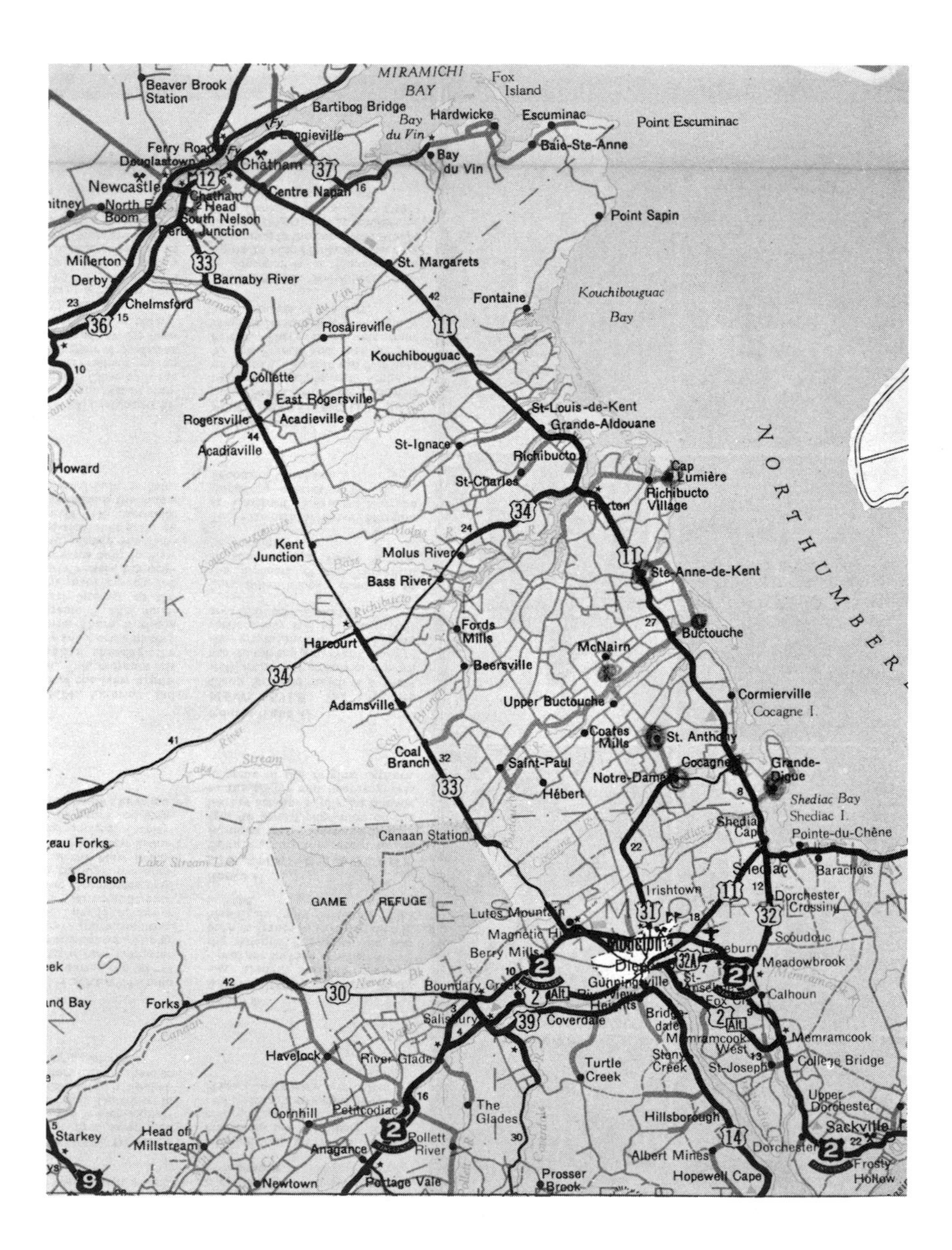

MIRAMICHI BAY
Fox Island
Beaver Brook Station
Bartibog Bridge
Hardwicke
Escuminac
Point Escuminac
Baie-Ste-Anne
Bay du Vin
Chatham
Newcastle
Douglastown
Centre Napan
Point Sapin
St. Margarets
Barnaby River
Millerton
Derby
Chelmsford
Fontaine
Kouchibouguac Bay
Rosaireville
Kouchibouguac
Collette
East Rogersville
Rogersville
Acadieville
Acadiaville
St-Louis-de-Kent
Grande-Aldouane
St-Ignace
Richibucto
St-Charles
Cap Lumière
Richibucto Village
Howard
Kent Junction
Molus River
Bass River
Ste-Anne-de-Kent
NORTHUMBERLAND
K
Harcourt
Fords Mills
Beersville
McNairn
Buctouche
Adamsville
Upper Buctouche
Cormierville
Cocagne I.
Coates Mills
St. Anthony
Coal Branch
Saint-Paul
Hébert
Notre-Dame
Cocagne
Grande-Digue
Shediac Bay
Shediac I.
Pointe-du-Chêne
Canaan Station
Bronson
GAME REFUGE
Irishtown
Shediac
Barachois
Dorchester Crossing
Lutes Mountain
Magnetic Hill
Berry Mills
Scoudouc
Meadowbrook
Boundary Creek
Calhoun
Forks
Salisbury
Coverdale
Memramcook
Havelock
River Glade
Turtle Creek
College Bridge
Cornhill
Petitcodiac
The Glades
Upper Dorchester
Starkey
Head of Millstream
Hillsborough
Sackville
Anagance
Pollett River
Albert Mines
Dorchester
Frosty Hollow
Newtown
Pottage Vale
Prosser Brook
Hopewell Cape

CHAPITRE IV

UN MISSIONNAIRE BÂTISSEUR

Les difficultés particulières auxquelles l'abbé Marcel-François Richard fut aux prises peu après son arrivée à Saint-Louis, loin de paralyser son zèle, semblèrent l'intensifier. Grâce à sa robuste constitution et à son indomptable énergie, il surmonta les fatigues occasionnées par ses nuits d'insomnie, ses inquiétudes et le profond désarroi où l'avaient plongé les importunités, les agressions et les élucubrations de l'abbé McGuirk.

Tout en administrant sa paroisse, il devait desservir plusieurs autres missions dépendantes : Richibouctou, Saint-Charles, Saint-Ignace, Pointe-Sapin, Kouchibougouac, Big-Cove, Bass-River, Acadieville, Rogersville (Carleton) et Barnaby-River. Un rapide regard sur la carte géographique suffit à démontrer l'ampleur du territoire confié à sa charge pastorale [1].

Pour atteindre ces diverses localités, assez éloignées les unes des autres, le seul moyen de locomotion était alors le cheval, sur des routes plus moins carrossables ou par des sentiers battus dans la forêt.

En traversant les rivières, il fallait souvent improviser des ponts à l'aide de troncs d'arbres au risque d'être entraîné par le courant.

Un jour, l'abbé Richard tomba dans un étang glacé d'où il ne sortit qu'après une demi-heure d'efforts. Deux milles le séparaient encore de la malade qu'il allait visiter. Au retour, il parcourut une distance de quatre milles, avec ses habits mouillés, avant d'atteindre la demeure de Dominique Gallant. Comment

---

(1) Les missions de Saint-Ignace, d'Acadieville et de Rogersville seront fondées par l'abbé Richard.

changer de vêtements avec sa haute taille de six pieds ? Il s'enroula dans une couverture de laine et dormit comme un bienheureux [2].

Une autre fois, après avoir marché durant toute une nuit, il arriva avant l'aurore à la maison d'un pauvre homme dont l'épouse était très souffrante. Son ministère accompli, l'abbé Richard s'approcha du feu pour réchauffer ses membres engourdis par le froid. C'était l'heure du déjeûner. Une voisine souffla à l'oreille de la malade qu'elle soignait :

— Qu'allons-nous offrir au prêtre à jeun depuis la veille ? Des oeufs ? De la viande ? Il n'en était pas question dans cette chaumière où la pauvreté régnait en maîtresse.

— Nous n'avons, dit la malade en pleurant, que des pommes de terre et du méchant hareng. Je n'oserais pas lui offrir un si maigre repas.

Le missionnaire qui avait tout entendu demanda de mettre le pot au feu et de préparer le hareng et les patates à la vieille façon acadienne.

"Jamais, dira-t-il plus tard, je fis un meilleur repas" [3].

C'était au mois d'avril. Une neige épaisse recouvrait la terre et une pluie torrentielle tombait sans relâche. Appelé auprès d'un jeune Irlandais dangereusement malade, l'abbé Richard accourt. Il franchit, à travers bois et fondrières, les trente milles qui le séparent de Carleton (Rogersville) où demeure le jeune homme. Celui-ci expire après avoir reçu les derniers sacrements.

Littéralement épuisé, le courageux missionnaire juge prudent de se faire accompagner au retour. Utile précaution, car en cours de route il s'affaisse et son compagnon doit aller chercher de l'aide.

Après quelques heures d'une mortelle attente, des hommes viennent et transportent le prêtre à Saint-Louis où il arrive, tout heureux d'avoir exposé sa vie pour le salut d'une âme [4].

---

(2) D'après une relation conservée au monastère des RR.PP. Trappistes de Rogersville.

(3) Ibidem.

(4) Ibidem.

Un jour d'hiver, il s'en retournait chez lui après avoir exercé son ministère auprès des ouvriers affectés à la construction de la voie ferrée. Epuisé, malade, il avait de la peine à se tenir sur son cheval dont les mouvements brusques rendaient sa position extrêmement pénible.

Il descend de sa monture, marche durant quelques minutes et, n'en pouvant plus, il se cramponne au cou de la bête; enfin, il s'arrête et se laisse choir sur la neige, au pied d'un arbre où, à l'instar du prophète Elie, il pense dormir de son dernier sommeil.

Un Indien, en raquettes, suivant cette route par hasard, le trouve et lui demande :

— Que fais-tu là ?

— Eh ! mon bon ami, je suis le prêtre de Saint-Louis. Je reviens de Carleton où je m'étais occupé des travailleurs. Je crois que je suis rendu près de la mort, malade et épuisé comme je le suis.

Le brave Indien s'empresse d'aller chercher du secours à Sainte-Marguerite. Un Irlandais de cette localité vient avec sa voiture et conduit le missionnaire à Saint-Louis [5].

Avec saint Paul, l'abbé Richard pouvait dire qu'il a passé par tous les périls : périls du côté des frimas, périls du côté des rivières, périls du côté des glaces et même du côté des faux frères.

Mais si le pasteur avait tant à souffrir, ses brebis n'étaient guère mieux partagées : la plupart du temps, elles vivaient dans une pauvreté voisine de la misère. Ne méritaient-elles pas un tel dévouement ?

L'abbé Richard écrit à son évêque et lui fait le bilan de ses activités pastorales :

> "Les pâques sont terminées dans quatre de mes missions. Je me suis trouvé à Richibouctou à l'occasion de la saint Patrice dont nous avons célébré la fête avec toute la pompe possible : église décorée, grand-messe, sermon, une quête en vue de payer les vieilles dettes. Du sermon, je n'en parlerai pas. Mais la quête, ayant rapporté la somme de vingt-sept dollars, est satisfaisante, eu égard à la pauvreté et au petit nombre des citoyens.

---

(5) **Ibidem.**

"Durant la mission de Richibouctou, j'ai envoyé deux hommes aux chantiers afin de collecter argent et matériaux. Ils sont revenus avec une vingtaine de dollars en argent et avec des matériaux d'une valeur approximative de deux cents dollars. Ce fut un assez bon succès . . .

"La semaine dernière, j'étais à l'Aldouane en vue de la mission. Les hommes étaient en période de chômage. Je leur ai suggéré de construire une grange. Dès le lendemain soir, tous les matériaux de construction étaient sur place. Durant les deux jours qui suivirent, la grange fut montée et elle est maintenant prête à recevoir le bardeau. Ainsi, ces trois jours, que les hommes auraient passé dans l'oisiveté, furent très bien employés.

"Cette grange, de 40 par 26 pieds, sera utile, s'il plaît à Votre Grandeur d'envoyer un curé à cet endroit" (6).

Mgr Rogers s'empressa de féliciter le jeune curé des excellents résultats obtenus lors des missions pascales de Kouchibougouac, Pointe-Sapin, Richibouctou et l'Aldouane.

"Tout ceci me procure la plus grande satisfaction. Nous devons toute notre reconnaissance à Dieu qui n'abandonne pas ceux qui accomplissent ainsi humblement et fidèlement leur devoir. S'il donne une croix, il ne manque pas d'y joindre le secours nécessaire pour la porter" (7).

Ces nombreux postes à desservir, éloignés les uns des autres, étaient une surcharge sur les épaules d'un seul homme. Mgr Rogers le comprit :

"Votre santé s'est presque miraculeusement conservée au milieu de tant de difficultés et cela, en dépit de vos harassantes anxiétés et des efforts déployés en vue de vous défendre, ainsi que votre troupeau, contre de pénibles et pernicieuses attaques, tout en remplissant les laborieux devoirs de votre vie de missionnaire. Vous avez été vraiment un bon et fidèle serviteur ! N'est-il pas vrai que Dieu ajuste le fardeau aux épaules et proportionne ses grâces aux croix qu'il nous impose ?

---

(6) M.-F. Richard, ptre, lettre du 28 mars 1871.

(7) Mgr James Rogers, lettre du 31 mars 1871.

"Vous n'êtes prêtre que depuis huit mois et voilà que vous avez expérimenté les labeurs et les vicissitudes d'une longue carrière de missionnaire, et vos luttes vous ont conduit au triomphe" (8).

Par le même courrier, l'évêque annonçait à l'abbé Richard son intention de confier à l'abbé Bannon les missions de Sainte-Marguerite, de Kouchibougouac, de Pointe-Sapin et d'Escuminac : "Vous trouverez, je pense, en l'abbé Bannon, un agréable voisin".

Le jeune prêtre répond :

"Je suis vraiment confus en voyant combien je suis comblé d'éloges de la part de Votre Grandeur. Assurément, je suis tout à fait indigne de tant de marques d'estime et d'affection. Cependant, je vous avoue que cela m'encourage beaucoup au milieu de pénibles travaux d'un ministère actif et laborieux. Cela réjouit le coeur abattu par le chagrin et fortifie le corps épuisé par la fatigue. Je ne veux pas signifier par là que je me trouve mal dans ma position : loin de là ! Les fruits qui couronnent tous les jours mes humbles efforts me dédommagent amplement du trouble que j'ai eu durant le peu de temps que j'ai passé dans l'exercice du saint ministère. Maintenant que vous avez retranché de la paroisse de Saint-Louis deux de mes postes de mission, les travaux seront bien diminués. Une telle amélioration m'a fait beaucoup plaisir" (9).

L'abbé Richard soumet ensuite à son vénéré correspondant le double problème de la dîme et de la juridiction, problème occasionné par la nomination de l'abbé Bannon à la mission de Sainte-Marguerite.

L'évêque lui conseille de s'entendre avec son confrère : "Etant sur les lieux, votre bon jugement saura trouver ce qui convient le mieux en cette matière. Les ouvriers affectés à la construction de la voie ferrée, étant susceptibles de se déplacer à mesure qu'avancent leurs travaux, il est normal que le missionnaire s'occupe de ceux qui se trouvent sur son territoire" (10).

---

(8) Idem, lettre du 28 avril 1871.

(9) M.-F. Richard, ptre, lettre du 1er mai 1871.

(10) Mgr James Rogers, lettre du 10 mai 1871.

L'année suivante, Mgr Rogers confie à l'abbé Stanislas Doucet, les deux missions de Saint-Charles et de Richibouctou :

> "Après avoir considéré l'état de votre santé, affaiblie par un surcroît de travail, la construction de deux nouvelles églises et peut-être d'un couvent; après avoir réfléchi aux anxiétés, aux troubles et aux labeurs auxquels vous avez été sujet depuis votre ordination, j'ai pensé que je devais à vos mérites de ne pas laisser passer la première occasion de diminuer le poids de votre charge. J'ai donc résolu de vous donner l'abbé Stanislas Doucet, comme voisin. Ce dernier a paru très enchanté quand je lui ai affirmé qu'une telle disposition vous était agréable. Autrement, ses sentiments eussent été différents" (11).

L'une des premières tâches de l'abbé Richard fut de parachever l'église de Richibouctou, dont la construction avait été entreprise par l'abbé Joseph Pelletier, son prédécesseur à Saint-Louis.

A cet effet, il envoie à Mgr Rogers une supplique signée par les principaux citoyens. Il veut connaître son avis; il lui demande aussi s'il consent à la vente des deux propriétés "plus ou moins valables qui furent léguées par testament à l'église de Richibouctou" (12).

L'évêque approuve la supplique, mais demeure encore incertain quant à la vente des deux propriétés en question :

> "Vous savez, dit-il, que je me propose, dans le plus bref délai possible, de placer un prêtre, soit à Richibouctou, soit à l'Aldouane. Lequel de ces deux postes de mission conviendrait le mieux à la résidence du missionnaire ? Si c'est Richibouctou, est-ce que la propriété de M. Nowlan ne pourrait pas servir à cette fin ? Je n'ai aucune objection à ce que vous paracheviez l'église de Richibouctou, si vous en avez la chance. Toutefois, avec les missions aussi étendues dont vous avez la charge, je ne vous conseillerais pas, dès la première année de votre ministère, de vous créer des embarras, en entreprenant trop de travaux à la fois.

---

(11) Idem, lettre du 6 novembre 1872.

(12) M.-F. Richard, ptre, lettre du 21 février 1871.

Que tout se fasse par étapes : pressez-vous lentement, selon le proverbe italien" [13].

Ce sage conseil de modération ne pouvait mettre un frein à la débordante activité de l'abbé Richard qui se révéla bientôt bâtisseur.

Au cours de ses visites dans les divers secteurs de son vaste territoire, une autre église réclamait des réparations urgentes : celle de Saint-Charles dont l'intérieur exigeait un complet parachèvement.

Une entente fut conclue : le contracteur s'obligeant à fournir tous les matériaux et à exécuter le travail pour la somme de six cents louis. Ce montant jugé raisonnable, vu la délicatesse de l'opération, serait prélevé au moyen d'une taxe directe sur les biens de chacun des citoyens : ce mode de faire étant le plus sûr et le plus juste. Le tout doit être terminé dans trois ans [14].

A Richibouctou, les matériaux, pour une bonne part, sont déjà achetés. Des soumissions sont en cours dont l'échéance doit avoir lieu le 8 octobre. Quant au clocher, "personne ne veut l'entreprendre cet automne vu que la saison est trop avancée. Je ne suis pas encore allé à Bass-River à cause de la récolte. Je me propose d'y aller bientôt" [15].

Auparavant, il doit se rendre à Acadieville, afin d'examiner "s'il y aura moyen d'ériger là une chapelle conformément au désir" de son évêque.

Au début de novembre 1871, l'abbé Richard visitait la mission de Bass-River et la réserve indienne de Big-Cove.

A propos de la première, il écrit : "Ces pauvres gens sont tous encouragés, particulièrement depuis que je leur ai montré le plan de leur église qu'ils ont pris pour une oeuvre d'art, tandis que ce n'était que la production de votre humble serviteur" [16]. Tous rivalisent de zèle afin de collecter argent et matériaux, de manière à pouvoir bâtir une chapelle au printemps.

---

(13) Mgr James Rogers, lettre du 23 février 1871.

(14) M.-F. Richard, ptre, lettre du 18 septembre 1871 à Mgr James Rogers.

(15) Ibid.

(16) M.-F. Richard, ptre, lettre du 10 novembre 1871.

Quant aux Indiens de Big-Cove, "ils ne semblent être contents que s'ils entendent parler de leur *Bishop.* Cette croix, que Votre Grandeur leur a envoyée, est pour eux un objet d'idolâtrie. Je crains qu'ils en viennent à dépasser les limites d'une sage dévotion . . . La partie la plus intéressante, c'est qu'ils sont sous l'impression que cette croix est d'or massif, valant pour le moins cent dollars. Je vous avoue que c'est un peu drôle de les voir et de les entendre. Il va sans dire que les vieilles sauvagesses ont déjà été favorisées de visions célestes, lorsqu'elles étaient en prières devant ce crucifix. Toutefois, cela ne les empêche pas de se livrer encore à un certain culte de la bouteille" (17).

Entre-temps s'était posé le problème de la construction d'une église plus spacieuse et plus capable de répondre à l'accroissement de la population de Saint-Louis.

> "Dans une assemblée instamment demandée par les paroissiens et dûment convoquée par le curé de la paroisse, il a été résolu d'une voix unanime de manifester à Votre Grandeur le désir de la paroisse de commencer sans délai la construction d'une église. Depuis longtemps, on soupirait après une permission de votre part, sachant que tout doit se faire d'après vos ordres. Maintenant que cette permission est accordée, nous sommes prêts à travailler dans le champ que vous nous dicterez. Ainsi, Monseigneur, nous attendons avec impatience une décision finale à propos du temps et du lieu où nous devons bâtir" (18).

Cette supplique était accompagnée d'un long commentaire, écrit par le curé, faisant connaître en détails l'état d'esprit des paroissiens désireux de se soumettre à la décision épiscopale.

Il y avait pourtant une ombre au tableau. Les gens du haut de la rivière trouvaient longue la distance qui les séparait du site de l'ancienne église. Plusieurs optaient en faveur de deux églises : une près du pont de Saint-Louis et l'autre à six milles plus haut, en amont de la rivière.

Consulté par l'évêque, l'abbé Joseph Pelletier, ancien curé de la paroisse, fut de ce dernier avis que partageait également

---

(17) Idem.

(18) Supplique datée du 10 septembre 1871.

Intérieur de l'église de Saint-Louis de Kent, la première bâtie par Mgr Richard.

l'abbé Richard. Cette dernière option fut adoptée à la grande satisfaction de tous [(19)].

"D'après l'abbé Pelletier, vous pourriez bâtir la nouvelle église, soit à quatre milles plus haut ou, ce qui serait préférable, laisser l'église principale à son site actuel et bâtir une succursale assez loin en amont de la rivière afin d'accomoder les gens de cette région. Toute la population s'unirait pour construire les deux églises. Un tel arrangement devrait, semble-t-il, donner satisfaction aux demandes raisonnables des intéressés. Au cas où la nouvelle église serait placée sur le site actuel, l'abbé Pelletier recommande de la bâtir près du cimetière. A l'objection qu'elle serait exposée au vent froid du nord, il répond qu'on pourrait planter tout autour une rangée d'arbres afin de parer à un tel inconvénient. Si on accepte cette dernière opinion, l'abbé Pelletier promet de donner à la corporation les dix arpents de terre qui font suite au cimetière et dont il est le possesseur. Si on adopte ce plan, la présente église pourrait

---

(19) L.-Cyriaque Daigle, op. cit., p. 100.

servir de couvent en faveur de l'éducation des jeunes filles, sous la direction des religieuses de la Congrégation de Notre-Dame. De cette manière, les bâtiments actuels seraient utilisés avantageusement" [20].

L'évêque jugeait toutefois l'entreprise prématurée:

"Je vous avais expliqué longuement de vive voix les raisons pour lesquelles vous ne devriez pas entreprendre la construction de la nouvelle église de Saint-Louis présentement. Une telle entreprise serait pour vous une occupation plus distrayante qu'avantageuse et vous absorberait dans une activité extérieure au détriment de l'esprit de recueillement; sans compter les difficultés occasionnées par le contact des gens importuns dont les effets se feraient sentir durant toute votre vie.

"Evidemment, d'après le ton et la teneur de votre lettre, vous demandez la permission de bâtir. Eh bien! Je cède à votre désir et à la supplique de vos paroissiens, en me confiant à votre zèle, modéré par la prudence et la patience, lequel, je l'espère, avec la bénédiction divine, triomphera de toutes les difficultés. Dès lors, consultez vos gens et voyez avec eux ce qu'il y aura de plus sage et de plus prudent. Je ne vous promets pas d'assister à la réunion où ils vont délibérer à ce sujet, mais vous pouvez être certain que je serai toujours prêt à vous aider, à vous soutenir de mon mieux dans l'accomplissement de cette tâche qui va vous incomber, comme dans tous les autres devoirs de votre ministère, entrepris pour la gloire de Dieu, l'exaltation de la Sainte Eglise et le salut des âmes. Allez de l'avant avec prudence, et aussi avec courage et confiance" [21].

Mgr Rogers craint d'avoir péché par excès de condescendance en obtempérant au désir de son entreprenant missionnaire. Dès le lendemain, il lui expose l'argument propre à réprimer son ardeur:

"Comme je vous ai parlé hier de la future église de Saint-Louis, je n'en dirai rien aujourd'hui. Je vous ferai seulement remarquer ceci: Quand vous aurez sur les bras le travail des églises de Saint-Louis, de Saint Charles, de Richibouctou

---

(20) Mgr James Rogers, lettre du 21 septembre 1871.
(21) Ibid.

et, de celles d'Acadieville et de Bass-River dont vous projetez la construction, vous vous trouverez fort embarrassé et encombré.

"En outre, tenez compte du procès de M. McGuirk qui ne lâchera pas. De leur côté, les avocats l'encourageront à poursuivre et même à retarder le procès afin de partager l'huître entre eux . . ." [22].

C'était beaucoup, en effet, pour un jeune prêtre, sans expérience, ayant à peine une année de sacerdoce. Ce dernier le reconnaît et ne tarde pas d'assurer son évêque qu'il entre pleinement dans ses vues:

> "J'ai reçu hier vos deux lettres, du 21 et 22 courant. Mes plus sincères remerciements pour cette nouvelle marque d'attention à mon égard. Je m'empresse d'y répondre afin d'apprendre à Votre Grandeur que j'entre pleinement dans ses vues en ne commançant point d'église à Saint-Louis pour le présent. J'ai beaucoup plus d'ouvrage que je n'en puis faire et, je suis loin de vouloir m'en imposer davantage de mon propre chef.
>
> "Ma dernière lettre laissait peut-être à entendre que je désirais commencer à bâtir cette année. Ce n'était point mon idée. Je n'ai fait qu'exprimer la pensée des paroissiens qui, lors de votre visite pastorale, avaient obtenu de Votre Grandeur la permission de bâtir . . . Personnellement, je n'ai aucunement le désir de commencer. Les raisons que vous donnez sont trop vraies et trop justes pour que je ne me conforme pas à vos volontés et, assez manifestes pour m'inciter à ne pas me charger de cette nouvelle entreprise. Les paroissiens et moi sont deux choses différentes. Leurs désirs ne sont pas toujours les miens, ni les miens les leurs; c'est le cas dans la présente affaire . . . Tout ce que je puis dire maintenant, c'est que je suis prêt à exécuter vos volontés en autant qu'il me sera possible. Et lorsque Votre Grandeur décidera de l'opportunité d'une église ou des églises à faire construire et, si Elle m'en charge, je serai à ses ordres. Mais jusque-là, il n'y a rien à faire pour moi à ce propos" [23].

---

(22) Mgr James Rogers, lettre du 22 septembre 1871.
(23) M.-F. Richard, ptre, lettre du 23 septembre 1871.

Fidèle au conseil de prudence de son évêque, l'abbé Richard attendit encore deux ans avant de se mettre en chantier.

Auparavant, il fallait résoudre le problème du site des deux églises et trancher l'épineuse question de la ligne de division entre l'ancienne et la nouvelle paroisse.

> "Le 25 novembre 1872, une assemblée tenue sous la présidence de Mgr Rogers fixa la ligne de démarcation entre les citoyens qui devaient contribuer respectivement à la construction de l'une et l'autre église. Il fut résolu que les deux tiers formeraient les contribuables de la nouvelle église de Saint-Louis et que l'autre tiers assumerait les frais de construction de la seconde église devant être bâtie en amont de la rivière, à six milles de l'église principale" (24).

Si le projet des deux églises avait été adopté à l'unanimité des voix, il n'en fut pas ainsi de la ligne de division. Celle-ci suscita une vive opposition chez quelques-uns qui refusèrent de se ranger au sentiment de la majorité.

Le 12 décembre, le curé de Saint-Louis écrit à son évêque:

> "Je vous disais dans ma dernière lettre qu'un certain nombre de paroissiens étaient mécontents de la division indiquée. Aujourd'hui, ces messieurs sont venus me demander une lettre recommandant une modification dans la ligne de division. J'ai refusé d'accéder à leur requête, pour ne pas les encourager dans leur obstination. Toutefois, j'ai cru bon de vous expliquer, à leur insu, ma pensée. Les quatre mécontents (Simon Barriault, Bénonie Richard, Urbain Gallant et Robert Gallant) se trouvent entre le chemin d'Acadieville et le moulin. Selon eux, le chemin de Saint-Charles continué devrait constituer la ligne de division" (25).

Craignant que le refus d'accéder au désir de ces messieurs les incite au découragement et à la vente de leurs propriétés aux protestants avoisinants, l'abbé Richard conseille à l'évêque "de se rendre aux volontés de ces gens en leur faisant voir que c'est une faveur qu'on leur accorde" (26).

---

(24) Fr. M. Gildas, ptre, o.c.r., op: cit., p: 41.
Cette seconde église était celle de Saint-Ignace.

(25) M.-F. Richard, ptre, lettre du 12 décembre 1872.

(26) Idem.

Mgr Rogers se conforma à la recommandation du curé de Saint-Louis. Il confia aux quatre messagers (Urbain Gallant, Bénonie Richard, Anselme Johnson et Antoine Vautour) une lettre destinée au curé accordant la permission demandée de modifier la ligne de division [27].

Profitant de ces premières dissensions suscitées par cette ligne de division, Mgr Rogers crut devoir mettre en garde son fidèle serviteur contre de nouvelles difficultés possibles:

> "Souvenez-vous de ce que je vous ai dit, dès le début, au sujet de la construction d'une nouvelle église ou de nouvelles églises. Un tel travail vous occasionnera du casse-tête s'il n'est pas sagement, prudemment et patiemment dirigé. Une somme considérable de bonhomie extérieure, de patience, de charité, d'énergie et de renoncement intérieur sera demandée au curé s'il veut aplanir les difficultés et réussir, sans provoquer des conflits chez ses paroissiens. Même si les arrangements préliminaires furent conclus à la satisfaction de tous, néanmoins, le travail étant donné par contrat (comme il est probable, car ce système a ses avantages comme ses inconvénients), il restera le danger, chez le contracteur et le comité préposé, de conflits suscités par une divergence d'interprétation concernant les détails; ou bien le contracteur trouvera-t-il peut-être trop bas le montant exigé de sorte qu'il ne pourra pas terminer son ouvrage sans subir une perte; de là, le comité serait tenté de recourir à la loi civile.
>
> "Si le contracteur trouve dans la loi ou dans les clauses du contrat quelques faux-fuyants pouvant servir à son avantage, il consultera son avocat et ce dernier ne manquera pas de l'encourager dans ses réclamations. Les avocats des deux partis en conflits plumeront, rôtiront et dégusteront l'oie qui fut assez imprudente d'aller se poser dans leur griffes. Donc prenez garde à la loi civile!
>
> "Ces troubles et ces embarras suscités par le recours possible à la loi civile pourraient prendre une recrudescence d'acuité dans le cas du voisinage d'astucieux protestants, heureux de sympathiser avec les mécontents en les encourageant dans leurs injustes réclamations. Toute manoeuvre

(27) Mgr James Rogers, lettre du 16 septembre 1872.

serait ainsi habilement exploitée au détriment des pauvres Français trop confiants, afin de les amener à contracter des dettes qu'ils ne pourraient ensuite solder que par la vente ou l'échange de leurs belles fermes. L'expérience du passé nous l'a trop souvent démontré si l'on se réfère aux villes et aux villages situés à proximité des centres acadiens.

"D'un autre côté, je ne voudrais aucunement aller contre les résolutions adoptées à l'unanimité par vos paroissiens réunis en assemblée que j'ai moi-même présidée. Je ne dérogerai à ces dites résolutions que si les partis intéressés y consentent. Et, dans le cas où l'on viendrait me demander un document écrit attestant mon approbation aux modifications proposées, je ne le ferai, comme vous me le suggérez, que si les citoyens d'en bas de l'église se montrent favorables. Je ne voudrais pas, non plus, laisser sous l'impression que ces modifications aux résolutions déjà arrêtées sont dues à mes instances. Cela leur paraîtrait frivolité et inconstance de ma part. Indiquez-leur les vraies raisons qui ont milité en faveur de ces changements et ne les laissez pas sous l'impression qu'ils sont le résultat de ma volonté ou de mes désirs, mais qu'ils sont motivés par la prudence et la charité envers ceux qui les ont sollicités" (28).

Le 8 avril 1873, le curé de Saint-Louis annonçait triomphalement que les difficultés suscitées par la ligne de division avaient été résolues; tous les paroissiens, s'étant trouvés d'accord, avaient souscrit le montant requis. En vertu du contrat, M. Cyrille Comeau promettait de bâtir la nouvelle église, conformément au plan de l'architecte, pour la somme de trois mille louis (29).

Le 31 août suivant, eut lieu la bénédiction de la pierre angulaire, cérémonie présidée par Mgr Rogers, entouré de plusieurs prêtres dont le R.P. Lefebvre, supérieur du collège Saint-Joseph, qui prononça le sermon de circonstance (30).

Cette cérémonie donna lieu à un petit incident. L'abbé Richard avait invité le corps des musiciens du collège de Memramcook. Ceux-ci, déjà en vacances, avaient dû revenir au collège afin de s'exercer et de là, se transporter à Saint-Louis. De tels déplace-

---

(28) Mgr James Rogers, lettre du 13 décembre 1872.

(29) M.-F. Richard, ptre, lettre du 8 avril 1873 à Mgr James Rogers.

(30) L.-Cyriaque Daigle, op. cit., pp. 103 à 105.

ments leur occasionnèrent des dépenses. Quelques semaines plus tard, le curé de Saint-Louis reçut du P. Lefebvre une facture assez élevée. L'abbé Richard qui croyait, sans doute, ne s'en tirer qu'avec des prières, fit la sourde oreille.

De là l'origine d'un certain froid entre les deux apôtres dont parlera Pascal Poirier dans une de ses lettres, datée du 13 mai 1878, à M. Rameau de Saint-Père [31].

On aura remarqué la sollicitude paternelle de Mgr Rogers à l'endroit de l'abbé Richard qu'il conseille, encourage et dirige dans toutes ses entreprises.

Si cette sollicitude s'explique par l'inexpérience du jeune missionnaire, sa position délicate vis-à-vis de l'abbé McGuirk aux yeux de qui il faisait figure d'usurpateur, elle s'explique également par le zèle et le dévouement dont il fit preuve dans l'exercice de sa mission pastorale.

En outre, sa conduite irréprochable et sa grande piété répondaient parfaitement à l'idéal que le charitable évêque de Chatham concevait du prêtre: un homme se donnant sans réserve dans le cadre de sa mission apostolique, un "homme mangé" selon l'expression du Père Chevrier.

Aussi, assistons-nous, durant les onze premières années du ministère du jeune abbé à l'édifiant spectacle d'une cordiale et surnaturelle amitié qui l'unit à son évêque et que l'on peut comparer au firmament limpide d'une soirée calme qu'embellit un beau clair de lune.

---

(31) D'après une relation conservée au monastère des RR.PP. Trappistes de Rogersville.

CHAPITRE V

AU CLAIR DE LA LUNE DE MIEL

C'était dans la matinée du 20 août 1860. Par un vent doux et léger, une frêle embarcation se détachait de l'une des rives de l'île du Prince-Edouard et voguait en haute mer.

Entassés comme des sardines "sans pouvoir allonger leurs membres, ni reposer leurs têtes pour dormir", cinq pêcheurs — des pêcheurs d'âmes — se dirigeaient vers la petite ville de Chatham où, après vingt-trois heures de navigation, ils arrivèrent le lendemain matin.

Un de ces "cinq pêcheurs d'âmes" se nommait James Rogers. Il avait reçu, le 15 août, avec Mgr Peter McIntyre, évêque de Charlottetown, la consécration épiscopale des mains de Sa Grâce Mgr Thomas Connoly, archevêque d'Halifax. Ce dernier et Mgr John Sweeney de Saint-Jean, N.-B. accompagnaient le nouvel évêque qui, le 22 août suivant, était installé sur le siège épiscopal de Chatham (1).

Né le 11 juillet 1826 à Mount-Charles, dans le comté de Donegal, en Irlande, de John Rogers et de Mary Brittin, emporté par le flot des immigrants chassés de l'Ile-Verte par la misère et les lois anglaises, le jeune James Rogers vint au Canada vers l'âge

(1) D'après une relation écrite en 1867 et publiée dans le **Moniteur Acadien** de Shédiac, les 15 et 18 novembre 1885.
Les trois évêques étaient accompagnés de deux prêtres.

de cinq ans, en compagnie de ses parents qui s'établirent à Halifax, en Nouvelle-Ecosse, une des provinces du Canada.

Ses études primaires et secondaires terminées, il se dirigea vers le grand séminaire de Montréal où, le 14 juin 1851, des mains de Mgr Ignace Bourget, il reçut le diaconat et, le 2 juillet suivant, la prêtrise qui lui fut conférée par Sa Grâce Mgr William Walsh, archevêque d'Halifax.

Vicaire à la mission acadienne de Clare, à la baie Sainte-Marie, en Nouvelle-Ecosse, il apprit à connaître et à aimer les Acadiens dont la tragique histoire se rapprochait si sensiblement de celle de ses ancêtres exilés et victimes de la persécution.

Evêque, il ne pourra, sans une certaine nostalgie, évoquer ses premières années de ministère sur les rives enchanteresses de la baie Sainte-Marie, "ce coin paisible sanctifié par la présence du vénérable abbé Sigogne" et dont il fera, plus tard, l'éloge dans un long Mémoire adressé au Saint-Siège [(2)].

Il écrit :

"L'abbé Sigogne vint au milieu des Acadiens comme un ange de paix, de réconfort et de consolation . . . Avant son arrivée, les Acadiens, en particulier les femmes et les enfants, saisis de crainte, s'enfuyaient à l'approche d'un Anglais; mais grâce à l'influence bienfaisante de l'abbé Sigogne, cette disposition d'esprit changea, la crainte disparut et fit place à l'assurance et à la confiance. Ainsi, les cousins d'Evangéline regagnant leur modeste patrimoine devenaient les émules de cette gentille, aimable et pieuse héroïne qu'a chantée le poète Longfellow" [(3)].

Après l'incendie du presbytère de Church-Point, dans la nuit du 11 novembre 1893, ce souvenir ému portera Mgr Rogers à envoyer une généreuse offrande au R. P. Blanche, curé de la paroisse. Ce geste de bienfaisance lui vaudra une lettre de remerciements dans laquelle on lit :

"Ce petit coin de terre de Sainte-Marie où votre mémoire, Monseigneur, est toujours vivante, a bien changé depuis

---

(2) Mgr James Rogers écrit: "Tous ces détails me furent communiqués en 1851, lors de mes premières années de vie missionnaire en Nouvelle-Ecosse".

(3) James Rogers, évêque Chatham, Mémoire conservé aux archives de l'évêché de Bathurst.

Mgr James Rogers,
premier évêque de Chatham au Nouveau-Brunswick.

quelques années. Le collège Sainte-Anne s'élève en face de la grande église, ayant à sa droite le presbytère et, à sa gauche, le couvent des religieuses. Au milieu se trouve le monument du Père Sigogne. Vous devriez venir à Church-Point, Monseigneur. Vous nous feriez bien plaisir de vous revoir et nous serons heureux de vous offrir l'hospitalité" (4).

L'érection du monument Sigogne, due à l'initiative de l'abbé Parker, un ami sincère des Acadiens, mérita de Mgr Rogers le témoignage suivant :

"Nous devons une dette de reconnaissance à Sa Grâce Mgr Cornelius O'Brien, archevêque d'Halifax et au zèle de l'abbé Parker d'avoir érigé ce monument à la mémoire de l'abbé Sigogne, rendant ainsi hommage à ses vertus sacerdotales :

---

(4) Marcel Tremblay, eudiste, **50 ans d'éducation**, 1899-1949, Bathurst, N.-B., p. 32.

sa douceur, son humilité, son zèle pour le salut des âmes : autant de qualités qui militent en faveur de notre louange et de notre imitation" [5].

Quand Mgr James Rogers prit possession du nouveau diocèse de Chatham en 1860, il ne trouva que six prêtres pour desservir cet immense territoire, toute la partie septentrionale du Nouveau-Brunswick.

A la fin de cette décennie, cette situation n'avait guère beaucoup changé. Le recrutement du clergé, s'opérant au ralenti, était loin de correspondre au rythme accéléré de l'accroissement de la population. En 1870, la moisson était abondante et les ouvriers toujours trop peu nombreux [6].

Un nouveau prêtre, on le conçoit, était accueilli avec empressement surtout quand il arrivait, à l'instar de Marcel-François Richard, muni des plus beaux témoignages d'excellence de la part de ses supérieurs du grand séminaire [7].

Avec sa stature haute de six pieds et bien charpentée, ses yeux brunâtres, ses traits élancés où se lisaient une brillante intelligence et un caractère énergique, l'abbé Richard, excellent bilingue, se présentait donc comme un homme précieux, capable de rendre d'immenses services à un jeune diocèse composé d'une population française et anglaise [8].

Nous avons vu comment et en quelles circonstances l'abbé Richard fut chargé de la mission de Saint-Louis de Kent. Quand, plus tard, certaines paroisses importantes exigeront la présence d'un curé qualifié, Mgr Rogers pensera à son jeune missionnaire.

En février 1877, pour combler un vide créé à Bathurst, l'évêque avait dû se priver de son secrétaire, l'abbé William Varrily, "préférant, dit-il, pour la vingtième fois laisser souffrir le coeur

---

(5) Mgr James Rogers, Mémoire, loco cit.
L'abbé Sigogne avait été nommé juge de paix pour le district de Clare par le gouvernement de la Nouvelle-Ecosse. V. Omer Legresley, **l'enseignement du français en Acadie**, p. 91.

(6) A l'arrivée de Mgr Rogers, il n'y avait que quatre prêtres le long de la baie des Chaleurs et deux dans la région du Madawaska.
Voir la relation de Mgr Rogers publiée dans le **Moniteur Acadien** du 15 et 18 novembre 1885.

(7) Voir le chapitre II.

(8) D'après un document conservé au Centre d'Etudes Acadiennes de l'Université de Moncton.

(Chatham), afin de sauver un membre important... A un moment, j'avais presque résolu de vous envoyer à Bathurst et placer l'abbé Stanislas Doucet à Saint-Louis" [9].

L'abbé Richard répond :

"Je regrette que Votre Grandeur soit exposée à tant d'ennuis. Il faut, en effet, qu'Elle se soit trouvée fort embarrassée pour que la pensée de m'envoyer à Bathurst, en de telles circonstances, ait occupé son esprit. Je bénis la Providence de ce que Sa Grandeur se soit seulement arrêtée à la pensée. *Si quis existamat stare, caveat ne cadat* [10].

"Je pensais être en sûreté, au moins pour quelques temps à Saint-Louis, vu la position exceptionnelle dans laquelle je me trouve. Mais je constate que tel n'est pas le cas puisqu'il a été question de moi pour Bathurst. J'espère que Votre Grandeur ne se trouvera plus dans un semblable embarras" [11].

A l'automne de la même année, survient une dissension entre les religieuses de Caraquet et leur curé, l'abbé Théophile Allard.

Appelé d'urgence, l'évêque accourt. Les soeurs exigent la démission de leur intransigeant curé. Qui va le remplacer ? L'abbé Stanislas Doucet ? Son faible état de santé ne pourra pas tenir dans cette difficile mission et, dans le cas de son changement, il faudra pourvoir à celle de Pokemouche qui lui convient pourtant très bien. L'abbé Babineau ? Il est à construire une belle église à Newcastle. L'abbé William Varrily ? Sa présence est absolument nécessaire à Bathurst. L'abbé Thomas Barry ? Il ne peut pas être convenablement rappelé du Madawaska où il est à peine installé.

Il reste le curé de Saint-Louis... "Je vous avoue candidement que j'avais pensé à vous comme étant the *right man in the right place* à Caraquet, cette belle mais trop pauvre mission qui, en ces dernières années, a été tellement éprouvée et exige de la part du missionnaire beaucoup de sagesse, de patience, de zèle et aussi quelques connaissances pratiques agricoles afin d'aider les nou-

---

(9) Mgr James Rogers, lettre du 27 février 1877 à l'abbé M.-F. Richard.

(10) "Que celui qui se flatte d'être debout, prenne garde de tomber" (I Cor. X, 1).

(11) M.-F. Richard, ptre, lettre du 2 mars 1877 à Mgr James Rogers.

veaux colons de Paquetville. Mais, étant donnée l'importance de toutes vos oeuvres à Saint-Louis, j'en ai abandonné l'idée, du moins pour le présent" (12).

"Je vous suis très reconnaissant, répond l'abbé Richard, d'avoir considéré ma présente situation, car un changement aurait créé beaucoup d'inconvénients, comme Votre Grandeur l'a fait justement remarqué" (13).

On l'aura remarqué, Mgr Rogers témoigne beaucoup de confiance en l'abbé Richard qu'il sait hautement qualifié pour remplir des postes difficiles.

Cette confiance se traduira également par de petites attentions qui surprennent chez un évêque que l'on a parfois représenté comme dur et intraitable.

Ecrivant, le 16 mars 1871. au curé de Saint-Louis, il lui apprend que les religieuses de Newcastle ont organisé un concert à l'occasion de la saint Patrice. "Je vous envoie, en leur nom, deux billets d'entrée, un pour vous et l'autre pour votre compagnon de voyage, si vous jugez à propos de nous faire l'honneur de votre présence" (14).

L'abbé Richard regrette que "ses occupations fort nombreuses" l'aient empêché de se rendre à l'invitation de son évêque dont l'amabilité l'a tout particulièrement touché. Il était à Richibouctou où il entendait les confessions préparatoires à la fête de Pâques (15).

Délicat, Mgr Rogers l'était jusque dans le souvenir des anniversaires de naissance et des fêtes patronales :

> "J'aurais voulu vous écrire hier, de telle sorte que vous puissiez recevoir ma lettre le jour même de votre fête patronale. Obligé de me rendre à Bathurst afin de rencontrer Sa Grâce Mgr Lynch, il me fut impossible d'écrire en voyage. Je me reprends donc ce matin, profitant du seul moment libre pendant lequel Mgr l'archevêque de Toronto célèbre la messe, pour vous féliciter à l'occasion de la fête de saint

---

(12) Mgr James Rogers, lettre du 21 octobre 1877.

(13) M.-F. Richard, ptre, lettre du 24 octobre 1877.

(14) Mgr James Rogers, lettre du 16 mars 1871.

(15) M.-F. Richard, ptre, lettre du 19 mars 1871.

Marcel, pape et martyr, sous le patronage de qui vous avez été placé lors de votre baptême.

"Je veux également vous remercier de votre aimable et intéressante lettre ainsi que du rapport de l'état de vos missions, lequel est des plus consolant. Comme évêque, je vous dois beaucoup de reconnaissance pour tout le bien que vous avez accompli en vue de la gloire de Dieu et l'extension de son règne dans notre jeune diocèse. Je rends grâces à Dieu de vous avoir protégé et béni ainsi que tous vos nombreux travaux.

"Dans votre lettre, vous me parlez modestement de vos manquements. Je ne connais personne qui en soit exempt. Selon l'apôtre saint Jacques, nous commettons tous, sans exception, des erreurs. Saint Paul ne nous met-il pas en garde contre le danger de la vaine gloire ? Quand nous faisons le bien, estimons-nous comme des serviteurs inutiles. Courage, donc, mon cher enfant ! *Carissime fili mi. Viriliter age, procede, prospere, etc... A happy, a very happy New Year*" (16) !

L'année suivante, Mgr Rogers raconte à son confident de Saint-Louis le périple d'un voyage inattendu qu'il fit à l'île du Prince-Edouard, en la compagnie de l'abbé Dixon.

Cette lettre est trop révélatrice des nobles sentiments de l'évêque à l'endroit de l'abbé Richard, pour ne pas en citer de larges extraits :

"Ayant appris par les religieuses de Newcastle que la R. M. Ursule devait monter à Montréal, après un arrêt à Newcastle et à Bathurst, je me suis fait un devoir d'aller à la rencontre de cette vénérée Mère Assistante qui, alors qu'elle était jadis supérieure générale, nous avait si aimablement accordé ses religieuses à notre diocèse. Je ne trouvais pas convenable que cette première visite officielle de l'ex-supérieure générale se fit sans être accompagnée, surtout quand il fallait attendre de longues heures aux gares de Pointe-du-Chêne et de Moncton. Mais quand je suis arrivé à Pointe-du-Chêne, il n'y avait point de Mère Ursule ! Nous avons appris par la suite qu'elle avait retardé son voyage

---

(16) Mgr James Rogers, lettre du 16 janvier 1880.

au lundi suivant. Nous avons donc résolu, l'abbé Dixon et moi, de traverser sur le vapeur à l'île du Prince-Edouard. Nous avons passé la nuit à Summerside, après une visite aux religieuses du couvent dont la supérieure est la même qui, en 1871, avait accompagné Mère Bernard à Saint-Louis.

"Quand je lui ai parlé de Saint-Louis et lui ai raconté combien le Seigneur avait béni leur fondation, en multipliant ses grâces, ses faveurs et même les croix, le tout couronné par le triomphe et le succès, la Mère supérieure a presque pleuré de joie.

"Je l'ai invitée à venir à Saint-Louis pour voir elle-même et admirer une telle oeuvre. Le lendemain, nous sommes allés à Charlottetown et nous avons passé une agréable journée en la compagnie du vénérable évêque et des prêtres de l'évêché. J'ai dit au bon évêque que vous auriez la dédicace de votre église, le 6 juillet prochain, à Saint-Louis. J'ai pensé me faire l'interprète de vos sentiments en invitant Sa Grandeur à nous faire l'honneur de sa présence à cette cérémonie, vu que vous avez été ordonné prêtre par Elle et que vous avez fait vos études au collège du même endroit. Il m'a répondu que, même s'il était en visite pastorale aux îles de la Madeleine à cette date, il serait avec nous le 6 juillet prochain à Saint-Louis.

"Ecrivez-lui un mot de bienvenue, et exprimez-lui toute votre reconnaissance et votre joie" (17).

En mars 1877, Mgr Rogers songea au curé de Saint-Louis, comme secrétaire et compagnon du voyage qu'il se proposait de faire en Europe, voyage qu'il dut remettre à plus tard (18).

L'année suivante, l'abbé Richard sollicita et obtint la permission de prendre part au pèlerinage canadien en partance pour Rome (19).

Il fut néanmoins empêché "de mettre son dessein à exécution à cause de certaines circonstances" (20).

---

(17) Mgr James Rogers, lettre du 17 mai 1881.

(18) M.-F. Richard, ptre, lettre du 2 mars 1877.

(19) Mgr James Rogers, lettre du 29 août 1878.

(20) M.-F. Richard, ptre, lettre du 4 septembre 1878.

En la même année, l'évêque exprime le désir d'avoir l'abbé Richard ou l'abbé Biron comme prédicateur durant une tournée de confirmation dans le bas du comté de Gloucester [21]. D'après une lettre du 30 septembre 1878, le curé de Saint-Louis aurait accompagné son évêque au Madawaska dans le même but [22].

Le 9 mars 1881, Mgr Rogers évoque le beau sermon prononcé par le curé de Saint-Louis à l'occasion de l'ordination sacerdotale de l'abbé Amédée Boucher : "M. l'abbé Barry et tout le bon peuple de Caraquet seront heureux, dit-il, d'avoir comme vicaire le jeune prêtre dont la cérémonie d'ordination fut rehaussée par le magnifique sermon que vous avez prononcé en cette mémorable circonstance. De tels événements ont fait époque et ne seront pas facilement oubliés dans la mémoire des gens" [23].

Quand, chargé par le Saint-Siège d'une mission spéciale au Canada, Son Exc. Mgr George Conroy annonça sa visite à Chatham en vue de bénir la pierre angulaire de la future cathédrale, Mgr Rogers, au comble de la joie, s'empressa d'en avertir, avant tout autre, son fidèle confident de Saint-Louis :

> "J'attends de recevoir d'autres informations concernant la date précise de la venue du représentant du Saint-Siège avant d'écrire aux autres prêtres du diocèse. Entre-temps, je ne veux pas différer à vous faire part du grand événement, afin de vous inviter, et ceux de vos paroissiens qui le pourront à cette cérémonie . . .
>
> "Il n'est pas nécessaire d'entrer dans les détails; votre piété, et celle de votre bon peuple envers le Saint-Siège, vous portera tout naturellement à vous inspirer ce qui doit être fait.
>
> "Si le séjour de Son Excellence lui permet de se rendre à Saint-Louis, afin de bénir ses jeunes et florissantes institutions, son dévoué pasteur et son peuple fidèle, je n'ai pas besoin de vous dire combien je serai heureux de le conduire chez vous. Mais je crois que Son Excellence, en route vers Terre-Neuve, se limite, à cause de ses engagements, à une courte visite à Chatham et seulement en passant. Que tous ceux de Saint-Louis qui le pourront se rendent à

---

(21) Mgr James Rogers, lettre du 29 août 1878.

(22) M.-F. Richard, ptre, lettre du 30 septembre 1878.

(23) Mgr James Rogers, lettre du 9 mars 1881.

Chatham afin de recevoir la bénédiction de Son Excellence pour la transmettre ensuite à ceux qui seront restés chez eux . . ." [24].

L'année suivante, l'abbé Richard avait offert à Sa Grandeur un phaéton, cadeau d'autant plus apprécié que la voiture de l'évêque laissait à désirer.

Celui-ci lui écrit:

"Ce phaéton arrive à un moment très opportun. Sur le point de me mettre en route vers Caraquet et Shippagan, j'hésitais à prendre ma voiture en désordre. Ma visite à Caraquet et à Shippagan m'empêchera d'être l'un des vôtres le 2 juillet prochain, ce que je regrette d'autant plus que j'aurais beaucoup aimé me trouver à Saint-Louis à l'occasion de votre joyeuse fête paroissiale; car, il fait toujours beau à Saint-Louis!

"Cette parole que vous prononciez un jour, j'en ai moi-même constaté la douce réalité. Je la répète en toute sincérité" [25].

Un mois après l'éloquent sermon qu'il avait prononcé à l'ouverture de la première convention acadienne [26], l'abbé Richard avait été désigné pour prêcher à la dédicace de l'église de Saulnierville, en Nouvelle-Ecosse.

Mgr Rogers lui écrivit:

"En répondant hier soir à Sa Grâce Mgr l'archevêque d'Halifax qui m'invitait à prêcher lors de la dédicace de la nouvelle église du Sacré-Coeur, érigée par M. l'abbé Guay à Saulnierville, j'ai décliné l'invitation à prêcher, tout en manifestant le désir d'assister à la cérémonie. J'ai

---

(24) Mgr James Rogers, lettre du 9 juin 1878.

(25) Mgr James Rogers, lettre du 29 juin 1879.
Nous pourrions encore mentionner les nombreux autres services rendus à Mgr Rogers par le curé de Saint-Louis: achat d'avoine, de foin, de bardeaux et de bois de construction dont le transport fut très souvent assuré bénévolement par les citoyens de cette paroisse comme en témoignent les lettres échangées durant cette période.

Le 18 mai 1878, Mgr Rogers écrivait: "Nous dégustons joyeusement les bonnes patates et toutes les autres bonnes choses que vous nous avez si aimablement fait parvenir de Saint-Louis".

(26) Voir le chapitre XVI.

suggéré à Sa Grâce de vous choisir, ou l'abbé Babineau ou l'abbé Joseph Doucet. Le télégramme ci-inclus, que je viens de recevoir, s'explique de lui-même.

"Mgr l'archevêque, vous ayant préféré, me charge de vous communiquer l'invitation, ce que je fais avec beaucoup de plaisir. D'après ce télégramme, la date fixée pour la cérémonie est le 14 septembre. Convaincu de votre acceptation, j'ai dit à Mgr l'archevêque que vous ne feriez aucune objection, sachant d'avance que vous seriez l'élu parmi les trois noms que j'avais proposés. Ecrivez donc à Mgr Hannon pour le remercier d'un tel honneur; dites lui que votre humilité vous aurait porté à refuser, mais en considération du désir de votre évêque, un tel désir prend l'ampleur d'un ordre formel et que vous êtes prêt à obéir" (27).

Inspiré par le paternalisme de l'époque, Mgr Rogers se réfugie derrière l'obéissance de son disciple pour lui faire accepter une tâche à laquelle se rattache un honneur susceptible de ternir son humilité.

L'abbé Richard l'a compris et lui répondit:

"Votre aimable lettre du 30 courant, avec le télégramme de Sa Grâce Mgr Hannon, m'est parvenue à temps. Bien que je vois plusieurs raisons de refuser une telle invitation, celle d'assurer la prédication à la dédicace de l'église du R.P. Guay, néanmoins, j'ai accepté et j'ai écrit immédiatement à Mgr l'archevêque d'Halifax. J'avais d'abord pensé partir lundi, en passant par Saint-Jean. Après avoir réfléchi, j'en ai conclu qu'il me serait difficile d'arriver à temps, si je prenais cette voie. Par conséquent, j'ai choisi de passer par Halifax où je ne suis jamais allé et de partir samedi matin par l'Express. Toutefois, si Votre Grandeur se rend à la cérémonie, je suivrai l'itinéraire qu'Elle me suggérera. A moins d'indication contraire, je partirai de Wedford.

"Je ne crois pas faire beaucoup d'honneur à votre diocèse en prêchant en une telle occasion absolument nouvelle pour moi. Néanmoins, non pas comme je le veux, mais comme vous le voulez" (28).

---

(27) Mgr James Rogers, lettre du 30 août 1881.

(28) M.-F. Richard, ptre, lettre du 5 septembre 1881.

Mgr Rogers se conforma à l'itinéraire indiqué par l'abbé Richard.

Il lui écrivit:

"D'après la lettre de l'archevêque, aussi bien que le *St. John Globe* dont l'abbé Bannon vous a envoyé une copie, Mgr Cameron prêchera en anglais dans l'avant-midi et vous, dans la soirée. Je suppose que cette disposition a été prise en considération du fait qu'étant évêque, Mgr Cameron méritait cette place d'honneur.

"Vous ne manquerez pas, j'en suis persuadé, de faire honneur à la nationalité que le célèbre poète Longfellow a immortalisé dans son Evangéline dont les descendants composeront votre auditoire à Saulnierville et dont vous êtes un si digne représentant.

"Courage, patience, fermeté, exactitude dans vos pensées et vos expressions! Ayez une humble confiance en Celui qui nous a promis son assistance . . .

"Je dois partir de Chatham par l'Express du samedi et je vous rencontrerai à Wedford où je prendrai le même train que vous . . ." (29)

Inspiré par son zèle en faveur de la réalisation de ses oeuvres, fort de la confiance que lui témoignait son évêque, le curé de Saint-Louis se faisait souvent quémandeur.

Afin de solder les dettes accumulées par ses nombreuses constructions, il sollicite, en 1877, l'autorisation de se rendre dans la province de Québec. Une telle requête met l'évêque dans l'embarras:

"Concernant la permission d'aller au Canada, je ne sais réellement quoi penser. Je voudrais encourager toute bonne oeuvre, mais sans créer trop d'émois, lesquels pourraient résulter de vos appels publics à la charité" (30).

Mgr Rogers se trouve lui-même dans une situation financière des plus précaire: l'évêché, l'hôpital, le collège, le couvent ont

---

(29) Mgr James Rogers, lettre du 8 septembre 1881.
(30) Mgr James Rogers, lettre du 27 février 1877.

occasionné des dettes qu'il faut incessamment solder. Il n'ose pas lui refuser cette permission, mais avant de la lui accorder, il désire s'entretenir de vive voix avec son correspondant:

> "Si je pouvais vous rencontrer, nous pourrions échanger nos vues sur ce sujet, beaucoup plus facilement que par écrit, car écrire me fatigue" (31).

Tout en étant soumise à la décision de l'évêque, la réponse de l'abbé Richard trahit néanmoins une certaine contrariété:

> "Quant à mon voyage au Canada, je n'insisterai pas davantage. J'ai soumis humblement à Votre Grandeur l'état de mes affaires et exprimé ma disposition à faire tout mon possible pour venir en aide à Votre Grandeur, d'accord avec les autres prêtres et les laïcs du diocèse également intéressés. Si ma visite au Canada est préjudiciable aux intérêts des choses dont Votre Grandeur parle dans sa lettre, j'y renonce volontiers. Il me faut cependant l'avouer, je ne saurais comprendre qu'il en fût ainsi. Quant à l'excitation que cette démarche pourrait causer, elle ne saurait être plus troublante que celle occasionnée par n'importe quelle personne qui demande l'assistance pour une oeuvre quelconque. Enfin, je me conformerai avec plaisir à la décision de Votre Grandeur" (32).

Durant l'été de 1878, l'abbé Eugène Biron, directeur du collège Saint-Louis, est allé en France revoir sa famille. Le supérieur craint qu'il ne revienne pas. Mgr Rogers lui-même s'inquiète. On est à la veille de l'ouverture des classes; l'abbé Richard s'enhardit jusqu'à solliciter le vicaire de l'abbé Thomas Barry à Saint-Basile.

> "M. l'abbé Napoléon Dugal est un homme capable, pieux, sage et de plus, un homme d'ordre qui pourrait certainement faire une bonne impression sur les élèves et les ecclésiastiques à qui il enseignerait la théologie".

Qui choisir pour remplacer l'abbé Dugal à Saint-Basile? L'abbé Richard propose un des prêtres du collège Saint-Louis, l'abbé Louis-Côme d'Amours:

---

(31) Idem.
(32) M.-F. Richard, ptre, lettre du 2 mars 1877.

> "homme robuste, connaissant les deux langues et qui, tout en ayant certaines prétentions à la direction du collège, ne peut pas même faire une classe convenable" (33).

Même si le parallèle cloche par de flagrantes inégalités, Mgr Rogers, toujours condescendant, acquiesce à la requête de l'audacieux supérieur:

> "J'ai justement écrit à l'abbé Barry et lui ai envoyé votre lettre en lui demandant de s'entendre avec son vicaire. Si les deux sont d'accord, je consentirai volontiers et avec joie à vous donner l'abbé Dugal" (34).

Le projet de l'abbé Richard est manqué, non par l'opposition de l'abbé Thomas Barry, mais celle de son vicaire lui-même qui, à la suite d'une consultation avec l'abbé Pelletier, décide de rester à Saint-Basile (35).

On ne saurait trop le souligner: toutes les lettres de Mgr Rogers qu'il adresse à l'abbé Richard durant cette période, sont onctueuses, cordiales et même familières. C'est un ami qui s'adresse à un confident, lui soumet ses embarras, le consulte au sujet des problèmes parfois délicats, dont la solution exige de la réflexion et de la prudence.

Bref, durant les onze premières années de son ministère, le curé de Saint-Louis est l'homme de confiance du premier évêque de Chatham.

Quand plus tard, les nuages auront assombri le firmament de leurs relations, Mgr Rogers ne pourra s'empêcher, par souci de vérité et de justice, de rendre hommage au zèle et à l'intégrité morale de l'abbé Marcel-François Richard (36).

Toutefois, entre ces deux hommes, se dressait une barrière quasi infranchissable. Unis par la même foi et un même idéal religieux, ils demeuraient séparés par leur nationalité, avec chacune sa mentalité et son caractère propres.

Irlandais d'origine, profondément marqué de l'héritage ancestral de sa race, habitué à se laisser guider, à l'instar de ses

---

(33) M.-F. Richard, ptre, lettre du 22 août 1878.

(34) Mgr James Rogers, lettre du 29 août 1878 à l'abbé M.-F. Richard.

(35) Ibidem.

(36) Mgr James Rogers, Mémoire, loco cit.

compatriotes, par un clergé, sans doute respecté, mais qui contrôlait tout, une fois évêque, Mgr James Rogers entendait bien continuer dans cette ligne à l'égard des prêtres et des institutions confiés à sa houlette. De là son esprit centralisateur et son autoritarisme empruntés autant à la vigueur et à la pugnacité de sa race qu'aux conceptions rigides d'une époque où les vestiges de l'ancien féodalisme n'étaient pas encore totalement estompés.

Cela ne l'empêchait pas d'être, dans l'intimité, un aimable compagnon, enjoué, taquin et friand de jeux de mots. Au Père Lebastard, eudiste, qui lui demandait un jour le nom de la rivière Waugh, il répondait: "Wow! Wow! comme fait le petit chien" (37).

Sous une forte corpulence, il cachait un coeur d'or, sensible aux misères et à l'infortune. "Sa charité envers les pauvres était beaucoup plus grande que ses modestes ressources. Il s'arrêtait auprès des miséreux, s'enquérait de leurs besoins avec une bonté toute paternelle et trouvait toujours quelque expédient pour améliorer leur sort" (38).

Très hospitalier, il ouvrait généreusement aux prêtres de passage sa modeste demeure qui n'avait rien du grand style de nos résidences épiscopales modernes.

Dans sa conversation et sa correspondance, s'il savait habilement nuancer ses expressions avec un art diplomatique raffiné, il ne craignait pas de se raidir, dès que son autorité était en jeu.

Du vrai chef, s'il avait la prudence et la fermeté dans l'exécution, il lui manquait cette qualité rare: une maîtrise absolue de soi.

Ses colères, beaucoup trop violentes pour être toujours saintes, le mettaient hors de lui-même. "Un jour, écrit Pascal Poirier, j'ai surpris ce saint évêque dans un tel emportement que l'écume lui sortait de la bouche et il faillit en avoir une syncope" (39).

Ce défaut que Dieu lui laissait pour mieux le tenir dans l'humilité, Mgr Rogers le reconnaissait, s'en affligeait et s'en humiliait.

---

(37) Anecdote racontée par Mgr Auguste Allard, P.D.

(38) D'après une chronique de l'époque.

(39) Pascal Poirier, lettre du 13 novembre 1919 au R.P. Gildas, o.c.r.

Il écrit:

"Chaque soir, en faisant mon examen de conscience, je songe avec amertume à mes emportements de caractère non réprimés; nous avons vraiment besoin de la grâce de Dieu" [40].

Tel est l'homme aux alternances de bonté et de rigueur, de diplomatie et de violence, avec qui le jeune Acadien Marcel-François Richard allait se mesurer.

Issu par son père et sa mère d'une souche foncièrement acadienne [41], fermement résolu de travailler au relèvement de ses compatriotes opprimés [42], Marcel-François Richard, avec son courage, sa ténacité, son audace et sa force physique herculéenne [43], était d'une loyauté qui faisait fi des ruses diplomatiques que maniait si habilement le bouillant Irlandais de Chatham.

Doué, dans les deux langues, d'une grande facilité de parole, orateur puissant doublé du subtil argumentateur, "un vrai tribun" écrit le R.P. Blanche, eudiste [44], ses réactions contre toute injustice ou ce qui lui paraissait l'être étaient vives, rapides, directes et peu nuancées.

De là sa tendance à se justifier et à argumenter devant les objurgations de son évêque, quand celles-ci lui semblaient inspirées par un sentiment d'opposition à la cause patriotique qu'il défendait [45].

En somme, deux tempéraments assez semblables sur plusieurs points, apportant chacun une plénitude qui les empêchait de se compléter.

Aussi, la lune de miel ne pouvait durer indéfiniment. Elle devait pâlir et finalement s'éclipser sous la pression des événements malheureux qui se précipitèrent autour d'un foyer de lumière intellectuelle que l'entreprenant curé avait édifié dans l'intérêt de ses compatriotes et qu'il aurait voulu rayonnant: le collège Saint-Louis.

---

(40) Mgr James Rogers, lettre du 29 avril 1894 à l'abbé L.-N. Dugal.

(41) Voir l'arbre généalogique dans l'Appendice I du présent ouvrage.

(42) Nous avons déjà parlé au chapitre I de cette détermination.

(43) Voir L.-Cyriaque Daigle, op. cit., p. 145.

(44) "Le P. Richard est un homme de 50 ans, grand, fort et pouvant faire un missionnaire. Je l'ai entendu parler à Rogersville, en plein air, pendant trois-quarts d'heure; c'est un vrai tribun". R.P. Blanche, eudiste, lettre du 17 janvier 1896 au T.H.P. Ange Ledoré, sup. gén. des Eudistes.

(45) Nous le verrons aux chapitres suivants.

CHAPITRE VI

DEUX FOYERS DE LUMIÈRE

Pendant le pâle demi-siècle qui suivit leur dispersion, les Acadiens furent, la plupart du temps, dans l'impossibilité de s'instruire, n'ayant ni écoles, ni professeurs compétents. Heureux les enfants dont la maman était en mesure de leur communiquer "la petite flamme d'instruction nécessaire à toute société civilisée" (1).

S'apitoyant sur cette détresse intellectuelle, l'abbé Richard écrit:

> "Depuis les tristes événements de 1755, les Acadiens ont dû rester ignorés et ignorants, au moins dans la connaissance des lettres, car on ne saurait leur reprocher de l'être dans leurs devoirs de chrétiens et de catholiques. Abandonnés de leur mère patrie, persécutés par l'Angleterre, dirigés dans l'ordre spirituel et temporel par des hommes dont la langue et les sympathies leur étaient étrangères, ils ont dû lutter pour conserver leur religion, leur langue et leurs coutumes. Durant plus d'un siècle, l'Acadie n'a vu aucun des siens occuper un rang honorable dans l'Eglise ou dans

---

(1) Antoine Bernard, **Histoire de la survivance acadienne**, Montréal 1935, p. 12.

la société. Privés d'éducation, ils se sont livrés à la colonisation, à l'agriculture et à la pêche, ne pouvant prétendre à d'autres professions" [2].

Ce tableau, si sombre qu'il paraisse, n'est que trop conforme à la réalité. En parlant des pêcheurs acadiens de Caraquet, victimes des exploiteurs qui leur vendaient des marchandises à des prix exorbitants et ne leur payaient que des sommes dérisoires pour leurs poissons, le R.P. Tremblay écrit:

> "Les agents profitaient ainsi de l'ignorance de la population, en abusaient, et cherchaient à la maintenir comme moyen de domination. *Keep them in ignorance and poverty*, tel fut, tel est encore le leitmotiv avoué de trop d'hommes et de politiciens anglais du Nouveau-Brunswick vis-à-vis des Acadiens" [3].

Maintenir ainsi les Acadiens dans l'ignorance et la pauvreté, n'était-ce pas le moyen le plus efficace de paralyser leur influence et les empêcher de survivre?

Corroborant le témoignage de l'abbé Richard, l'auteur d'*Un Pèlerinage au pays d'Evangéline* affirme que "le plus grand malheur des Acadiens n'a pas été leur dispersion, mais l'état d'abandon presque complet dans lequel ils ont été laissés durant plus d'un siècle. Dans toute cette période douloureuse, ils n'ont eu, on peut dire, aucun moyen d'instruction. La plupart furent même longtemps sans avoir de missionnaires au milieu d'eux" [4].

Quand, porteurs du message évangélique, ces valeureux missionnaires viendront par la suite, ils accorderont une priorité au problème de l'instruction de la jeunesse. Tel cet abbé Lafrance qui, dès son arrivée à Tracadie, en 1852, fonda une école et, plus tard, une académie à Memramcook. Il écrivit à son ami Louis Robichaud de Néguac: "Vous savez que le peuple acadien n'a jamais eu justice jusqu'à présent du côté de l'éducation. Et si ceux

---

(2) M.-F. Richard, Mémoire conservé au Centre d'Etudes Acadiennes de l'Université de Moncton.

(3) Marcel Tremblay, eudiste, **50 ans d'éducation 1899-1949**, Bathurst 1949, p. 19. Voir aussi Antoine Bernard, op. cit., Appendice E, note 1, p. 457.

(4) H.-R. Casgrain, **Un pèlerinage au pays d'Evangéline**, Québec, 1887, p. 23.

qui prennent au milieu d'eux la douce appellation de *pères* ne mettent pas la main à l'oeuvre, ils en seront longtemps privés encore" (5).

Emule de l'abbé Lafrance, Marcel-François Richard, dont le patriotisme vibrait à l'unisson de sa foi religieuse, prit sérieusement à coeur la cause de l'instruction de la jeunesse acadienne. Il se souvenait du jour où il s'était embarqué sur un bateau de pêche pour se rendre, soit à l'île du Prince-Edouard en vue de ses études classiques, soit à Montréal dans l'intérêt de sa formation cléricale. Seules les familles financièrement favorisées, — elles étaient rares parmi les Acadiens —, pouvaient se permettre les dépenses nécessitées par de tels déplacements. Avoir une institution sur place était le moyen pratique de régler le problème.

L'abbé Richard avait mûri ce projet durant son séjour au grand séminaire puisqu'il avait retenu les services de deux séminaristes indécis et désireux de refaire leur santé temporairement délabrée (6).

On lit dans son Mémoire:

"Comme mon ambition et mon désir avaient toujours été de servir l'Eglise et ma patrie, quoique dépourvu de ressources, ayant à payer de grosses sommes dans la défense des droits de mon église (7) et n'ayant que deux ans de prêtrise, je me décidai à fonder dans ma paroisse deux maisons d'éducation, l'une pour les filles et l'autre pour les garçons, afin de contrebalancer les effets funestes des écoles publiques et de préparer des jeunes gens et des jeunes filles pour l'enseignement. Je fis part de mon projet à Mgr Rogers qui le bénit et me donna tout l'encouragement possible" (8).

Cet encouragement, Mgr Rogers le prodiguait d'autant plus volontiers que la fondation d'une maison d'éducation à Saint-Louis répondait à son désir:

"Maintenant, Monseigneur, selon le désir que vous m'avez manifesté de voir un couvent érigé à Saint-Louis, je me suis

---

(5) M.-F. Richard, ptre, Mémoire, loco cit.

(6) M.-F. Richard, ptre, Mémoire, loco cit.

(7) Allusion aux dépenses occasionnées par les deux procès intentés par l'abbé McGuirk. Voir les chapitres II et III.

(8) M.-F. Richard, ptre, Mémoire, loco cit.

occupé de cette affaire et j'ai fait un marché un peu hardi, je l'avoue, à propos de cette entreprise. J'ai acheté la propriété de M. Auguste Babineau pour la somme de 370 louis. Mais remarquez que j'ai tout son stock: cheval, vaches, moutons, etc., et cela, payable dans trois ans, sans intérêt" (9).

Mgr Rogers ne désapprouva pas ce "marché un peu hardi". Il songea même à obtenir le montant d'argent que l'abbé Paquet, ancien curé de Saint-Louis, avait laissé en faveur de cette paroisse:

"En considération de l'achat de la propriété dans l'intérêt du couvent, je vais tâcher de vous procurer le montant d'argent que l'abbé Paquet a laissé par testament au profit de la paroisse de Saint-Louis. La fondation d'un tel établissement, payé en partie par le legs de l'abbé Paquet, sera à la fois comme un monument érigé à sa mémoire et une oeuvre dont vous aurez le mérite dans votre paroisse natale" (10).

Encouragé par cette promesse d'une aide pécunière, l'abbé Richard se met à l'oeuvre. Trois religieuses de la Congrégation de Montréal arrivent le 18 août 1874. Elles occupent la maison d'Auguste Babineau qui leur sert d'abri temporaire en attendant que la construction du couvent soit terminée (11).

La première supérieure, soeur Sainte-Louise, racontera plus tard ses souvenirs:

"Nous partîmes de la maison mère, le 10 août au soir, pour nous rendre à Québec et là, prendre le vapeur pour Chatham, port le plus près de notre mission . . . Nous arrivâmes à Chatham le vendredi, à midi, après une heureuse traversée. Mgr Rogers, évêque de Chatham, vint nous accueillir avec une bonté plus que paternelle; il nous conduisit à sa résidence où nous prîmes le dîner et, vers les deux heures, nous nous rendîmes chez nos soeurs de Newcastle où nous passâmes deux jours. Le Révérend Monsieur Richard, curé de Saint-Louis, vint nous chercher le lundi, tout joyeux de voir enfin ses voeux exaucés, ayant des soeurs de la Congrégation de Notre-Dame pour commencer sa mission.

"Mgr Rogers voulut lui-même nous conduire dans sa

---

(9) M.-F. Richard, ptre, lettre du 23 novembre 1872 à Mgr James Rogers.

(10) Mgr James Rogers, lettre du 13 décembre 1872 à M.-F. Richard, ptre.

(11) L.-Cyriaque Daigle, op. cit., p. 76.

voiture, emmenant avec nous deux de nos soeurs de Newcastle. Le voyage fut des plus gais et des plus heureux et, quoiqu'il y eût par intervalles de petits orages pendant la route, le bon Père Richard était si content que, dans un élan de joie, il s'écria: "Quand même il ferait encore plus mauvais, arrivés à Saint-Louis, il fera beau; car désormais, il fera toujours beau à Saint-Louis". Nous arrivâmes vers les cinq heures du soir, le mardi 18 août. Nous descendîmes à l'église, allant rendre nos premiers hommages à Celui qui nous appelait à venir le faire connaître et aimer davantage dans cette nouvelle mission. Le lendemain, en compagnie de Sa Grandeur et de M. le curé, nous visitâmes Richibouctou et Saint-Charles, paroisses voisines. Le jeudi 20 août, fête de saint Bernard, Monseigneur bénit notre chapelle et y offrit le saint sacrifice de la messe, voulant faire coïncider cet heureux événement avec la fête patronale de notre bonne Mère Saint-Bernard qui, disait-il, avait hâté la fondation de cette mission . . .

"Trois jours après, nous reçûmes une lettre de Mgr Rogers qui contenait le beau cadeau de cent dollars pour les besoins de la maison . . . Pendant onze ans, Mgr Richard a continué à nous gratifier de ses faveurs et de son dévouement. Ses bienfaits ont continué après son départ de Saint-Louis; il revenait souvent nous visiter et se plaisait à nous combler d'attentions. A ces pages, je n'ai qu'une phrase à ajouter: la mémoire de l'apôtre de l'Acadie sera toujours en bénédictions à la Congrégation de Notre-Dame de Montréal" [12].

En la même année 1874, dans l'école qu'on avait transportée près du presbytère et agrandie, s'ouvrit un externat sous le vocable d'Académie Saint-Louis. L'abbé Richard offrit l'hospitalité de son presbytère à ses deux anciens confrères du grand séminaire, instituteurs déjà à l'oeuvre dans les écoles du village.

Ces deux professeurs portent des noms typiquement *québécois:* Paul Allaire, originaire de Saint-Ours, et Onésime Fortier né à Saint-Jean de l'île d'Orléans. Bientôt, un Acadien viendra se joindre à eux, Stanislas Boudreau qui plus tard sera promu au

---

(12) Soeur Sainte-Louise, lettre du 11 février 1916 au R.P. Gildas, o.c.r.

sacerdoce et fournira une longue carrière comme curé de la paroisse de Saint-Jacques d'Egmond-Bay, dans l'île du Prince-Edouard.

Ce modeste début n'est toutefois qu'un tremplin au zèle et à l'ambition du jeune curé qui rêve d'un collège, émule de celui de Memramcook.

La propriété de Pierre Barriau, achetée en 1872, en vue de ce futur collège, est toujours dans l'attente d'ouvriers. Mais pour bâtir, il faut des ressources et la caisse est vide.

Au surplus, des dettes, assez considérables pour l'époque, se sont accumulées. L'année suivante, l'abbé Richard en dressera ainsi le bilan:

> "Les dépenses occasionnées par le procès intenté par M. McGuirk et dont la moitié fut payée par la paroisse, s'élèvent à $ 1600.00. Le reste, il m'a fallu le payer avec mes propres revenus au moyen de spéculation.
>
> "L'achat du terrain du couvent et les dépenses subséquentes forment une somme d'environ $ 2000.00. L'achat du terrain de l'académie a coûté environ le même montant. Le tout formant un total de $ 4800.00 qu'il m'a fallu payer ou qu'il me faudra payer, car de cette somme, il me reste une balance de $ 1200.00 non soldée.
>
> "De plus, si l'on veut que le couvent produise tout le bien auquel il est destiné, il faut nécessairement l'agrandir au coût de $ 300.00. L'académie exige des réparations. Celles-ci entraîneront des dépenses évaluées à $ 2000.00.
>
> "Tout cela est de nature à faire ouvrir les yeux d'un jeune prêtre sans antécédents. Mais, voyez-vous, Monseigneur, après avoir passé à travers les premières épreuves, il me semble maintenant que rien n'est impossible. Toutefois, ce montant ne saurait se trouver sans efforts" (13).

Après avoir exposé ses difficultés financières, l'abbé Richard demande à son évêque la permission d'aller dans la province de Québec afin de solliciter des dons et d'obtenir, si possible, une communauté religieuse en faveur de son académie.

---

(13) M.-F. Richard, ptre, lettre du 1er mars 1875 à Mgr James Rogers.

Ce voyage ne semble pas avoir été couronné de beaucoup de succès si l'on en juge par la lettre suivante qu'il écrivit de Québec:

> "Je puis assurer Votre Grandeur que j'ai rencontré beaucoup de sympathie à Montréal et à Québec. Ce n'est cependant qu'après avoir été fortement engagé par des personnes très influentes dans le clergé que je me suis décidé à faire les démarches que j'ai faites et que Votre Grandeur aura peut-être de la peine à approuver. Je ne réaliserai certainement pas un montant fort considérable; toutefois, ce sera toujours quelque chose. Mais j'espère que ces démarches auront au moins l'effet de faire connaître la position réelle des catholiques du Nouveau-Brunswick vis-à-vis de leurs oppresseurs, ce que l'on semble ignorer ici totalement. J'espère, du moins n'avoir rien fait, ni rien dit qui peut compromettre notre cause, ni mériter la désapprobation de Votre Grandeur.
>
> "Je ne suis pas certain de réussir à me procurer des frères; c'est une marchandise extrêmement rare dans le Canada" [14].

Ainsi, les difficultés financières constituaient la principale pierre d'achoppement au vaste projet que méditait l'entreprenant curé, celui de fonder un collège-pensionnat ouvert aux jeunes Acadiens des provinces Maritimes. Car il fallait de l'argent pour bâtir et organiser les services nécessités par le fonctionnement régulier d'un internat: cuisine, literie, lavage, chauffage, éclairage, etc.

Conformément à la conception de l'époque, un collège ne pouvait fonctionner sans une communauté religieuse ou à son défaut, sans un prêtre capable d'agir à titre de directeur. Or, on l'a vu, les communautés religieuses étaient alors "une marchandise extrêmement rare", et les évêques réclamaient les prêtres séculiers dans les paroisses qui souffraient d'un nombre lourdement insuffisant d'ouvriers apostoliques.

Au surplus, un collège-pensionnat à Saint-Louis ne risquerait-il pas de porter ombrage à celui de Memramcook fondé en 1864 et situé dans le diocèse voisin? Facile d'accès, grâce à la voie ferrée qui, depuis 1871, passait à proximité, Memramcook jouissait

---

(14) M.-F. Richard, ptre, lettre du 8 mai 1875 à Mgr James Rogers.

à ce point de vue d'un avantage très appréciable sur Saint-Louis qui se trouvait loin des centres et des voies de communication [15].

Toutes ces considérations portèrent Mgr Rogers à conseiller à l'abbé Richard de s'en tenir à un externat (High School) sous la direction de professeurs laïcs.

Nous lisons dans le Mémoire de Mgr Rogers:

"Durant la construction d'un nouveau temple, il fut question de l'affectation de l'ancienne église. L'abbé Richard me proposa son plan: convertir la vieille église en une salle paroissiale où se réuniraient les diverses sociétés de tempérance, d'agriculture, etc. Je lui ai suggéré d'en faire plutôt une académie (High School) pour les garçons, puisque les religieuses de la Congrégation de Notre-Dame (que j'avais moi-même invitées) étaient attendues et devaient s'occuper de l'éducation des jeunes filles. Les deux instituteurs déjà à l'oeuvre dans les écoles pourraient unir leurs efforts dans l'organisation de cette académie. L'abbé Richard acquiesça à ma proposition" [16].

C'est probablement à la suite de cet entretien que l'abbé Richard écrivit la lettre suivante où il exprime son assentiment à la suggestion de son évêque:

"Après avoir consulté Votre Grandeur au sujet de mes entreprises à Saint-Louis et ayant sérieusement réfléchi sur les considérations sages et prudentes que j'en ai reçues, je viens humblement vous soumettre le résultat de mes délibérations. Mon intention était d'abord de bâtir en neuf dans l'attente de ce qui pourrait devenir plus tard un collège proprement dit. Je m'étais arrêté à ce projet dans le désir de me conformer aux intentions de Votre Grandeur lesquelles m'avaient semblé être de bâtir sur le terrain d'en haut.

"Lors de ma dernière visite à Chatham, j'ai compris que l'idée d'un collège dans Saint-Louis n'était pas selon les

---

(15) Le Kent-Northern, entre Kent-Junction et Richibouctou, fut construit en 1883, et l'embranchement de Richibouctou à Saint-Louis, en 1885.
Voir L.-Cyriaque Daigle, op. cit., p. 77.

(16) Mgr James Rogers, Mémoire, loco cit.

vues de Votre Grandeur [17]. En conséquence, je me suis décidé à suivre ma première idée et de préparer les voies pour utiliser la vieille église en lui ajoutant une annexe. Cette manière de faire est de beaucoup plus économique et, sous plusieurs rapports, plus avantageuse. Nous suivrons donc notre programme, approuvé par Votre Grandeur, et nous ne nous en écarterons que par un ordre, un conseil ou une manifestation expresse de ses désirs. Quant à moi, je n'ai qu'un but: celui de rendre service au diocèse et à mes semblables, en conformité avec les volontés de mon évêque" [18].

Sous la direction de professeurs laïcs, l'académie, durant la première année scolaire (1874-1875), ne semble pas avoir produit des résultats très satisfaisants. Au cours de l'été qui suivit, l'abbé Richard multiplia ses démarches afin d'obtenir un prêtre pour le mettre à la tête de son institution. "D'après les promesses faites à mes professeurs, écrit-il, je dois leur trouver un directeur ou bien les en avertir; car ils ne viendront pas sous l'ancien régime" [19].

Le curé de Saint-Louis comptait sur un certain abbé Véronneau qui, étant tombé malade, dut renoncer à venir diriger l'académie [20].

"Me trouvant désappointé sur le comte de M. Veronneau et ayant fait des arrangements avec mes professeurs pour leur assurer qu'ils auraient un directeur, je me trouve un peu dans l'embarras.

"Lors de ma visite à Montréal, Mgr Bourget m'avait fait entendre que je pourrais avoir un prêtre pourvu que Votre Grandeur lui en manifeste le désir. Votre Grandeur m'avait parlé d'un M. Trudel comme directeur de l'académie. Je pense qu'il ferait l'affaire pourvu qu'il soit initié par moi-

---

(17) Ces paroles ne laissent aucun doute sur la pensée de Mgr Rogers qui, pour les raisons exprimées plus haut, favorisait l'établissement d'un externat dans le genre de nos écoles régionales modernes, mais indépendantes de la loi scolaire, puisque l'enseignement de la religion était prohibée dans les écoles publiques subventionnées par le gouvernement provincial du Nouveau-Brunswick.

(18) M.-F. Richard, ptre, lettre du 1er mars 1875 à Mgr James Rogers.

(19) M.-F. Richard, lettre du 6 août 1875, à Mgr James Rogers.

(20) R.P. Deguire, ptre, lettre du 1er août 1875 à l'abbé M.-F. Richard.

même, au début, à ses nouvelles fonctions. Dans tous les cas, j'aimerais savoir ce que Votre Grandeur pense de la chose. Je pourrais me passer difficilement d'un directeur pour l'année prochaine. Votre Grandeur m'obligerait beaucoup en m'indiquant le moyen de me le procurer" (21).

On ne saurait dire si Mgr Rogers s'est adressé à Mgr Bourget conformément à la demande de l'abbé Richard. Une chose est certaine: l'académie eut son directeur dans la personne de l'abbé Gaudin-Châtillon qui était à son poste en septembre 1875.

Au mois de mars suivant, sous l'empire du découragement et peut-être d'une certaine nostalgie, l'abbé Châtillon avait formé le projet de quitter Saint-Louis et s'en retourner à Montréal.

Voici ce qu'écrit l'abbé Richard à ce sujet:

"Comme Votre Grandeur a dû l'apprendre par une lettre de M. Châtillon lui-même, il s'est décidé librement à rester. De ma part, je ne lui ai fait aucune opposition. Le matin qu'il devait partir, les voitures étaient prêtes à transporter ses effets, mais il a décliné d'embarquer; il n'avait pas encore reçu votre lettre. Dans le cours du même jour, il a reçu votre lettre; je pense que le ton de cette lettre l'a un peu ébranlé. Enfin, le soir, il est venu veiller au presbytère et je me suis aperçu qu'il avait quelque chose qui semblait le tracasser; j'ai cru m'apercevoir qu'il aurait aimé à être sollicité de rester. Je simulais ne pas le comprendre; car je voulais qu'il en vint à se décider librement. Alors je le chargeai de présenter mes saluts à mes amis de Montréal; au moment des adieux, il me déclara qu'il resterait au moins jusqu'à la fin de l'année scolaire" (22).

Après le départ de l'abbé Châtillon, au début de juillet, le problème d'un nouveau directeur de l'académie ne se posa pas.

Durant l'année scolaire, le supérieur avait lié connaissance avec M. Eugène-Raymond Biron, un Français qui enseignait la rhétorique au collège de Memramcook, tout en étudiant la théologie en vue du sacerdoce.

---

(21) M.-F. Richard, lettre du 21 juillet 1875 à Mgr James Rogers.

(22) M.-F. Richard, ptre, lettre du 3 mars 1876 à Mgr James Rogers.

Inspiré par son ardent désir de se vouer tout entier à l'éducation de la jeunesse acadienne, ce séminariste résolut de mettre ses talents, sa brillante intelligence, sa haute culture et même ses économies au service de l'abbé Richard dont il devint le collaborateur dévoué et généreux.

CHAPITRE VII

UN GÉNÉREUX COLLABORATEUR

Le 24 août 1875, un navire français accostait au port de New-York, la plus grande ville des Etats-Unis d'Amérique. Un des passagers qui, le lendemain, célébrait ses trente ans, scrutait du regard le grouillant rassemblement de la foule afin d'apercevoir le compatriote chargé de le piloter et de lui servir d'interprète. Le visage allongé d'une barbiche à la Henri IV, d'une santé pas très robuste, mais intelligent et énergique, ce jeune Français unilingue, se nommait Eugène-Raymond Biron.

Né le 25 août 1845, à Chaudesaigues, dans le Cantal, en France, de Guillaume Biron et de Marie Nicolas, entré plus tard au petit séminaire de Saint-Nicolas de Chardonnet, agrégé au terme de ses humanités comme professeur au collège des Dominicains d'Arcueil, Eugène-Raymond avait lié connaissance avec M. Edmé Rameau de Saint-Père, le célèbre historien de l'Acadie.

L'intérêt suscité par la lecture des écrits de M. Rameau et aussi leurs entretiens sur la situation malheureuse des Acadiens le déterminèrent à se consacrer tout entier au service de la jeunesse française du Nouveau-Brunswick [1].

---

(1) **Ces détails sont empruntés aux lettres le M. Eugène-Raymond Biron à M. Rameau de Saint-Père. On trouve cette correspondance au Centre d'Etudes Acadiennes de l'Université de Moncton.**

Il annonce l'heureuse nouvelle à son concitoyen de Paris:

"Le dessein dont je vous ai entretenu, il y a maintenant plus d'un an, est à la veille de se réaliser. Samedi prochain, je m'embarquerai de la ville de Paris pour New-York et, de là, je compte me rendre en Acadie pour recevoir les Ordres et me consacrer aux missions chez ce peuple dont vous avez si éloquemment plaidé les malheurs. Ce sont vos généreux écrits qui ont déterminé ma vocation. A titre de disciple, je vous demande humblement une petite recommandation pour ces contrées où votre nom est maintenant si populaire. Votre lettre m'ouvrira tous les coeurs et adoucira l'exil toujours amer de la patrie. Je compte sur votre bonté pour me délivrer cette petite lettre, y ajouter les quelques renseignements que vous croirez m'être nécessaires et me dire, en même temps, où je pourrai me procurer, avant mon départ de Paris, le livre que vous avez publié sur l'Acadie. Je quitte Paris, jeudi soir, votre lettre peut donc me parvenir à temps" [2].

Parti de Paris le 13 août, il arriva à Memramcook le 29 suivant. Si l'on en juge par sa correspondance, le collège de Memramcook l'aurait un peu déçu. Il écrit:

"Le collège de Memramcook où j'ai fait pendant les derniers mois de l'année scolaire (lorsque ma santé s'est rétablie) une petite classe de rhétorique, tout en continuant mon cours de théologie, est certainement un établissement précieux, mais le malheur c'est qu'il est tenu par une congrégation religieuse dont tous les membres viennent du Canada (surtout de Montréal, la partie la moins française du Canada), au lieu de venir de France, ce qui serait bien différent. Ces religieux purement canadiens et principalement le supérieur, malgré ses bonnes qualités, travaillent surtout pour la Congrégation et très peu pour les Acadiens, encore faudrait-il avoir du temps de reste et l'espérance de quelques piastres. Malheureusement les Acadiens sont pauvres. Les Anglais, les Américains et les Irlandais sont plus fortunés et c'est à eux qu'on s'adresse de préférence pour remplir le collège parce qu'ils peuvent mieux que les

---

(2) Eugène-Raymond Biron, lettre du 9 août 1875, écrite de l'hôtel Saint-Joseph, 4 Place Saint-Sulpice, Paris, à M. Rameau de Saint-Père.

autres faire prospérer la caisse de la Congrégation. Quant aux bons Acadiens, on les accable volontiers de dîmes, de corvées, de quêtes, d'emprunts, de souscriptions, etc. en faveur de la Congrégation" (3).

Ce sombre tableau, s'il est conforme à la réalité, n'était pas de nature à enthousiasmer le jeune patriote français: le collège Saint-Joseph de Memramcook lui avait été décrit par M. Rameau de Saint-Père comme étant un institution foncièrement française. Il le déclare dans la même lettre:

"J'ai été déterminé de me rendre à Memramcook par la nécessité de faire ma théologie que je n'avais pas encore commencée à mon départ de Paris. Memramcook étant le seul collège-séminaire des provinces Maritimes, autrefois Acadie, et de plus, étant un établissement français, je devais de préférence me diriger de ce côté. Du reste, vous m'aviez parlé dans ce sens l'hiver précédent: nouveau motif qui me portait vers lui . . .

"Mon séjour au collège Saint-Joseph de Memramcook a donc été d'une année, mais il ne se prolongera pas au-delà. Car, dans le courant de ce mois, je me prépare à le quitter pour me rendre dans un petit établissement qui n'existe que depuis deux ans: l'académie Saint-Louis fondée dans le diocèse de Chatham par M. Richard, prêtre acadien d'un grand patriotisme qui est depuis quelques années curé de la paroisse Saint-Louis, son pays natal, poste qu'il remplit avec un dévouement inlassable, témoin: la fondation d'un couvent et de ce petit collège qui rendent déjà de grands services à ses compatriotes" (4).

M. Eugène-Raymond Biron avait pris cette décision au mois de décembre précédent à l'occasion d'une visite de M. Placide Gaudet au collège de Memramcook:

"Aux vacances de Noël, écrit M. Gaudet, je me trouvais à Saint-Joseph et l'abbé Biron m'invita à aller le voir au presbytère. Il portait alors toute sa barbe qui était passablement longue. Il me fit raconter l'histoire de la fondation du collège Saint-Louis et me demanda beaucoup de rensei-

---

(3) Eugène-Raymond Biron, lettre du 14 août 1876 à Rameau de Saint-Père.

(4) Ibid.

gnements que je lui ai donnés avec empressement. De retour à Saint-Louis, je n'ai pas manqué de signaler à l'attention de M. Richard le jeune ecclésiastique français et son intérêt très prononcé en faveur de l'oeuvre de Saint-Louis. Peu de temps après, une correspondance, je crois, commença entre M. Richard et M. Biron. Je revis ce dernier en juillet 1876 à Saint-Joseph. C'est alors qu'il m'apprit sa décision de se rendre à Saint-Louis et d'y placer des fonds, car il trouvait le collège Saint-Joseph trop anglais" (5).

Grâce à la présence de ce nouveau collaborateur, jeune, dynamique, intelligent et patriote, l'abbé Richard allait pouvoir réaliser son rêve: transformer son académie en un collège classique.

L'année suivante, il écrivait à son évêque: "Comme il y a dans votre diocèse une population considérable parlant la langue française et que parmi cette population il doit se trouver un bon nombre de vocations, l'académie de Saint-Louis, sous forme de petit séminaire dirigé par des prêtres séculiers attachés au diocèse, devrait lui rendre de bons services" (6).

Cette nouvelle expansion de l'académie allait poser quelques problèmes. Des prêtres séculiers? Il ne s'en trouvait pas de disponibles. Il fallait donc les préparer sur place. C'est à quoi s'employa l'abbé Richard en ouvrant, trop facilement peut-être, la porte à de jeunes séminaristes étrangers qui cherchaient une voie d'accès au sacerdoce.

Ces professeurs de fortune, étudiants en théologie, arrivaient avec chacun leur tempérament, leur mentalité, leur concept personnel de la discipline collégiale. Leurs vues ne cadraient pas toujours avec celles de l'abbé Biron. Le supérieur l'apprit à ses dépens, à l'automne de 1878, quand survint la première échauffourée qui secoua l'édifice jusque dans ses bases.

En l'été de 1878, l'abbé Biron était allé en France revoir sa famille. Son retard à revenir au Canada avait inquiété l'abbé Richard et même Mgr Rogers. Louis-Côme d'Amours, ordonné prêtre le 28 février précédent, et M. Amédée Boucher, âgé de 22 ans, arrivé au collège le 4 avril de la même année, organisèrent la rentrée des étudiants. Ils apportèrent un certain nombre de modifi-

---

(5) Placide Gaudet, lettre du 18 janvier 1918 au R.P. Gildas, ptre, o.c.r.

(6) M.-F. Richard, ptre, lettre du 19 février 1877 à Mgr James Rogers.

cations de nature à indisposer fortement l'abbé Biron qui, à son retour au milieu d'octobre, constata un grand désordre. "Les choses en étaient au point que, si j'avais retardé davantage, nos professeurs les plus zélés et les quelques élèves qui sont en état de payer leur modeste pension avaient formé le projet de se retirer. Je n'ai-pas eu trop de trois mois pour remettre l'harmonie partout et rétablir les choses sur l'ancien pied" (7).

L'année suivante, le même correspondant apporta quelque lumière sur la nature de ce désordre dont il fera retomber toute la responsabilité sur les intrigues des deux professeurs en question:

> "Pendant mon séjour, en France, deux maîtres nouveaux, sans dévouement et sans intelligence de la mission du collège, avaient comploté (vous savez qu'au dire de César, l'ambition peut se trouver dans la dernière des bicoques) de s'élever à mes dépens. Les flatteries et autres séductions aussi peu honorables ne leur avaient pas fait défaut pour faire entrer M. Richard et l'évêque dans leur plan. Les autres maîtres (qui seuls étaient nécessaires pour l'enseignement) et les élèves étaient très mécontents du nouvel état de choses établi par nos deux ambitieux" (8).

Il fallait s'y attendre, la restitution de l'organisation collégiale dans le statu quo ne fut pas de nature à plaire à l'abbé d'Amours, encore moins à M. Boucher. "Mon retour, écrit encore M. Biron, et les changements que j'ai été obligé d'exiger dès le lendemain de mon arrivée ont provoqué les ressentiments de ceux dont les projets étaient anéantis" (9).

Après quelques semaines, s'éleva une tempête d'une telle gravité qu'elle faillit faire sombrer le vaisseau. L'abbé Biron continue :

> "Après m'avoir fait les plus belles promesses à l'occasion de services que je lui avais rendus pendant un voyage qu'il venait de faire au Canada, M. Richard prenait fait et cause pour l'un des deux professeurs en question, jeune homme de 22 ans qui m'avait offensé publiquement et, après une explication très vive, me déclarait qu'il allait licencier im-

---

(7) Eugène-Raymond Biron, lettre du 21 janvier 1879 à Rameau de Saint-Père.
(8) Eugène-Raymond Biron, lettre du 12 fevrier 1880 à Rameau de Saint-Père.
(9) Ibid

médiatement les élèves et accepter pour l'année suivante les offres des Jésuites sur qui il comptait, à la suite de certaines ouvertures entamées à Montréal. Je lui répondis qu'il était libre, mais qu'il était préférable toutefois de finir l'année, car le renvoi des élèves ferait un effet déplorable. Un moment de réflexion convainquit M. Richard de la sagesse de mes remarques. Il fut donc convenu que l'on irait jusqu'aux vacances et que le jeune maître, cause de toute cette affaire, me ferait réparation publique, devant les professeurs et les élèves. Ce fut fait" (10).

Cette réparation publique ne fut qu'un acte extérieur. Profondément vexé et humilié, M. Amédée Boucher alla formuler ses plaintes à Mgr Rogers.

L'abbé Richard en prévint l'évêque : "M. Boucher se propose d'aller vous voir; il a des griefs sur les mérites desquels je ne saurais me prononcer. Il se plaint de M. Biron et ce dernier se plaint de lui; il peut se faire que l'un et l'autre demandent à partir" (11).

Le lendemain, nouvelle lettre du supérieur : "Comme je vous l'avais mentionné hier, je suis d'avis que M. Boucher ne restera pas longtemps au collège avec M. Biron. Ce dernier ne demeurera que si les choses marchent selon ses vues : *If things suit him.* Je pourrais en dire autant de M. Venner' (12).

Il fallait que la situation fût sérieuse pour que l'abbé Richard craigne une intervention possible des avocats : "*I fear that lawyers from outside are employed to execute designs*" (13).

Cette dissension, entre le directeur et certains membres du personnel, n'était pas de nature à rasséréner le climat de la jeune institution de Saint-Louis où l'abbé Biron tenait ferme sur ses positions.

Ses vues sur la conduite d'un collège acadien, il les expose dans sa lettre à Rameau de Saint-Père. Après avoir parlé de ses efforts pour "remettre l'harmonie partout et rétablir les choses sur l'ancien pied", il ajoute : "Je commence à être dédommagé de mes

---

(10) Ibidem.
(11) M.-F. Richard, ptre, lettre du 18 novembre 1879 à Mgr James Rogers.
(12) Idem, lettre du 19 novembre 1879.
(13) Ibidem.

trois mois de lutte. Les dévouements ébranlés sont affermis, les élèves plus enthousiastes que jamais pour la cause française et acadienne, ne pensent qu'aux moyens de se rendre utiles à leur patrie. Le bon ordre, la discipline, le travail, la politesse française commencent à fleurir et l'avenir semble nous sourire" [14].

Mais l'avenir ne devait pas montrer un visage aussi souriant, puisque, à la fin de l'année scolaire (1878-1879), de guerre lasse, l'abbé Biron était résolu de s'en retourner définitivement en France.

Il écrit :

"Les élèves auxquels j'annonçais mon départ me firent les adieux les plus touchants, et tous ceux qui parmi eux donnaient de véritables espérances et avaient le coeur véritablement acadien (c'est-à-dire la majorité) ne purent retenir leurs larmes et me témoignaient les plus grandes craintes pour l'avenir. Dans la paroisse, c'étaient les mêmes sentiments qui se manifestaient.

"Nous avons couronné le dernier jour, par unc belle séance à laquelle assistaient les personnages les plus distingués de la province: Mgr Rogers, deux ministres provinciaux dont un Acadien (M. Landry), Pascal Poirier, des députés provinciaux et fédéraux, le P. Lefebvre, MM. Michaud, Cormier et d'autres . . . Tous ces personnages prononcèrent des discours qui firent durer la séance jusqu'à minuit. M. Richard fut accablé d'éloges, on y parla même de moi.

"Deux jours après, lorsque j'eus achevé de faire partir les élèves, j'allais déclarer à M. Richard que j'étais prêt à traverser l'océan. Il se montra très étonné, dit qu'il ne s'attendait pas à cela et que je le mettais dans le plus grand embarras, car son désir était maintenant de voir le collège continuer toujours avec l'organisation actuelle. Il ajoute que Monseigneur ne consentirait jamais à mon départ. C'était absolument tout le contraire de ce que l'on avait dit et affirmé à tout le monde depuis plus de deux mois . . .

"La fin des vacances est arrivée, mais non la fin de mes incertitudes, car il était absolument impossible de se tenir bien assuré de la position. Le jour même de la rentrée,

---

(14) Eugène-Raymond Biron, lettre du 21 janvier 1879 à Rameau de Saint-Père.

de nouvelles difficultés remettaient tout en question. J'ai été obligé d'avoir, à ce moment, une nouvelle entrevue avec M. Richard où je lui ai insinué d'établir certaines conventions qui pourraient prévenir toutes les difficultés. Mais rien n'a pu être décidé" [15].

La tâche de l'abbé Biron était donc loin d'être une sinécure. Plusieurs fois l'idée lui vint de tout abandonner pour retourner en France. Il attribue aux bons conseils et aux paroles d'encouragement de Rameau de Saint-Père le fait qu'il soit demeuré en Acadie:

> "J'ai recu les conseils que vous vouliez bien m'adresser dans votre dernière lettre avec toute la reconnaissance qu'ils méritaient. J'ai reconnu dans la sagesse de ces avis les leçons de l'expérience et j'y ai remarqué aussi que votre intérêt pour moi et nos chers Acadiens n'était pas diminué; je n'ai pas attendu jusqu'à ce moment pour mettre en pratique vos bons avis, car depuis la réception de votre lettre, les occasions de m'en servir ont été bien nombreuses. C'est pourquoi vos recommandations ont eu sur ma conduite toute l'influence qu'elles méritaient d'avoir que je me trouve encore à mon poste aujourd'hui. En effet, si, dans plusieurs circonstances excessivement pénibles, j'avais suivi mon propre sentiment, j'aurais quitté immédiatement Saint-Louis pour Paris, mais heureusement que dans ces épreuves, la lecture de votre lettre me donnait assez de courage pour repousser la tentation. C'est donc vous qui m'avez fait rester en Acadie, de même qu'autrefois vous m'y aviez inspiré la pensée de venir m'y fixer' [16].

Ainsi l'opposition persistante de ces deux antagonistes ambitieux et intrigants "sans dévouement et sans intelligence de la mission du collège" était à l'origine des ennuis qu'éprouvait le directeur de l'institution.

On comprend dès lors que le supérieur, ayant à ménager la chèvre et le chou, se trouvait dans une situation fort délicate. Aussi, souhaitait-il ardemment la venue d'une communauté religieuse, et dirigeait tous ses efforts dans ce sens [18].

---

(15) Eugène-Raymond Biron, lettre du 12 février 1880 à Rameau de Saint-Père.
(16) Ibidem.
(17) Ibidem.
(18) La correspondance de l'abbé Richard à diverses communautés religieuses témoigne en faveur de ses démarches entreprises dans ce but.

Au mois de décembre (1879) l'abbé Biron apprit que les Jésuites, obligés de quitter la France, cherchaient un refuge au Canada. En leur offrant l'hospitalité de son diocèse, Mgr Rogers leur avait proposé quatre postes, à leur choix : Petit-Rocher, Caraquet, Saint-Louis (où disait la lettre épiscopale, existe un collège qui marche bien) et enfin, le Madawaska où il les verrait s'établir avec plus de plaisir que partout ailleurs.

"Si les Jésuites pouvaient contribuer au salut de l'Acadie, écrit l'abbé Biron, je parcourerais cent lieues afin de les obtenir. J'avais toutefois assez de jugement pour savoir que les Jésuites, n'ayant fait aucune démarche auprès de l'évêque, ne viendraient pas cette année" [19].

Pour en avoir le coeur net, bravant les rigueurs du froid de janvier, l'abbé Biron se rendit à Chatham où Mgr Rogers le reçut très aimablement, mais ne savait absolument rien concernant la venue des Jésuites. Dans le cas où ces derniers solliciteraient leur admission dans le diocèse, le Madawaska serait l'endroit préféré. "Nous avons parlé tout le temps de l'Acadie et des Acadiens" écrit l'abbé Biron.

De retour à Saint-Louis, nouvelle déception : "M. Richard qui, deux jours auparavant, était décidé à tenir malgré la concurrence des Jésuites s'ils s'établissaient au Madawaska et même à refuser leur offre une fois pour toutes, avait complètement changé d'avis; il voulait maintenant tout tenter pour les avoir. Au moment de sortir de chez lui, il m'avait rendu la liberté et je pouvais partir aux vacances. C'était bien décidé de part et d'autre. On est resté trois semaines sur cette décision" [20].

A la suite d'une visite à l'évêché, l'abbé Richard revint avec la conviction qu'il ne pourrait pas compter sur les Jésuites : le supérieur provincial ayant assuré l'évêque qu'il tiendrait compte de son désir par rapport au Madawaska. "Je ne suis donc pas plus avancé maintenant que l'année dernière. Si je n'étais pas persuadé qu'il n'y a vraiment que vous et moi à vouloir le bien des Acadiens, je partirais de suite. Mais je vais attendre votre décision. Si les Jésuites viennent dans ces provinces, ils feront un bon collège, mais ce ne sera pas un collège pour les Acadiens' [21].

---

(19) Eugène-Raymond Biron, lettre du 12 février 1880 à Rameau de Saint-Père.

(20) Eugène-Raymond Biron, ibidem.

(21) Ibidem.

Les événements justifièrent les prévisions de l'abbé Biron. Il écrit le 18 janvier de l'année suivante :

"Malgré les flatteries de l'évêque et de M. Richard, malgré leur demande personnelle, les Jésuites ont fini par refuser le collège Saint-Louis et ont choisi le collège anglais (plus riche) de Mgr McIntyre. L'évêque, et M. Richard à sa suite, a alors tourné ses vues vers les Frères des écoles chrétiennes qui tenaient déjà le collège de Chatham. Les frères ont fait les plus belles promesses et, sur ces entrefaites, ont si bien réussi avec Monseigneur, qu'ils ont laissé le collège de Chatham pour lequel il a fait des dépenses considérables et cela, à la veille de la rentrée des classes. Le collège est encore vide.

"Témoin de l'embarras de Mgr l'évêque et de M. Richard et aussi de leur merveilleux désir d'avoir une congrégation religieuse, je leur ai offert les Dominicains. Le R.P. Lecuyer, mon ancien supérieur à Arcueil, venait de m'écrire une lettre assez encourageante et je pensais qu'un Ordre purement français ferait mieux que tout autre. Mais la dernière lettre du R.P. Lecuyer fut une demande de demeurer à mon poste encore une année. Pendant ce temps, on verrait mieux la tournure que prendraient les événements en France.

"Je vous avoue que je me vis résolu alors au sacrifice qui m'a été le plus pénible de tous, celui de rester encore afin de ne pas laisser l'oeuvre s'éteindre . . . Partir dans ces conditions me semblait trahir les Acadiens qui ne sont pas responsables des folies de M. Richard et de Mgr Rogers" [22].

Au mois de septembre 1880, l'abbé Biron a ouvert le collège avec le concours de deux anciens élèves dont l'un avait quitté le grand séminaire de Montréal. Dans la prévision des Jésuites, ou des frères, on avait remercié les maîtres qu'on aurait pu garder parmi les anciens. La rentrée a été plutôt faible, mais lorsque le bruit s'est répandu que l'abbé Biron était encore à son poste, les élèves ont fini par revenir.

"Au bout de quelques semaines, écrit l'abbé Biron, j'ai retrouvé mes quarante pensionnaires des autres années. Mgr Rogers

---

(22) Eugène-Raymond Biron, lettre du 18 janvier 1881 à Rameau de Saint-Père.

est venu me voir. Il a été charmant et a dit des merveilles des Français et de la France, en réponse à l'adresse des élèves. On a augmenté le nombre des professeurs en proportion des besoins. Avec les deux Acadiens à leur tête, tout va bien. Les études sont plus florissantes que par le passé et l'esprit est excellent. Tous mes Acadiens sont animés des plus nobles sentiments patriotiques, pleins d'enthousiasme pour la langue française. Jamais je n'avais espéré un tel résultat, même dans mes rêves les plus ambitieux" [23].

Un tel optimisme serait de courte durée. Au début de novembre, une bagarre éclata parmi les étudiants. Si l'on en croit l'abbé Biron, elle fut d'une extrême gravité; il nous en brosse ainsi le tableau :

> "Je me permettrai, pour la dernière fois peut-être, de vous faire l'historique un peu rapide de ce qui s'est passé dans les deux derniers mois. Lorsque votre lettre m'est arrivée, je me trouvais dans la situation la plus pénible. La cause en était toujours la même: la faiblesse de M. Richard lorsqu'il était question de prêter l'oreille à ceux à qui je ne plaisais pas. Deux misérables professeurs, nouvellement débarqués, venaient de soulever une tempête comme le collège n'en verra jamais. Si M. Richard avait voulu fermer l'oreille à de basses calomnies, tout ce serait terminé en quelques instants. Mais sa conduite, en cette circonstance, a produit les plus tristes résultats. Alors trente élèves acadiens se sont levés en ma faveur et ont menacé de quitter le collège si, à l'instant, on ne traitait pas les deux aventuriers comme ils le méritaient. M. Richard aurait peut-être fermé le collège, mais il a craint d'être blâmé par l'évêque et de rendre impossible la venue des Jésuites. Alors, il a renvoyé l'un des maîtres et un élève de ce parti. Les Acadiens voulaient le renvoi de l'autre, mais j'ai réussi à les calmer" [24].

Le narrateur n'ose évidemment pas se compromettre; il tait les noms des personnages et garde le silence sur les menées provocatrices de ce drame.

---

(23) Ibidem.
(24) Eugène-Raymond Biron, lettre du 18 janvier 1881 à Rameau de Saint-Père.

L'abbé Eugène-Raymond Biron,
directeur du collège Saint-Louis, de 1876 à 1882.

La tradition a été plus explicite. Après avoir interrogé plusieurs témoins qui vivaient encore vers 1916, le R.P. Gildas ne craint pas d'écrire :

> "Au fond un petit vent de révolte s'était glissé dans les rangs des élèves anglais. Un de ces derniers, à la suite d'une dispute avec un Acadien, et pour d'autres raisons légitimes, avait été renvoyé du collège. Nous trouvons la trace de cet incident dans une lettre où il traite ses condisciples français de poltrons Acadiens" (25).

Cette querelle était d'un mauvais augure : l'évêque irlandais de Chatham n'allait pas tarder à en percevoir les échos; quelles seraient ses réactions ? L'avenir s'ouvrait donc sur des perspectives peu rassurantes; des nuages montaient à l'horizon.

---

(25) Fr M. Gildas, ptre, o.c.r. op. cit:, p: 53:
M. Polycarpe Vautour, étudiant au collège Saint-Louis, a raconté plus tard à M. Laurent Guimont qu'à l'occasion de cette bagarre, un Acadien, Fidèle Richard, un des descendants des hommes forts de Saint-Louis, avait battu le fils de M. Henry O'Leary de Richibouctou.

CHAPITRE VIII

DES NUAGES A L'HORIZON

Mgr Rogers avait fondé, dans sa ville épiscopale, une académie sous le vocable de Saint-Michel [1].

Cette maison d'éducation était dans la ligne d'un projet qu'il mûrissait : établir dans les principaux centres de son diocèse des écoles régionales où l'enseignement, à base de principes religieux, serait dispensé dans la langue parlée par la majorité des citoyens.

Nous lisons dans son Mémoire :

"De même que Mgr O'Brien avait obtenu les Pères Eudistes pour enseigner au collège de Church-Point, en Nouvelle-Ecosse, et que Mgr Sweeney avait confié aux Pères de Sainte-Croix la direction du collège de Memramcook, ainsi j'avais voulu obtenir des prêtres de cette dernière congrégation en faveur des centres acadiens de mon diocèse.

"A Petit-Rocher, le 21 juin 1866, lors de l'installation du R.P. Robert, prêtre de la Congrégation de Sainte-Croix, j'avais, au cours de mon allocution, exprimé l'espoir que le R.P. Robert serait bientôt rejoint par d'autres membres

---

(1) James-A. Fraser, **By Forces of Circumstances, A History of St. Thomas University**, Miramichi Press Ltd, Chatham 1970, p. 17.

de sa communauté dans le but de fonder une maison d'éducation qui eut été, non une rivale, mais une filiale de celle de Memramcook.

"Par suite d'une mésentente avec son supérieur, le R. P. Robert demanda et obtint la dispense de ses voeux de religion et s'agrégea au clergé séculier de mon diocèse. Ceci m'a beaucoup désappointé et laissa conséquemment en suspens la question d'une académie à Petit-Rocher.

"Qand, en 1869, le décès de l'abbé Joseph-M. Paquet, vicaire général, occasionna un changement qui laissa vacante la paroisse de Saint-Basile, je me rendis à Saint-Laurent, près de Montréal, pour demander au T.R.P. Rézé, provincial, s'il accepterait cette mission à la condition de fonder une académie en faveur des jeunes gens de la région du Madawaska. Ayant aimablement consenti à ma proposition, il envoya un prêtre et un frère de sa communauté qui demeurèrent à Saint-Basile jusqu'en 1875. Mais l'académie projetée ne fut pas fondée pour des raisons que je ne saurais blâmer . . .

"Après que le collège Saint-Louis eut pris naissance presque comme par enchantement, je l'ai accepté, et j'aurais été très heureux de voir fonctionner les deux institutions de Saint-Louis et de Chatham sous une même administration. Car je désirais que tous nos futurs prêtres, à l'instar de ceux du passé, et tous nos hommes instruits, fussent capables de parler les deux langues, comme étant un des éléments essentiels à leur succès professionnel parmi une population mixte de notre diocèse" (2).

---

(2) "For I wished all our future priests, like those of the past, and our educated men, to know both languages, as essential to their success professionnaly, in the mixt population of our diocese". Mgr James Rogers, Mémoire loco cit. La traduction est de nous.

"While it becomes a matter of material interest for the Acadians to acquire a knowledge of English for their success in all business and political intercourse with their English fellow subjects, their familiar relations with friends and compatriots make it both desirable and necessary to continue and preserve the use of the french language, not only in their homes and families, but in school and in church". Lettre citée par l'abbé A.-L. McFadden, M.A., dans son opuscule consacré à l'oeuvre du premier évêque de Chatham, **The Right Rev James Rogers, D.D.**, publié par The Catholic Historical Association, Chatham 1948, p. 6.

A cette époque, il était très difficile, à cause de la pauvreté, d'établir et de maintenir des maisons d'éducation dans les provinces Maritimes.

En 1878, l'abbé Richard écrivait: "Les temps sont affreusement durs" (3). "Inutile de rappeler à Votre Grandeur qu'il est difficile de collecter cette année, ni pour l'évêque, ni pour autre chose. C'est affreux comme l'argent est rare" (4).

L'abbé Biron exprime une pensée semblable: "Dans toutes ces contrées de l'Amérique britannique, l'argent est devenu introuvable et la misère n'a jamais été si grande. Nous ne vivons qu'à force de miracles d'économies et de privations. Nous sommes sur le point de contracter des dettes" (5).

La situation ne s'était guère améliorée l'année suivante. Faute d'argent, Mgr Rogers avait dû fermer son collège de Chatham en septembre 1880, les frères des écoles chrétiennes ayant exigé des salaires qu'il était incapable de leur payer (6).

Au mois d'août 1881, Mgr Rogers se rendit à Saint-Louis et proposa au curé le plan qu'il méditait depuis la fermeture du collège Saint-Michel: organiser les deux collèges de Saint-Louis et de Chatham sous une seule administration, avec l'abbé Richard comme président:

> "Etant données les difficultés pratiques à éduquer, dans une même institution, les jeunes gens des deux langues, car les uns au tout début ignorent la langue des autres, ce qui cause un retard considérable dans leurs études, j'avais toujours contemplé l'existence de deux institutions, l'une de langue anglaise à Chatham, et l'autre de langue française (dans un centre français) et, si possible, j'aurais voulu les deux maisons sous un même gouvernement de manière à ce qu'elles puissent s'entraider dans un climat de bonne entente et non d'antipathie. Ainsi, à mesure que les étudiants avanceraient dans leurs études, ceux de la maison française désireux de pousser leurs études en langue anglaise se

---

(3) M.-F. Richard, ptre, lettre du 19 avril 1878.
(4) Idem, lettre du 30 novembre 1878.
(5) Eugène-Raymond Biron, lettre du 21 janvier 1879 à Rameau de Saint-Père.
(6) James-A. Fraser, op. cit., p. 33.

rendraient à Chatham et, réciproquement, les étudiants anglais iraient au collège français" [7]

"Sans penser, écrit l'abbé Richard, que Sa Grandeur tenait fortement à ce projet et n'ayant pas eu le loisir d'examiner la question, je ne me sentis alors nullement disposé à me lancer dans un tel labyrinthe. J'y voyais beaucoup d'inconvénients, surtout lorsque Monseigneur me proposa la présidence des deux établissements. Avant de consentir, je voulais consulter d'autres prêtres, particulièrement ceux qui jouissaient de la confiance épiscopale. Comment aurais-je pu prétendre mieux administrer le défunt collège de Chatham que ceux qui m'avaient précédé? Toutefois, je ne fis pas d'opposition formelle au plan proposé" [8].

Aucun des prêtres consultés parmi les confidents de l'évêque furent favorables au projet. Ce plan était d'autant plus irréalisable qu'à cette époque, à cause des mauvais chemins, un voyage de Saint-Louis à Chatham était l'affaire d'une journée entière.

En outre, quand on songe aux difficultés inhérentes à la marche d'une seule institution, à combien de difficultés plus grandes se heurterait le supérieur de deux collèges différents par la langue et la nationalité.

En plus, les frères des écoles chrétiennes avaient, avant leur départ, vidé le collège Saint-Michel de tout son ameublement, ne laissant que les murs de plâtre. Il aurait fallu voir, non seulement à l'organisation du personnel, mais encore à l'équipement matériel de la maison [9].

Au mois de septembre 1881, le collège Saint-Louis reçut un nombre accru d'étudiants: "Ce fut, au dire du supérieur, une année exceptionnelle, tant au point de vue de la bonne entente qui régna dans la maison que par les succès scolaires et le dévouement des professeurs" [10].

En janvier 1882, à l'occasion d'une visite de l'abbé Richard à Chatham, Mgr Rogers lui exprima ouvertement du mécontentement.

---

(7) Mgr James Rogers, Mémoire, loco cit.
(8) M.-F. Richard, ptre, Mémoire, loco cit.
(9) Ibid.
(10) M.-F. Richard, ptre, Mémoire, loco cit.

Les traits pénétrèrent d'autant plus profondément dans le coeur sensible du zélé curé de Saint-Louis que ces reproches, fondés sur des rumeurs, étaient immérités. L'administration du collège était particulièrement visée: manque de compétence, surtout chez les professeurs d'anglais, partialité trop marquée à l'égard des élèves français au détriment des étudiants irlandais qui ne recevaient pas l'équivalent en retour des sommes d'argent versées pour frais de pension et de scolarité.

S'en prenant directement au supérieur, Mgr Rogers l'accusa de manquer de considération envers son évêque qu'il refusait d'aider dans la réorganisation du défunt collège Saint-Michel, tandis que tous ses efforts étaient concentrés sur celui de Saint-Louis en pleine voie de prospérité.

Certains prêtres critiquaient le fait que l'abbé Richard employait tout son argent dans l'intérêt de sa propre paroisse sans se soucier des embarras financiers où se trouvait le diocèse criblé de dettes, etc., etc., [11].

Minuit sonna et vint interrompre l'altercation. Les deux interlocuteurs se retirèrent chacun dans leur chambre.

Le lendemain matin, l'évêque fit lire une lettre reçue d'un prêtre diocésain exposant les griefs de deux étudiants irlandais contre l'administration du collège Saint-Louis.

— Voyez, dit Monseigneur, encore une nouvelle plainte!

— Est-ce ainsi qu'il convient de juger les choses?

"Voici deux étudiants qui se plaignent à leur curé de griefs dont je n'ai jamais entendu parler. De ces deux étudiants de langue anglaise, l'un est le protégé de deux prêtres du diocèse qui paient chacun quinze dollars par année, et le collège se charge du reste, l'autre cinquante dollars. Tous les deux prétendent à un régime d'exception et se plaignent de ne pas recevoir l'équivalent de leur argent! Tout ceci me paraît bien étrange!

"Dès mon retour à Saint-Louis, j'instituerai une enquête. La question examinée, il s'agissait du cours classique. Ces deux étudiants, au lieu du cours régulier, auraient voulu

---

(11) Ibidem.

suivre un cours spécial en anglais. Le problème fut réglé à l'amiable et les deux mécontents revinrent l'année suivante" [12].

Profondément traumatisé par les invectives de son évêque, l'abbé Richard profita de sa réponse à une lettre reçue du vicaire général pour lui faire part de sa peine.

Après avoir remercié son correspondant de l'envoi de quelques abonnements à l'Association de Saint-François et du paiement de la pension de l'étudiant que l'abbé Thomas Barry faisait instruire au collège Saint-Louis, il lui dit:

> "Votre protégé est considéré comme un modèle par tous les professeurs et ses condisciples. Je n'ai jamais entendu un mot défavorable à son sujet, ni de la part du directeur, ni de ses professeurs. Quant au progrès dans ses études, je ne saurais me prononcer, étant donnée la rumeur ébruitée à l'extérieur voulant que lui et son confrère de Dalhousie perdent leur temps à Saint-Louis. Ainsi l'a écrit un des prêtres du diocèse qui ne pouvait savoir, de science personnelle, quoi que ce soit concernant leurs capacités. Sa Grandeur m'a même fait remarquer que nous recevons l'argent des Irlandais et, en retour, nous ne leur donnons pas l'équivalent. Nous ne traitons pas les étudiants de langue anglaise avec équité. Maintenant, cher Père Barry, je vous l'avoue comme à un ami, ces remarques de Mgr l'évêque m'ont causé beaucoup de peine et m'ont fait regretter d'avoir entrepris quoi que ce soit en dehors de mes stricts devoirs de prêtre. Nul ne connait le labyrinthe de troubles et d'anxiétés que j'ai dû traverser depuis mon ordination sacerdotale. Je fus continuellement placé dans d'inextricables difficultés. Il est vrai, toutefois, que je ne fus pas, à l'instar de quelques-uns de mes confrères, exposé aux inconvénients résultant d'un changement de paroisse. Celle de Saint-Louis, j'en suis persuadé, n'a rien de bien alléchant. M'étant toujours efforcé de travailler de manière à donner satisfaction à mes supérieurs, bien que je ne prétende pas avoir toujours été sans faute, je constate qu'une crise s'annonce et qu'il existe aujourd'hui une disposition d'esprit

(12) M.-F. Richard, ptre, Mémoire, loco cit.

personne ne regrette plus que moi, crise que j'ai pourtant tâché de prévenir au prix de nombreux sacrifices et par tous les moyens en mon pouvoir.

"D'après son propre témoignage, l'évêque n'est plus disposé à encourager le collège Saint-Louis, sous la présente administration. Il le tolérera, sans lui accorder son patronage. Placé dans une telle situation, je ne sais quel parti prendre. Je ne voudrais nullement critiquer la décision de Sa Grandeur. Je n'ai aucun doute qu'Elle soit inspirée par le sentiment de son devoir. Toutefois, cela ne minimise pas mon embarras. J'ai offert à l'évêque de fermer le collège Saint-Louis afin de concentrer mes efforts à l'organisation de celui de Chatham; mais Sa Grandeur ne semble pas vouloir entrer dans ces vues. De toute façon, sapé indirectement dans sa base, le collège Saint-Louis doit conséquemment tomber, parce que je ne puis pas continuer à le maintenir indépendamment de la volonté de mon évêque et du désir de mes confrères, en en prenant sur mes épaules toute l'entière responsabilité.

"Je ne désire pas le collège pour mon avantage et mon bien-être personnels, encore moins dans l'intérêt de ma sanctification. Si du mal, au lieu du bien, doit résulter de son existence, je vais tâcher de finir l'année scolaire, mais pas plus.

"Je me permets d'ajouter qu'il aurait été juste et loyal de la part de l'évêque d'instituer une enquête, soit par lui-même, soit par personne interposée, afin de connaître la situation, puisqu'il a perdu confiance en l'administration. Une rumeur peut être vraie; elle peut être également fausse ou exagérée. Les faits et les faits seuls doivent servir de base à une telle attitude vis-à-vis d'une institution qui n'existe seulement que par l'approbation de l'autorité ecclésiastique. Je suis prêt à soumettre le collège Saint-Louis à une enquête menée dans tous les détails: les professeurs devant être examinés quant à leur compétence pédagogique et les étudiants quant au progrès réalisés dans leurs études. A la suite d'une telle enquête, on verra bien s'il y a eu des torts, de la duperie, de la bigoterie et du fanatisme. Dans l'affirmative, je serai le premier à voter en faveur de la suppression du collège comme étant indigne de confiance et de patronage. Actuellement, je ne vois pas d'autre alternative que celle de démissionner comme président du collège Saint-Louis, puisqu'il a perdu la confiance de l'évêque" [13].

Cette longue épître fut-elle inspirée seulement par le besoin de se confier à quelqu'un ou par le désir implicite d'obtenir l'intercession du grand vicaire auprès de l'évêque?

Cette seconde alternative devait logiquement prévaloir aux yeux du vicaire général qui communiqua la lettre à Mgr Rogers.

La démarche de l'abbé Thomas Barry n'eut pas les bons résultats qu'il avait escomptés: "Il n'est pas besoin de vous dire combien je suis très peiné d'apprendre que votre lettre fut la cause réelle des difficultés survenues entre vous et l'évêque. Je lui avais envoyé votre lettre avec l'espoir qu'elle serait de nature à l'attendrir et à le ramener à de meilleurs sentiments à votre égard. Qu'il me soit permis d'ajouter que j'avais, en toute bonne foi, la conviction de répondre à un désir implicitement contenu dans votre lettre" [14].

Mgr Rogers ne tarda pas à écrire à l'abbé Richard pour lui exprimer son vif mécontentement qui prit forme d'une menace:

> "J'ai retardé jusqu'à aujourd'hui, avec l'espoir que la divine Providence me fournirait le moyen de trouver un vicaire à l'abbé Thomas Barry, dont la santé demeure toujours délicate, sans avoir à vous priver de l'un ou l'autre de vos deux prêtres assistants.
>
> "Vu qu'aucune autre solution n'est maintenant possible, je me vois dans l'inévitable nécessité de vous demander un de vos deux prêtres, soit l'abbé Biron, soit l'abbé Maillet, afin qu'il se rende le plus tôt possible à Caraquet.
>
> "Si je m'écoutais, et aucune raison particulière ne m'en empêche, je préfèrerais envoyer l'abbé Biron. Un changement du professorat à l'exercice du ministère pastoral, sans les embarras de l'administration d'une paroisse, serait de nature à améliorer l'état de sa santé dont il s'est plaint en ces dernières années. Mais si, après avoir considéré toutes choses, vous jugez préférable de laisser partir l'abbé Maillet et que son départ causerait moins de préjudice que celui de l'abbé Biron, j'accepterai votre choix.

---

(13) M.-F. Richard, ptre, lettre en anglais du 9 mars 1882 à l'abbé Barry. La traduction est de nous.

(14) Thomas-F. Barry, ptre, v.g., lettre du 15 décembre 1882.

“Même si, par certains indices, je perçois que l’on m’attribue une sorte d’indifférence à l’égard de Saint-Louis et de ses institutions, néanmoins, je ne ferai rien à l’avenir, je l’espère du moins, pas plus que par le passé, pour empêcher l’accomplissement de toute bonne oeuvre, soit à Saint-Louis, soit dans toute autre partie de mon diocèse, à moins que, par des assertions fausses, injustes et déformées, proférées verbalement ou par écrit, le bien apparent dégénère en une occasion de mal; dans ce cas, je me ferai un devoir d’agir promptement et sévèrement envers les calomniateurs, dans la mesure où les intérêts de la justice et de la religion seront concernés.

“En un mot, si les intérêts du collège Saint-Louis, maintenant organisé pour l’année, exigent la présence de l’abbé Biron, je consens à ce qu’il reste, bien qu’il n’y ait jamais eu d’entente entre nous ou toute autre personne qu’il serait laissé d’une façon permanente au collège, sans être, au besoin, envoyé dans les missions. Depuis déjà onze ans, aucune partie de mon diocèse n’a reçu de ma part autant d’encouragement que Saint-Louis, encouragement offert avec empressement, cordialité et efficacité. Si, en retour, je ne dois en recevoir que noire calomnie et fausse interprétation de mes paroles et de mes actes, soyez assuré que je ne serai pas le seul, ni le premier à être ainsi récompensé; je ne reculerai pas devant mon devoir, si pénible soit-il, et j’agirai envers le coupable. *Verbum sat*” (15).

Cette lettre nous révèle une autre raison, et non la moindre, du mécontentement de Mgr Rogers. Si déjà le refus de l’abbé Richard d’assumer la direction simultanée des deux institutions de Chatham et de Saint-Louis, et les récriminations de certains élèves irlandais qui se prétendaient victimes de discrimination au collège français avaient fortement indisposé l’évêque, ces causes, à notre avis, se greffaient sur une autre plus fondamentale: le patriotisme du directeur auquel Mgr Rogers associait celui du supérieur.

De là s’expliquent, et les reproches de Mgr Rogers à l’endroit de ce dernier, accusé d’avoir travesti la pensée épiscopale dans sa lettre au vicaire général, et la détermination de l’évêque de vouloir éloigner l’abbé Biron du collège. Plus perspicace, l’abbé

---

(15) Mgr James Rogers, lettre du 17 mars 1882 à l’abbé M.-F. Richard.

Richard aurait dû mordre à la perche qui lui était tendue, en consentant habilement à se départir du directeur de son institution.

Ignorait-il les exagérations de l'abbé Biron qui, dans l'église de Richibouctou, avait déclaré au cours d'un sermon que les Acadiens français devaient "éviter le plus possible toute relation commerciale avec les marchands de langue anglaise et n'employer que le français" (16)? Ces paroles déplacées, "cinglantes" selon l'expression de l'abbé Boucher (17), étaient plus qu'offensantes au regard de M. Henry O'Leary, excellent catholique irlandais, commerçant très en vue de Richibouctou et, de plus, ami personnel de l'abbé Richard, dont il favorisait les oeuvres en envoyant ses fils au collège et sa fille au couvent de Saint-Louis.

De tels propos, peu appropriés au moment et au lieu où ils furent prononcés (18), mirent le comble aux critiques qui, depuis quelques temps, parvenaient à l'évêché sur le compte du nationalisme de l'abbé Biron.

Au lieu de saisir l'occasion d'éloigner ce dernier du collège, le supérieur préféra s'abstenir de signifier son choix:

> "Bien que désireux d'entrer autant que possible dans les vues de Votre Grandeur, je m'abstiendrai d'user du privilège qu'Elle m'offre si aimablement d'exprimer mon choix entre M. Biron et M. Maillet. Je suis disposé et prêt à me soumettre à n'importe quelle décision de Votre Grandeur à ce sujet.
>
> "Connaissant déjà vos sentiments et vos dispositions à l'égard de M. Biron, comme directeur du collège, je ne puis et ne veux pas exprimer mes préférences à cet égard . . .
>
> "Votre Grandeur est parfaitement libre de m'enlever l'un ou l'autre de mes deux prêtres et de suivre sa propre idée,

---

(16) "Even in the parish church, he (Father Biron) instructed the French people that they should, as much as possible, avoid intercourse and business with the english merchants, and use only their own french language". Mgr James Rogers, Mémoire, loco cit.

(17) "L'abbé Biron laissa échapper des paroles cinglantes à l'endroit des Irlandais, à la messe des Anglais à Richibouctou. Ces paroles furent rapportées à l'évêque". Amédée Boucher, ptre, lettre du 24 janvier 1916, au R.P. Gildas, o.c.r.

(18) Ces propos, inspirés par le désir de mettre en garde les Acadiens contre le danger d'anglicisation qui les menaçait, eussent convenu lors d'une convention ou d'une assemblée patriotique et non à l'église, durant le sermon.

celle d'envoyer l'abbé Biron à Caraquet de préférence à M. Maillet. Le départ de l'un ou l'autre, surtout à cette période de l'année, vous vous en rendez compte, me cause beaucoup d'embarras. Mais même au préjudice des divers intérêts, néanmoins *opportet episcopum regere Ecclesiam.*

"Je n'ai jamais et je ne demande pas les services de l'abbé Biron sur la foi d'une entente préalable entre vous et moi, et qu'il doit demeurer d'une façon permanente au collège.

"Votre Grandeur l'a ordonné prêtre et placé comme mon assistant et directeur du collège. J'ai fait de mon mieux avec lui afin de servir les intérêts confiés à ma charge et éviter tout mal. Si mes efforts ont été infructueux ou même injurieux, Votre Grandeur, en conséquence, est parfaitement libre et justifiée d'éloigner quiconque fut la cause de tels maux.

"Votre Grandeur me signifie que des assertions fausses, injustes et déformées, soit en paroles, soit par écrit, ont été alléguées de nature à produire ce mal. Je présume que ceci m'est adressé à moi directement. Mais j'espère qu'avant de me traiter comme un calomniateur de cette trempe, Votre Grandeur me permettra de prouver ma culpabilité ou mon innocence.

"Je pense m'être efforcé de différentes manières de vous montrer ma gratitude pour tous les encouragements bienveillants que vous avez donnés à Saint-Louis et à son humble curé durant les onze années que j'ai été en fonction et, je mériterais bien d'être traité comme un coupable, si j'avais répondu à tant de bienveillance par "une noire calomnie et une déformation de vos paroles et de vos actes". Ainsi, Monseigneur, ayant plusieurs fois pris la résolution de ne pas accroître le fardeau dont vous êtes chargé, par aucune parole, ni aucun acte qui serait incompatible avec la raison et la justice, je prends de nouveau la même résolution et j'espère, qu'avec la grâce de Dieu, j'y serai fidèle" [19].

Connaissant les dispositions de Mgr Rogers à l'égard de l'abbé Biron, l'abbé Richard eut sans doute agi sagement s'il était

---

(19) M.-F. Richard, ptre, lettre du 21 mars 1882 à Mgr James Rogers.

entré de plein pied dans les vues de son évêque en signifiant son assentiment au départ du directeur de son institution. Il aurait ainsi prévenu l'orage qui devait éclater le 5 juillet suivant. Mais le problème n'était peut-être pas aussi facile.

Son chauvinisme mis à part, l'abbé Biron était doué d'un grand savoir-faire, aidé d'une vaste culture intellectuelle. Son dévouement à la cause acadienne était généreux, voire magnanime. Grâce à un héritage familial, il contribua à équilibrer le budget passablement mince du collège. Il assuma même à ses frais la pension et la scolarité de plusieurs jeunes Acadiens issus de familles pauvres [20]. Aurait-il consenti à quitter le collège pour oeuvrer dans le ministère paroissial, sous la conduite d'un mentor, vicaire général et de plus, irlandais et bras droit de l'évêque?

Placé dans ce dilemme, les mains liées envers le directeur de son collège, le supérieur préféra s'abstenir de signifier son choix.

Par le retour du courrier, l'évêque annonça la nomination officielle de l'abbé Maillet à Caraquet, "vu que le supérieur s'était abstenu d'exprimer ses préférences et aussi, parce qu'il avait entendu dire de la part de quelques prêtres, en particulier de l'abbé Stanislas Doucet, que l'abbé Richard préférerait garder l'abbé Biron à la direction du collège".

Ces prétextes voilaient-ils une intention cachée: celle d'avoir plus facilement à la portée de la main la cible pour le projectile que l'évêque préparait?

Mgr Rogers ajoute ces paroles significatives:

> "C'est vous et non pas moi qui ai nommé l'abbé Biron à la direction du collège. Je l'ai placé à votre service pour être employé là où, selon votre jugement, il serait le plus utile aux intérêts de la religion dans vos missions. Si vous l'employez au collège, vous en prenez l'entière responsabilité. Comme je l'ai mentionné dans ma lettre du 17 courant, j'aurais préféré l'envoyer à Caraquet à cause de son faible état de santé dont il s'est plaint récemment. A ce stage de sa vie sacerdotale, un changement, très avantageux pour

---

(20) L'abbé Biron avait donné quatre mille dollars au collège Saint-Louis; somme imposante à cette époque. D'après un document conservé au Centre d'Etudes Acadiennes de l'Université de Moncton.

plusieurs raisons personnelles, aurait élargi le champ de son expérience et l'aurait ainsi rendu plus utile au diocèse" (21).

Vers la fin de l'année scolaire, l'abbé Biron écrivit à son évêque pour lui demander l'autorisation d'aller en France régler quelques affaires de famille. Invité à Chatham, il s'y rendit et, après une scène d'invectives, Mgr Rogers lui déclara que son ministère à Saint-Louis était irrévocablement révolu et qu'il était libre de s'absenter du diocèse pour deux ans, plus ou moins (22).

L'abbé Biron avait tout compris. Il ne devait plus jamais revenir en Acadie où il avait pourtant laissé une partie de son coeur. De retour en France, et jusqu'à sa mort, il continua à s'intéresser au sort des Acadiens et à leur aider, comme en témoignent ses lettres à Rameau de Saint-Père (23).

Cette verte semonce privée, tout comme celle adressée au supérieur en janvier précédent, aurait dû, semble-t-il, satisfaire les exigences de la justice punitive. Mais aux yeux de l'irascible Mgr Rogers, le châtiment privé n'était pas proportionné à la gravité de la faute. Celle-ci, ayant été commise publiquement, c'est devant le public que l'expiation devait atteindre son parachèvement.

Une bombe allait donc éclater en pleine fin d'année scolaire dans le jardin fleuri des admirateurs de l'oeuvre du curé de Saint-Louis.

---

(21) Mgr James Rogers, lettre du 22 mars 1882 à l'abbé M.-F. Richard. "Voilà deux ans que Mgr Rogers cherche, par tous les moyens, à me déloger de ma position". Eugène-Raymond Biron, ptre, lettre du 18 janvier 1881 à Rameau de Saint-Père.

(22) Fr. M. Gildas, ptre, o.c.r., op. cit., p. 66.

(23) "Vous me parlez du souvenir qu'on veut bien garder de moi en Acadie. Pauvre Acadie ! Mon passage là-bas me semble déjà un rêve. Le temps et la distance enlèvent chaque jour quelque chose au souvenir qu'on voudrait si précieusement conserver". E. Biron, lettre du 2 janvier 1888 à Rameau de Saint-Père.

Stanislas-J. Doucet, durant son séjour au grand séminaire de Montréal, ordonné prêtre le 31 juillet 1870, en même temps que Marcel-François Richard, son confrère et ami intime.

CHAPITRE IX

L'ÉCLATEMENT D'UNE BOMBE DANS UN JARDIN FLEURI

Quand, dans sa lettre du 29 juin 1879, Mgr Rogers répéta ce mot de l'abbé Richard: "il fait toujours beau à Saint-Louis" (1), il ne se doutait probablement pas qu'il en démentirait plus tard la vérité.

Sans doute, "il faisait beau" à l'aurore de cette mémorable journée du 5 juillet 1882, lorsque paroissiens et invités arrivaient nombreux pour assister à la clôture de l'année académique du couvent et du collège.

Le programme était chargé: messe solennelle à l'église paroissiale, bénédiction du couvent et un concert exécuté par les étudiantes.

Dans l'après-midi, pèlerinage traditionnel à la grotte avec sermon de l'abbé Girroir et enfin, séance et distribution des prix au collège (2).

Tout le monde était en liesse. L'abbé Richard, l'âme de cette célébration, jubilait. Le souvenir des menaces épiscopales proférées le 17 mars précédent, "j'agirai envers le coupable", semblait

---

(1) Mgr James Rogers, lettre du 29 juin 1879.

(2) M.-F. Richard, ptre, lettre du 30 juin 1882.

totalement estompé dans la mémoire du candide curé. Pourtant l'ombre du *"verbum sat"* se profilait derrière ce féérique déploiement [3].

Plus perspicace, étant particulièrement concerné, l'abbé Biron avait pressenti le tragique dénouement. Pascal Poirier écrit :

> "Quelques heures avant la séance, M. l'abbé Biron m'invita à monter dans sa chambre. Je trouvai là six ou sept étudiants des plus avancés dans leurs études, venus de toutes les parties des provinces Maritime. Il me les présenta tous, me donna leurs adresses et nous dit de bien nous souvenir les uns des autres et de rester toujours unis pour combattre en faveur de la cause sacrée de la religion et de la nationalité. Il ajouta qu'il craignait que l'heure fût arrivée où le berger allait être frappé et le troupeau dispersé. Il avait le pressentiment que le collège serait fermé. Pour sa part, il était renvoyé en France par Mgr Rogers. Du moins, il ne pouvait pas interpréter autrement les ordres qu'il venait d'en recevoir" [4].

Après la distribution des prix, l'évêque adressa, en français, les éloges conventionnels. D'autres allocutions furent respectivement prononcées par l'abbé Drolet de Québec, l'abbé Girroir du Cap-Breton et le supérieur.

On remarquait dans l'auditoire M. et Mme Henry O'Leary de Richibouctou dont le fils s'était particulièrement distingué en déclamant, dans un excellent français, les pièces qui lui furent assignées.

De toute évidence, Mgr Rogers voulut profiter de cette circonstance pour réparer, dans le coeur de son digne compatriote, la blessure causée par les propos de l'abbé Biron en l'église de Richibouctou [5].

Il se leva de nouveau et, dans un état de surexcitation manifeste, il déclara, cette fois en anglais, que *l'administration actuelle* du collège, parce que trop francaise *(too frenchy)*, avait encouru sa réprobation; que des injustices avaient été commises

---

(3) Mgr James Rogers, lettre du 17 mars 1882.

(4) Pascal Poirier, Déclaration signée sous serment, le 4 février 1885, relatant les faits tels qu'ils se sont passés le 5 juillet 1882.

(5) Nous avons parlé de cette méprise de l'abbé Biron au chapitre précédent.

à l'endroit des étudiants irlandais; et si ces derniers n'étaient pas traités avec plus d'équité, il se verrait obligé de retirer sa confiance et son patronage.

Cette sortie inattendue eut l'effet d'une bombe. Les auditeurs, la plupart français, en furent consternés. Quelques-uns, tel Pascal Poirier qu'un voisin plus rassis dut retenir du bras pour l'empêcher de répliquer sur le même ton, trépignèrent de colère. Il n'y eut pas d'applaudissement.

Quels furent les motifs invoqués par l'évêque pour blâmer ainsi l'administration du collège devenue indigne de sa confiance et de son patronage ?

Mgr Rogers devait les exposer, en 1885, dans un long Mémoire rédigé en vue de se défendre contre les allégations de l'abbé Richard :

> "Dans une communauté mixte où les citoyens, parlant deux langues, sont en relation constante, comme c'est le cas dans cette partie de notre province, j'ai toujours favorisé et prêché la bonne entente et la charité. Il n'est pas sage, je le pense, de se faire en faveur des Acadiens, le champion de l'usage exclusif du français, comme cela s'est produit récemment (allusion évidente au sermon de l'abbé Biron en l'église de Richibouctou).
>
> "On a dit: "Pourquoi ne pas employer le français dans toutes nos transactions commerciales et dans tous les autres secteurs de la vie sociale à l'instar de ce qui se fait dans la province de Québec ?" A cette question, je répondrai : Dans la province de Québec, ce droit est garanti par un traité, lequel ne s'étend pas à l'ancienne Acadie qui fut placée sous la domination anglaise avant la capitulation de Québec. L'anglais est la langue officielle de notre Province et de toutes les autres provinces du Canada, à l'exception de Québec. Au parlement fédéral, les deux langues sont officielles. L'usage du français n'est sans doute pas prohibé, mais nous ne pouvons pas l'imposer officiellement dans nos relations comme au Québec.
>
> "Dans les familles, chacun parle naturellement sa langue maternelle : le Français parle français et l'Anglais parle l'anglais. Comme évêque, je ne suis pas l'évêque de tel ou tel langage, mais de tout le troupeau confié à ma garde

quel que soit le langage utilisé. A mon arrivée dans ce diocèse, j'ai trouvé quatre langues en usage : le micmac, le gaélique, le français et l'anglais. Notre-Seigneur a envoyé ses apôtres prêcher l'Evangile à toutes les nations.

"Puisque la présente institution est située dans un centre français, elle adopte le langage du milieu. Conformément à une bonne éducation, plusieurs jeunes gens de langue anglaise viennent ici pour apprendre le français. Mais si on n'enseignait que le français, je m'opposerais à ce que ces étudiants choisissent cette institution, parce qu'ils se trouveraient désemparés et déçus devant un enseignement exclusivement donné dans une langue, qu'au tout début, ils ne comprendraient pas. On imagine facilement combien ils ne se sentiraient pas à leur place et qu'ils auraient la conviction de perdre leur temps. Je vous conseillerais donc de corriger le Prospectus et d'y insérer que le français est la langue officielle de la maison, quoique l'anglais y est aussi enseigné. De cette manière, ni les parents, ni les étudiants n'auraient raison de se plaindre, puisqu'ils seraient mis au courant de l'état réel des choses" [6].

Ainsi rédigé, en 1885, dans le calme d'une résidence épiscopale, cet exposé était-il la reproduction fidèle et littérale du réquisitoire prononcé le 5 juillet 1882 ? On peut sérieusement en douter si l'on se réfère au jugement de Pascal Poirier, témoin auriculaire qui, dans un document signé de sa main, raconte en détails les faits tels qu'il les a vus et les paroles entendues :

"Sa Grandeur Mgr Rogers se leva de nouveau et, cette fois, s'en prit à l'enseignement donné au collège Saint-Louis, dénonçant le fait que le français était trop enseigné, disant qu'il fallait moins de français et plus d'anglais et, ajoutant qu'à moins que cela ne se fit, il retirerait son patronage, comme Ordinaire du diocèse du collège. A l'appui de son chef d'accusation, à savoir que le français était trop enseigné, Sa Grandeur désigna et nomma parmi les élèves un jeune figurant du nom de O'Leary qui avait déclamé, dans un français très bien prononcé, une pièce de vers français. Sa Grandeur parla environ vingt-cinq minutes et paraissait excessivement agitée.

---

(6) Mgr James Rogers, Mémoire conservé aux archives de l'évêché de Bathurst. La traduction est de nous.

"M. l'abbé M.-F. Richard, président du collège, se leva après que Sa Grandeur se fût assise et déclara qu'il était excessivement peiné de voir son collège et lui-même encourir le déplaisir de Sa Grandeur; qu'il n'avait jamais cru mal faire en enseignant le français dans son collège situé dans une paroisse à peu près toute française: la presque totalité des élèves étaient des Acadiens français (quoique le collège fut ouvert à toutes les nationalités également) ; que le français et l'anglais étaient placés sur un même pied d'enseignement, etc. [7].

La version de l'abbé Richard est plus nuancée et plus proche du texte de Mgr Rogers, tel que reproduit plus haut :

"Ayant sans doute remarqué dans l'auditoire la présence de M. Henry O'Leary et sa dame, dont le fils étudiait au collège, Monseigneur se leva et, paraissant fort excité, débuta à peu près dans les termes suivants : Comme évêque, je dois protéger et défendre les droits des Irlandais, des Français et des Sauvages, etc. Or, d'après les rumeurs courantes et les renseignements reçus, j'ai lieu de croire que l'administration actuelle n'est pas digne de ma confiance et de mon patronage. Il y a eu, paraît-il, des injustices commises envers certains élèves. Il n'est pas mauvais d'être patriote et de tenir à sa nationalité. Toutefois, les Acadiens ne doivent pas prétendre aux mêmes privilèges par rapport à la langue française que les gens de Québec qui ont leur langue garantie par un traité, tandis que les Acadiens, vivant sur une terre conquise, ne peuvent se prévaloir du même degré d'indépendance à l'égard de la langue française" [8].

Si l'on s'en tient à cette version de l'abbé Richard, témoin d'autant plus digne de foi qu'il était, en tant que supérieur, étroitement concerné, on doit conclure que Mgr Rogers en voulait à *l'administration actuelle* et non pas à l'existence même du collège. Cette distinction est capitale.

Or, sous l'administration fortement imprégnée du nationalisme de son directeur, le collège Saint-Louis devenait, dans l'esprit de Mgr Rogers, un foyer de discorde et une pierre d'achoppement

---

(7) Pascal Poirier, Déclaration, loco cit.

(8) M.-F. Richard, Mémoire écrit en 1885 et dont l'original est au Centre d'Etudes Acadiennes de l'Université de Moncton.

à la charité et à la bonne entente que l'évêque désirait voir régner entre les deux groupes ethniques de son diocèse. Voici ce qu'il écrit dans son Mémoire :

> "Dans mes fréquentes visites à Saint-Louis et à chaque fois que l'occasion s'est présentée de le faire, je me suis efforcé, au cours de mes instructions, de concilier les divergences créées par les vues et les sentiments des deux nationalités et des deux langages, de sorte que la charité soit toujours l'inspiratrice d'une cordiale, équitable et fraternelle cohabitation.
>
> "Si j'ai souvent insisté sur ce point, c'était parce que je le croyais nécessaire. J'avais perçu quelques indices d'un certain esprit tendant à infuser des sentiments nationaux de sympathie et d'antipathie qui, en plus de blesser la charité, risquaient de nuire aux plus graves intérêts d'ordre matériel et civil de la bonne population au milieu de laquelle je travaillais, et que je voulais préserver dans la paix" (9).

La bagarre survenue en novembre 1880 avait laissé les étudiants français et irlandais un peu à couteaux tirés. De telles dissensions créaient un état d'esprit dont les répercussions risquaient de nuire aux intérêts des Acadiens. En effet, ne pouvait-on pas craindre un réveil brutal de ces rivalités quand ces étudiants de langue anglaise, ainsi psychiquement traumatisés, occuperaient plus tard des postes de commande dans une société où les préjugés de race et de nationalité étaient alors si tenaces ?

En outre, Mgr Rogers craignait dans l'immédiat une recrudescence d'animosité contre les Acadiens si les propos de l'abbé Biron, dans l'église de Richibouctou, parvenaient aux oreilles des gens de langue anglaise : "*Now should this become generally known amongst the english people by whom the neighbouring town and the villages the French were surrounded, it would do them much injury in every respect*" (10).

Toutefois, ces prévisions légitimaient-elles le violent réquisitoire du 5 juillet 1882 ? Si la seule prudence le guidait dans ses

---

(9) "I perceived certain indications of an intriguing spirit infusing national sympathies and antipathies which, besides wounding charity, could not but result in injury — civil and material — to the good people for whom welfare I laboured, whom I wished to preserve in peace". Mgr Rogers, Mémoire, loco cit.

(10) Mgr James Rogers, Mémoire, loco cit.

vues, il faut avouer que Mgr Rogers en a très gravement manqué en cette circonstance.

Ce n'était, ni le lieu, ni le moment de se répandre en invectives spectaculaires contre l'administration du collège Saint-Louis, devant un auditoire sympathique, non averti et ignorant tous les dessous du problème.

Ce manque de circonspection allait coûté cher à Mgr Rogers et marquer sa vie, par ailleurs si noblement méritante, d'une tache indélibile.

Les historiens répéteront à l'envi que Mgr Rogers avait fermé le collège Saint-Louis parce qu'on y enseignait trop le français [(11)].

Associant, dans une même réprobation, Mgr Rogers au trop célèbre Mgr Thomas Connolly, farouche partisan d'une seule langue et d'une seule culture anglaises au Canada, Pascal Poirier, nommé sénateur en 1885, ne mâchera pas ses mots pour dénoncer, devant la Chambre haute d'Ottawa, les criantes injustices commises par ces deux évêques irlandais à l'endroit des Acadiens français.

Inspiré toutefois par le sens de la droiture qui le caractérisait, le bouillant sénateur aura soin de mettre une sourdine à ses déclarations en ce qui concerne Mgr Rogers : "Sa Grandeur, dit-il, a ses secrets que j'ignore et ses raisons que je veux respecter. Je ne fais simplemnt que reproduire sur une plus grande scène et répéter devant un public plus nombreux ce qui a été dit et ce qui a été fait publiquement en juillet 1882 à Saint-Louis" [(12)].

Plus tard, en janvier 1934, répondant au désir de l'abbé J.-A. Poirier qui lui avait demandé un récit détaillé des faits relatifs à la fermeture du collège Saint-Louis, l'abbé Antoine Comeau commence son exposé par cette prudente réserve : "J'en ai été, il est vrai, l'un des premiers et derniers élèves. Il me faut cependant avouer, qu'étant élève, beaucoup de choses, et des plus importantes, m'ont échappé parce qu'elles se passaient en haut lieu et aussi loin que possible de la connaissance des élèves" [(13)].

---

(11) Robert Rumilly, **Histoire des Acadiens,** op. cit., t. 2, p. 799; Antoine Bernard, **Histoire de la Survivance Acadienne,** op. cit., p. 155. Rameau de Saint-Père, **Une colonie Féodale en Amérique, l'Acadie,** Montréal et Paris, éd. 1889, t. 2, p. 285.

(12) Pascal Poirier, **The Senate Debates,** 4th Session, 5th Parliament, May 29, 1886.

(13) Antoine Comeau, ptre, lettre écrite en janvier 1934 à l'abbé J.-A. Poirier.

Ces choses, "des plus importantes" "qui se passaient en haut lieu", faisaient partie de ces "secrets" qu'ignorait Pascal Poirier et de ces "raisons" qu'il voulait respecter. Elles nous sont révélées dans le Mémoire de Mgr Rogers et les lettres de l'abbé Biron à Rameau de Saint-Père.

En se référant à ces dernières, on se rend compte que la politique de l'abbé Biron dans la direction du collège Saint-Louis s'inspirait du patriotisme français : les étudiants devant être formés d'après les méthodes, la discipline, la langue, la politesse et les usages français [(14)].

Sans nier les qualités d'une telle politique, il faut néanmoins reconnaître qu'elle devenait d'une application difficile dans un collège où l'on admettait des étudiants de langue anglaise et qu'un peu plus de souplesse et d'ouverture d'esprit eussent été nécessaires au directeur pour prévenir les heurts et dissiper les malentendus.

L'irréparable tort de Mgr Rogers, selon nous, fut d'avoir trop facilement cédé à son impulsivité coutumière en une circonstance qui sy prêtait très mal. Sans s'en rendre compte, il était tombé dans le même défaut qu'il reprochait si vertement à l'abbé Biron, celui d'un manque total de circonspection.

Le mal était fait ! La digue était rompue ! Le flot des critiques allait se précipiter en cascades dans les méandres des journaux de l'époque, même du Québec, accusant Mgr Rogers d'hostilité à l'endroit des Acadiens français. A qui la faute ? Sous l'influx de la colère, que que de paroles nous échappent et qui s'étendent au-delà de notre pensée !

L'expression anglaise utilisée par l'évêque, "*this college is too frenchy*", était ambivalente. Elle pouvait signifier ou la langue ou la mentalité. Les auditeurs l'entendirent dans le premier sens, sens le plus obvie si l'on se réfère à l'interprétation de Pascal Poirier, de l'abbé Richard et même au texte de Mgr Rogers cité plus haut.

L'évêque visait surtout à la mentalité, à cette mentalité qu'il jugeait trop exclusivement française, irrespectueuse de celle des Irlandais et dont l'abbé Biron, Français d'origine, était l'inspirateur au collège Saint-Louis [(15)].

---

(14) Voir la lettre de Eugène-Raymond Biron que nous citons au chapitre VII, pp. 94-95.

Après la séance, devant les prêtres réunis au presbytère, l'évêque explicita sa pensée; il dévoila même le nom de la personne qui l'avait renseigné sur le nationalisme de l'abbé Biron et l'inégalité des traitements dont les étudiants irlandais furent l'objet au collège Saint-Louis.

Très peiné d'apprendre que son témoignage fut à l'origine des invectives épiscopales lancées contre l'administration du collège en cette fatidique journée du 5 juillet, craignant que ses liens d'amitié avec l'abbé Richard en soient sérieusement compromis, M. Henry O'Leary écrivit la lettre suivante où il explique les circonstances qui entourèrent sa démarche auprès de l'évêque.

Cette lettre plaide trop éloquemment en faveur de l'intégrité morale de l'abbé Richard, de son dévouement et de son esprit d'équité, pour ne pas être citée en entier :

> "Je n'ai pas eu le plaisir de vous rencontrer depuis assez longtemps. J'attends toujours votre visite, avec la facture de la pension de mon fils Arthur, pour vous entretenir de vive voix des paroles que notre bon évêque a prononcées lors de la clôture de l'année scolaire.
>
> "Etant à Chatham l'hiver dernier, je suis allé rendre visite à Mgr Rogers qui s'est très aimablement informé de ma famille et, en particulier, de mon fils Richard et de sa conduite quand il était au collège.
>
> "Au cours de la conversation, on en vint à parler du collège Saint-Louis et de la querelle qui eut lieu entre étudiants français et irlandais, ce dont il n'avait été informé, dit-il, que tout récemment. J'ai raconté les faits tels qu'ils s'étaient passés, en faisant retomber tout le blâme sur les étudiants irlandais, et tout spécialement sur le jeune Collahan [16].

---

(15) Dans une lettre adressée au R.P. Gildas, le fils de M. Pierre-A. Landry, écrivait : "Il y a deux ou trois ans à Ottawa, nous avons parlé (M. Placide Gaudet et moi) du malentendu entre l'évêque et M. Biron, lequel a fini par clore le collège Saint-Louis". Alain Landry, lettre du 11 février 1918 au R.P. Gildas, o.c.r.

(16) Citoyen des Etats-Unis et l'un des chefs de la bagarre qui eut lieu à l'automne de 1880, le jeune Collahan avait été expulsé du collège. Dans une lettre qu'il écrivit à l'un de ses condisciples, après son départ du collège, il exprima sa rancoeur contre l'abbé Biron et les Acadiens qu'il traita de "poltrons". On ne trouve dans cette même lettre aucune allusion défavorable à l'endroit de l'abbé Richard.

"Sa Grandeur me fit remarquer que ce collège doit être destiné aux jeunes gens de notre province et non à ceux des Etats-Unis, à moins d'être hautement recommandés. Monseigneur me fit ensuite remarquer que l'enseignement de l'abbé Biron était très national: ce que je lui ai affirmé fortement.

"Je vous certifie qu'aucun mot ne fut prononcé d'une manière défavorable à votre sujet. Comment aurais-je pu, sans mentir, dire quelque chose contre vous ? Sans verser dans une flatterie qui serait contraire au respect que je vous porte, je dois néanmoins affirmer, qu'ayant été témoin de votre dévouement à l'égard des citoyens de toute catégorie et de votre esprit de sacrifice depuis votre ordination, je ne saurais dire, ni proférer aucune parole à votre sujet, autre que celle de vous rendre justice, puisque vous avez sacrifié votre temps, vos efforts et même votre santé dans l'intérêt de tous vos paroissiens depuis que vous êtes à Saint-Louis. Je souhaiterais que tous les prêtres fussent aussi dévoués que vous l'avez été.

"J'ignore la nature des remarques de notre bon évêque, mais d'après les rumeurs parvenues jusqu'à moi, j'aurais, paraît-il, porté plainte contre vous. Ceci, je le nie fortement. Je n'ai jamais porté plainte contre vous, ni à l'évêque, ni aucun autre prêtre, ni à un laïc. J'ai souvent parlé de l'abbé Biron et de son antipathie envers les Anglais. Mais, puisque j'envoyais mes enfants au collège, c'est que j'appréciais l'enseignement au-delà de tout ce que je pourrais dire ou écrire. Je n'ai rien de plus à ajouter sinon que je suis fort peiné de savoir que mon nom ait été mêlé à ce qui aurait pu être dit contre vous. Je sais de source certaine qui a fait le rapport à l'évêque concernant l'enseignement de l'abbé Biron. Je ne m'en suis pas occupé, vu que j'envoyais mes enfants au collège pour qu'ils apprennent le français. Vous pouvez communiquer ma lettre à l'évêque si vous le jugez opportun. Ce fut, en vérité, tout ce qui a été dit au cours de notre conversation. Le collège ouvre-t-il en septembre ? Laissez-le moi savoir s'il vous plaît" [17].

---

(17) Henry O'Leary, lettre en anglais du 25 août 1882 à M.-F. Richard, ptre. La traduction française est de nous.

Durant l'été de 1882, l'abbé Richard multiplia ses instances auprès de son évêque afin d'obtenir un prêtre comme directeur du collège :

> "Nous sommes au milieu des vacances, il devient donc urgent de savoir à quoi m'en tenir. Faut-il continuer ou discontinuer le collège ? Je suis prêt à me soumettre à l'une ou l'autre de cette alternative. Toutefois, si je dois continuer, je ne saurais le faire sans l'aide d'un directeur prudent et éclairé, et sans le patronage de mon évêque".

Portant ensuite un regard rétrospectif sur le passé, le curé de Saint-Louis confesse que ses efforts déployés en vue de prévenir les difficultés ne furent pas couronnés de succès :

> "M. Biron avait des qualités, mais aussi des défauts. Il a commis des imprudences et peut-être des injustices. Comme supérieur, je n'ai pas manqué de lui faire sentir mon autorité et de corriger les abus. Malgré cela, il en est résulté beaucoup de désagréments pour tout le monde et, ce qui est le plus malheureux, Votre Grandeur en a été affectée".

Il termine sa lettre en suggérant à l'évêque de confier la tâche à de plus compétents qui sauront mieux rencontrer les intérêts en cause. S'il est maintenu à son poste, il ne peut oeuvrer sans un prêtre capable d'agir comme directeur du collège [18].

L'abbé Richard le reconnait : "*les imprudences et peut-être les injustices*" de l'abbé Biron furent à l'origine des difficultés survenues au collège. La lettre de M. Henry O'Leary et les faits relatés aux chapitres précédents confirment la vérité de cette assertion.

Mais l'abbé Biron ne le pensait pas ainsi. Ecrivant à M. Rameau de Saint-Père, après son retour en France, il lui annonce qu'il vient de recevoir une lettre de l'abbé Richard :

> "Les choses sont bien changées et sont en réalité ce que je pensais dès le principe. Le bon M. Richard aime toujours à vivre dans le pays des illusions. Ce n'est pas à moi, en particulier, comme il veut l'insinuer dans sa lettre, que s'attaque la rancune irlandaise épiscopale, mais au collège français et surtout à celui qui n'a pas voulu organiser son

---

(18) M.-F. Richard, ptre, lettre du 25 juillet 1882 à Mgr James Rogers.

collège celtique, c'est-à-dire à M. Richard. Je lui avais pourtant bien prédit dès l'origine, et j'ai été meilleur prophète que lui. Du reste, je sais fort bien ce que m'a dit l'évêque au sujet de M. Richard dans ma dernière entrevue; et une de ses lettres que je vous ai fait voir contient une appréciation sur M. Richard et qui porte témoignage avec elle. Mais M. Richard s'adjuge toujours un brevet d'infaillibilité et il aime bien se décharger sur les autres. Maintenant que je ne suis plus là-bas pour compromettre sa réputation, j'aurai, de loin, le plaisir de le voir à l'oeuvre et je n'ai pas l'intention de le gêner, car je ne désire pas travailler de nouveau en sa compagnie. Pour lui envoyer directement de l'argent, je ne le ferai jamais non plus et, pour beaucoup de raisons, je ne conseillerais à personne de le faire . . .' [19].

Il est difficile de savoir jusqu'à quel point ce profil psychologique crayonné par l'abbé Biron sur son ancien supérieur est conforme à la réalité. Il est, à vrai dire, peu reluisant. Ecrit deux mois seulement après son départ de Saint-Louis, ce profil se ressent trop du sentiment de déception et de frustration de son auteur pour être accepté sans réserve. Nous préférons le mot du R.P. Cochet, eudiste, quand il décrira l'abbé Richard comme "un homme tout entier dans ses idées" [20].

A ses idées, le curé de Saint-Louis y tenait fort, même quand il "aimait vivre dans le pays de ses illusions". Sa ténacité allait toutefois se heurter à celle d'un autre, non moins entier dans ses idées, à l'intransigeance de l'évêque dont "la rancune irlandaise" ne s'attaquait pas au collège français, comme l'affirme à tort l'abbé Biron, mais au refus de l'abbé Richard d'assumer la direction simultanée des deux collèges de Chatham et de Saint-Louis.

Mgr Rogers écrivit le 29 juillet :

"Relativement à l'objet de votre lettre du 25 courant, je ne sais vraiment quoi ajouter à ce que je vous ai déjà dit. L'embarras dans lequel vous vous trouvez présentement, j'en avais moi-même prévu l'éventualité. Pour vous l'éviter, je vous ai souvent averti, conseillé, en vous faisant part de

---

(19) Eugène-Raymond Biron, lettre du 5 septembre 1882.

(20) R.P. Cochet, eudiste, supérieur du grand séminaire d'Halifax, lettre du 4 mars 1896 au R.P. Ange Ledoré, supérieur général.

mon expérience personnelle à propos de notre petit collège de Chatham. Si par mesure de prudence jai cru devoir le suspendre, faute de personnel et de ressources, il n'est pas du tout surprenant que votre collège éprouve de semblables difficultés".

Vivement contrarié par le refus de l'abbé Richard d'assumer la direction des deux collèges, conformément au plan auquel il tenait mordicus, profondément vexé par la fameuse lettre écrite au vicaire général (21), l'évêque profita de l'occasion pour faire sentir à son correspondant tout le poids de son amertume et de son ressentiment :

"Quand j'ai sollicité votre avis et désiré votre coopération concernant le projet de faire progresser les deux collèges de Chatham et de Saint-Louis, vous avez répondu en vous laissant tirer l'oreille. Par la suite, dans un écrit certainement injuste et déloyal, vous avez déformé la teneur de notre entretien à ce sujet. Si je n'avais pas lu votre lettre adressée à l'abbé Barry et connu personnellement et profondément la matière sur laquelle vous avez ainsi écrit, je ne vous aurais jamais cru capable d'une interprétation aussi fausse et erronée des paroles et des actes d'un évêque qui n'a jamais manqué de vous montrer la plus grande gentillesse et la plus haute considération.

"Depuis la lecture de cette lettre, j'ai pris la résolution de me montrer plus réservé et circonspect à votre égard. Je considère comme étant du devoir sacré de ma fonction de vous inciter à demeurer dans les limites de la prudence, de la véracité et d'une fidèle observance des règles canoniques. Je vous l'ai déjà dit et, je le répète, je ne veux empêcher l'accomplissement d'aucune bonne oeuvre, mais seulement la diriger de manière à ce qu'il n'en résulte que du bien et non du mal, en autant que celui-ci peut être évité.

"C'est là le motif, le seul motif inspirateur de ce que je vous écris présentement. Je veux vous guider afin de vous éviter toute corruption du bien que vous avez déjà accom-

---

(21) Voir le chapitre VIII.

pli et que vous êtes encore capable d'accomplir, si vous savez vous tenir dans de justes limites" [22].

Le curé de Saint-Louis ne semble pas s'être trop formalisé de cette sévère admonestation puisque, le 3 août suivant, il revint sur le sujet :

"Je vous demande seulement si Votre Grandeur est oui ou non disposée à nommer un prêtre au collège et si oui ou non je dois organiser ce dernier sous mon entière responsabilité. Votre Grandeur comprendra l'urgence de le savoir afin que je puisse prendre des mesures en conséquence. Si je ne mérite plus votre confiance et votre faveur, — ce qui me mortifie énormément —, du moins, dans l'intérêt des professeurs et des étudiants, je vous prie de prêter attention à mon humble supplique" [23].

L'évêque répondit par le retour du courrier :

"Vous me demandez si je puis vous accorder un prêtre comme directeur du collège Saint-Louis. Pour le moment, je ne vois aucune possibilité d'en trouver un. Même dans le cas où j'aurais un prêtre à ma disposition, je devrai, en toute justice, l'employer au collège de Chatham. Vous comprendez que le collège de Chatham doit m'être aussi cher que celui de Saint-Louis et, aussi longtemps qu'il ne sera pas organisé et placé sur un bon pied, je ne puis promettre de porter attention à celui de Saint-Louis. Si ce dernier doit être ouvert aux étudiants des diocèses étrangers beaucoup mieux pourvus d'institutions que le nôtre, il ne peut mériter ma considération, vu que je suis lié par devoir envers les jeunes gens de mon diocèse" [24].

Le sort en est jeté : Mgr Rogers ne portera plus attention au collège Saint-Louis aussi longtemps que celui de Chatham ne sera pas réorganisé.

Acculé au mur, l'abbé Richard n'avait pas le choix. Sous peine de voir disparaître son institution, il fallait la remettre dans sa forme initiale, celle d'une simple académie ou *high school*, conformément à la consigne épiscopale signifiée au début [25].

---

(22) Mgr James Rogers, lettre du 29 juillet 1882.
(23) M.-F. Richard, ptre, lettre du 3 août 1882 à Mgr James Rogers.
(24) Mgr James Rogers, lettre du 4 août 1882.
(25) Voir le chapitre VI.

Il écrivit à M. Valentin Landry, inspecteur d'écoles :

"Me trouvant embarrassé pour organiser le collège Saint-Louis pour l'année prochaine, par suite de circonstances incontrôlables, je viens m'adresser à vous comme inspecteur et vous consulter à cet effet. Je ne vois pas lieu de continuer, pour le présent du moins, la direction des classes par des prêtres séculiers. Ainsi, il me faut ou bien discontinuer l'existence du collège ou bien l'organiser sous une nouvelle forme. Je suis donc disposé à vous mettre entre les mains l'organisation civile et légale de cette institution, tout en me réservant le droit de surveillance générale comme curé de la paroisse. Vous êtes donc libre de me faire connaître vos plans et vos vues préférées touchant cette organisation. Il s'agit particulièrement du cours commercial ou du cours préparatoire à l'école normale... De cette manière, je tâcherai de sauver la situation" (26).

Entre-temps, une voie s'était ouverte qui permit à l'abbé Richard d'entretenir un peu d'espoir. Durant sa tournée pastorale, l'évêque avait lié connaissance avec un nommé M. Pattenaude, jeune séminariste, qui enseignait le catéchisme à la grande satisfaction des prêtres du Madawaska.

Ayant manifesté le désir de s'agréger au diocèse de Chatham, le jeune homme reçut l'assurance qu'il y serait admis pourvu qu'il obtienne de Mgr Langevin, évêque de Rimouski, l'exeat canonique, c'est-à-dire l'autorisation de passer à un autre diocèse. Mgr Rogers comptait sur ce séminariste qui, une fois ordonné prêtre, pourrait remplacer l'abbé Maillet à Caraquet.

Dès son retour du Madawaska, l'évêque convoque l'abbé Richard à Chatham. Il lui réitère le projet de la direction simultanée des deux collèges de Chatham et de Saint-Louis. Pour ne pas s'exposer à de nouveaux reproches, l'abbé Richard acquiesce et, après une conversation qui se prolongea jusqu'à deux heures du matin, l'évêque lui dit : "Nous allons remettre ce projet à plus tard : annoncez l'ouverture du collège Saint-Louis et je vous enverrai un directeur" (27).

Fort de cette promesse, l'abbé Richard s'empresse de communiquer la nouvelle aux journaux. Plusieurs professeurs s'étaient

---

(26) M.-F. Richard, ptre, lettre du 8 août 1882 à M. Valentin Landry.
(27) M.-F. Richard, ptre, Mémoire, loco cit.

déjà inscrits à d'autres institutions, tel ce jeune Laforest sur qui le supérieur "fondait de grandes espérances". Quelques-uns revinrent, tel M. McLoad du Cap-Breton, chargé des cours d'anglais.

Consulté, le Père Lefebvre envoie Charles Lafrance, "excellent bilingue, très versé en mathématiques et en classiques", sur qui néanmoins on ne pouvait guère compter, vu son âge avancé et la faiblesse de sa santé.

Le collège ouvre avec une vingtaine de pensionnaires et quelques professeurs. Certaines classes importantes, telles les belles-lettres et la philosophie, sont sans titulaires. Trouvant la tâche trop lourde pour ses épaules de 78 ans, Charles Lafrance quitte le collège et le laisse sans directeur [28].

Le supérieur s'empresse d'exprimer son embarras à l'évêque :

> "Placé dans un dilemme d'où il n'est pas facile de sortir, je ne pourrai pas tenir sans l'aide d'un assistant dont je souhaite la présence le plus tôt possible afin de faire justice aux étudiants. Je vais tâcher de maintenir la machine en mouvement pour quelques jours encore et, si le directeur sollicité ne vient pas, je me verrai dans l'obligation de fermer le collège, comme étant la seule alternative possible" [29].

Mgr Rogers lui répond dès le lendemain :

> "Je regrette de n'avoir rien de nouveau à vous communiquer en plus de ce que je vous ai dit jeudi dernier.. La lettre de Mgr Langevin n'est pas encore arrivée. Si elle contient l'*exeat* attendu, je serai en mesure de conférer l'ordination sacerdotale au jeune homme en question. Ainsi, je pourrai l'envoyer comme vicaire à l'abbé Barry à la place de M. Maillet et vous donner ce dernier. Si l'*exeat* ne vient pas, il m'est impossible de prévoir de quelle manière vous accorder un prêtre, à moins que la Providence m'en fournisse un d'une façon inattendue.
>
> "La crise que vous traversez et dont vous n'auriez jamais dû perdre de vue l'éventualité, comme je l'ai toujours moi-même envisagée, en est une qui aurait pu se produire à

---

(28) M.-F. Richard, ptre, lettre du 15 septembre 1882.
(29) Idem, lettre du 29 septembre 1882.

n'importe quel moment depuis l'ouverture de votre institution à Saint-Louis. Maintenant que vous êtes coincé dans une impasse de votre propre création, vous ne devez pas perdre sitôt courage. Continuez à tenir bravement les rênes pour quelques jours encore. La promesse conditionnelle de vous envoyer M. Maillet pour vous aider, si je puis trouver un autre prêtre capable d'assister M. Barry, je ne manquerai pas de la remplir si cela m'est permis. Concernant le collège Saint-Louis, je suis toujours dans la même disposition que celle où j'ai toujours été : encourager tout le bien en autant que nous le sommes capables, mais réprimer ce qui est mal. J'ai parlé sans détour, clairement et avec sincérité, soit privément, soit publiquement quand l'occasion s'est présentée de le faire et, je n'ai rien de plus à ajouter, car mon esprit n'a pas changé sous ce rapport. Si vous voyez quelque chose de réalisable à me conseiller, j'apporterai avec reconnaissance toute l'attention voulue à votre avis. En attendant, si la lettre de Mgr Langevin arrive, je vous en avertirai immédiatement. Si elle n'arrive pas, je ne vois rien à faire de plus" (30).

Dès l'arrivée de l'*exeat*, Mgr Rogers, fidèle à sa promesse, envoya à l'abbé Richard un télégramme qu'il fit suivre de la lettre suivante :

"Aujourd'hui est enfin arrivé l'*exeat* attendu depuis si longtemps, avec une lettre que vous trouverez ci-incluse et que je vous prie de bien vouloir me retourner après l'avoir lue. Tel que promis, je vous ai envoyé un télégramme ainsi qu'à l'abbé Barry à qui j'ai écrit également (mais pas encore à M. Maillet), de telle sorte que si l'abbé Barry peut s'arranger pour obtenir les services de M. Gagnon durant son absence, il pourra laisser partir l'abbé Maillet aussitôt que possible, même avant la retraite, si ce dernier consent en s'en priver. *Ita res se habet.*

"Si je veux bien vous envoyer l'abbé Maillet pour vous aider plutôt que le nommer à Chatham où il serait très nécessaire, je le fais principalement en faveur des étudiants de Saint-Louis. Mais pour qu'il n'y ait plus de mésentente à l'avenir, ce n'est pas comme directeur du collège que je vous l'envoie, mais comme l'un de vos prêtres assistants,

(30) Mgr James Rogers, lettre du 30 septembre 1882.

pour vous rendre service là où il vous sera le plus utile, soit à la direction du collège, soit dans les missions confiées à votre charge, selon que vous le jugerez le plus opportun. En lisant la lettre ci-incluse, vous vous rendrez compte que si ce n'était pas à cause de mon grand désir de vous aider ainsi que votre oeuvre, en toute manière raisonnable, je ne consentirais pas à recevoir et à ordonner le jeune séminariste en question dont l'*exeat* me fut envoyé avec cette lettre. Je fais donc ce sacrifice pour vous, un sacrifice que je ne voudrais pas faire pour moi-même en ce moment.

"Que Dieu m'accorde la grâce de n'avoir jamais à m'en repentir! C'est avec le désir de Lui plaire de servir ses intérêts et ceux de ses laborieux serviteurs que je consens à un tel sacrifice. Daigne le Seigneur le bénir dans sa miséricordieuse bonté! Je souhaite que l'abbé Barry ne fasse aucune objection à laisser partir l'abbé Maillet, car je sais qu'il l'estime beaucoup et se trouve très heureux de l'avoir comme vicaire" [31].

Examiné au cours de la retraite ecclésiastique, M. Pattenaude ne fut pas jugé prêt à recevoir l'onction sacerdotale. Son ordination fut différée et l'abbé Maillet demeura à Caraquet.

L'abbé Stanislas-J. Doucet, curé de Pokemouche, offrit alors ses services comme directeur du collège Saint-Louis. L'évêque n'accepta qu'à la condition suivante: l'abbé Doucet serait curé de la paroisse de Saint-Louis et, l'abbé Richard, tout en conservant ses trois missions d'Acadieville, de Rogersville et de Barnaby-River et la charge de président et de procureur du collège Saint-Louis, assumerait aussi la direction du collège Saint-Michel et irait fixer sa résidence à Chatham. L'évêque revenait donc à son projet favori dont il ne voulait pas démordre. Pour sauver la situation de son institution, l'abbé Richard donna son assentiment.

Quinze jours plus tard, muni de sa lettre de nomination et celle de l'abbé Richard, l'abbé Stanislas-J. Doucet arrivait à son nouveau poste, mais sans l'abbé Maillet. Autre déconvenue: dans les deux documents officiels, l'évêque rejetait sur les deux prêtres toute la responsabilité du plan adopté [32]. En outre, dans la lettre adressée à l'abbé Richard, il n'était pas question du collège de Chatham, tandis que dans celle de l'abbé Doucet il était mentionné

---

(31) Mgr James Rogers, lettre du 5 octobre 1882 à l'abbé M.-F. Richard, ptre.
(32) Fr. M. Gildas, ptre, o.c.r., op. cit., pp. 54 et 55.

que, dans le cas de la réouverture de cette institution, l'abbé Richard en prendrait la direction à l'instar de celle de Saint-Louis. Il n'y avait rien non plus, dans la lettre de l'abbé Doucet l'autorisant à s'occuper du collège Saint-Louis jusqu'à l'arrivée de l'abbé Maillet.

Profondément blessé par un tel imbroglio, l'abbé Richard envoya, par télégramme, sa démission comme supérieur et procureur du collège Saint-Louis; c'était donner le coup de grâce à son institution.

Alors, Mgr Rogers révoqua ces récentes nominations et rétablit les choses dans leur *statu quo*.

Dans un long document intitulé "*Administrative Memorandum*", daté du 15 novembre 1882, il explique en détails les circonstances qui l'avaient incité à conclure un tel plan et les motifs qui le déterminèrent à confier la paroisse de Saint-Louis à l'abbé Stanislas Doucet et à fixer la résidence de l'abbé Richard à Chatham: le premier, afin qu'il puisse trouver un moyen de subsistance, le second par la nécessisté de corriger certaines fautes commises dans la direction du collège Saint-Louis de telle sorte que, tout en corrigeant les fautes, l'existence du collège puisse être maintenue à cause de son utilité [33].

Puisque l'évêque était dans l'impossibilité de lui accorder un prêtre [34], l'abbé Richard se trouvait devant l'alternative suivante: ou fermer son institution, ou en confier la direction à un professeur laïc. Cette dernière option eût été, semble-t-il, plus logique, du moins dans notre optique moderne.

Le hasard voulut qu'un Irlandais se trouvât à Saint-Louis au moment crucial du renvoi des étudiants le 21 novembre 1882. "Je bénirai toujours le Seigneur, écrit l'abbé Richard, pour l'envoi

---

(33) "It was conceived in the spirit of kind but very necessary corrections of certain faults in the direction of St Louis College, so as to correct the faults, but preserve, if possible, the utility of the College. Also, later, it became evident that Father Richard himself, in zeal and ardour, sometimes went too far, and needed kind restraint and corrections both in words — especially written and administrative act —, which useful correction and restraint, it was hoped, could be given to him in personal intercourse with the Bishop so as to aid and guide his zeal and his other good qualities, but restrain his exaggerations". Mgr James Rogers, Administrative Memorandum, 15 novembre 1882.

(34) "Not having a priest at my disposal, I cannot send one, and judging by that past recent experience, I shall not promise one in future again". Mgr James Rogers, ibid.

d'un ami sincère et dévoué dans la personne de l'abbé John Murray, du diocèse de Saint-Jean qui se trouvait en visite à Saint-Louis lors du départ des élèves. Cette présence ne contribua pas peu à me soutenir dans cette cruelle épreuve" [35].

Ironie des choses humaines! Tandis que l'abbé Richard partageait la conviction que Mgr Rogers avait agi sous la pression du fanatisme irlandais en lui refusant le directeur sollicité, un représentant de la nationalité irlandaise versait sur son coeur endolori le baume consolateur, tout comme jadis, quand couché sur la neige pour dormir son dernier sommeil, pensait-il, un Irlandais vint le tirer du danger [36], et un autre Irlandais, l'abbé Dixon, lui facilitera toutes les avenues à l'occasion du célèbre voyage qu'il entreprendra, en 1907, afin de plaider, auprès du Saint-Siège, la cause des Acadiens [37].

Lorsque l'abbé Richard eut annoncé la fermeture de son institution, les membres de la commission scolaire de Saint-Louis sollicitèrent de l'évêque l'autorisation d'utiliser les bâtiments du collège en vue d'une école supérieure. Mgr Rogers répondit par télégramme: "Adressez-vous au curé de la paroisse, il a la charge des bâtiments" [38].

Dans sa lettre du 1er janvier 1883, Sa Grandeur écrivait:

> "Relativement à l'école supérieure que l'on veut établir à Saint-Louis, je n'ai rien à dire. Je fus tellement peiné et déçu par votre brusque résignation de votre charge comme supérieur et procureur du collège Saint-Louis, et par toutes les circonstances assez étranges en rapport avec les arrangements que j'avais proposés, à la suite de la conférence du 19 octobre, dans l'intérêt de Saint-Louis et de son collège, que par un motif de charité et de dignité, je préfère dorénavant n'avoir aucune communication avec vous sur des questions d'éducation. Je voudrais bien souhaiter, en toute charité et bon plaisir, comme l'indiquent vos actes et

---

(35) M.-F. Richard, Mémoire, loco cit.

(36) Voir le chapitre IV.

(37) Voir le chapitre XIV.

(38) Mgr James Rogers, télégramme du 20 novembre 1882, en réponse à la lettre de Auguste Léger, Jacques Vautour et Ange Barriau, commissaires, lettre datée du 18 novembre 1882.

vos écrits, que vous étiez de bonne foi et qu'il y a eu un malentendu de votre part, mais je désire éviter de semblables méprises à l'avenir" (39).

L'année suivante, sur l'invitation de Mgr Rogers, un missionnaire mariste, le R.P. Touche, visita les deux établissements de Chatham et de Saint-Louis.

Les conditions offertes par l'abbé Richard étaient des plus avantageuses: un collège tout meublé, avec 325 acres de terre, dont une centaine en culture, et tous les instruments aratoires indispensables. "Si Sa Grandeur vous confie la paroisse, écrit-il, je quitterai le presbytère tout meublé et j'accepterai n'importe quel autre poste qu'Elle voudra me donner dans le diocèse . . ." (40)

Admirable esprit de détachement qui met en évidence la sincérité d'une âme inspirée par le seul souci de l'intérêt de ses compatriotes et de l'éducation de la jeunesse acadienne!

Le 4 décembre suivant, le R.P. Touche écrivait: "Je vous dirai en deux mots le résumé de ma conférence avec Mgr Rogers: Sa Grandeur offre à notre société le collège et la paroisse de Saint-Louis, mais à la condition *sine qua non* que nous prendrons préalablement le collège de Chatham tel quel, sans aucune avance d'argent, à nos risques et à nos périls. J'ai envoyé mon rapport à mes supérieurs et je n'ai encore reçu aucune réponse. Je crains qu'ils trouvent la condition trop dure et trop onéreuse" (41).

La condition fut, en effet, trouvée trop onéreuse par les supérieurs de cette congrégation. L'abbé Richard dut abandonner tout espoir de faire revivre son collège à Saint-Louis.

---

(39) Mgr James Rogers, lettre du 1er janvier 1883 à l'abbé M.-F. Richard.

(40) M.-F. Richard, ptre, Mémoire loco cit.

(41) R.P. Touche, lettre du 4 décembre 1883 à l'abbé M.-F. Richard, ptre.

CHAPITRE X

SUR LA VOIE DES MALENTENDUS

La fermeture du collège Saint-Louis allait marquer un tournant dans les relations cordiales que l'abbé Richard avait jusque-là entretenues avec son évêque. Dans la virulente offensive menée contre cette institution par les fils de la Verte Erin, le nationalisme, "ce pire poison des peuples" selon le mot d'Einstein, a malheureusement pesé d'un poids trop lourd.

Toutefois, par souci de vérité et de justice, il faut affirmer que le revirement de Mgr Rogers à l'endroit de l'abbé Richard eut une cause beaucoup plus profonde qu'une banale rivalité de clochers.

Si comme prêtre, Marcel-François Richard demeura toujours à la hauteur de sa noble vocation, si sa piété, son zèle et son intégrité morale furent au-dessus de tout reproche, il a néanmoins commis certaines erreurs de tactique, dont les unes s'expliquent par la vigueur de son tempérament, et les autres, par les circonstances particulières où il s'est trouvé.

"C'est un prêtre très bon, très sobre, très dévoué" écrivait de lui, le R.P. Cochet, eudiste. "Mais, évidemment, il a les défauts de ses éminentes qualités" [1].

---

(1) **R.P. Cochet, eudiste, lettre du 4 mars 1896 au T.H.P. Ange Ledoré, supérieur général des Eudistes.**

"Il est rare et difficile de n'avoir que les qualités de ses qualités, sans en avoir les défauts. Il y a des vertus agressives où l'amour des principes rigides remplace l'amour des êtres à qui on les impose" (2).

Ces "vertus agressives" n'étaient pas étrangères à l'intrépide lutteur qu'était Marcel-François Richard. Ses répliques aigres-douces, sa tendance à se justifier, parfois à dramatiser, et à interpréter les admonestations de son évêque dans le sens d'une opposition à la cause patriotique qu'il défendait, n'étaient pas de nature à plaire au paternaliste Mgr Rogers.

Très sensible, au surplus, n'était-il pas de ceux qui, au nom des "principes rigides", doivent constamment réagir contre leur sensibilité de peur qu'elle ne les entraîne au-delà des limites que leur conscience leur interdit de franchir? L'amour de ces "principes rigides", surtout au début de son ministère, n'inspirait-il pas trop souvent son zèle, au mépris des règles de la prudence?

En 1881, on lui avait signalé qu'un couple de Rexton s'était marié en présence d'un ministre protestant. Sollicitant l'avis de son évêque sur les mesures à prendre, l'abbé Richard lui suggère, en même temps, l'emploi de la manière forte:

> "Ce cas est très sérieux. L'époux, assez âgé, jouit de la considération du clergé et de la population. Si on garde le silence, les lois de l'Eglise resteront lettre morte et même, on viendrait à s'en moquer.
>
> "En outre, l'époux a agi directement contre la décision de l'évêque consulté auparavant et, en conséquence, contre l'avis de son curé qui l'avait souvent mis en garde contre la gravité d'une telle irrégularité . . . Je pense que l'excommunication, si elle était appliquée dans ce cas, produirait un bon résultat. Elle servirait de leçon aux autres . . . Je serais même fortement incliné à publier le fait dans les journaux . . ." (3).

Mgr Rogers ne partage pas cette opinion :

"Même si le cas que vous me signalez est pénible et mérite un châtiment qui serait de nature à servir d'exemple aux

---

(2) Dr. Charles Odier, **Les deux sources de la vie morale consciente et inconsciente**, Paris 1955, p. 85.

(3) M.-F. Richard, ptre, lettre du 23 janvier 1881 à Mgr James Rogers.

autres, néanmoins, je ne croirais pas prudent d'utiliser la peine de l'excommunication envers ce couple. Il pourrait en résulter plus de mal que de bien. D'autres cas semblables se sont fréquemment produits dans notre province ecclésiastique et les évêques n'ont pas jugé expédient l'emploi des censures.

"Sous la conduite des pasteurs les plus zélés, il arrivera toujours que certaines brebis s'égareront du bercail. Judas ne s'est-il pas égaré sous la conduite même du Sauveur ? Nous devons souvent porter en silence les maux que nous sommes incapables de guérir. Ce serait les aggraver si on employait le châtiment publique et immédiat. Attendons l'heure de Dieu. Si, dans nos instructions, il importe d'attirer l'attention des fidèles sur les infractions aux lois de Dieu et de l'Eglise, il ne faut jamais mentionner tel ou tel cas en particulier, encore moins les noms des inculpés. Une telle manière d'agir est selon les règles de la prudence. N'oublions pas la leçon que nous donne le divin Maître dans la parabole de la zizanie : l'ivraie, dit-il, doit croître jusqu'au temps de la moisson; alors les anges sépareront l'ivraie du bon grain" (4).

Là où l'abbé Richard se montrait intransigeant, c'était sur le chapitre de l'intempérance. Si ses invectives, lancées du haut de la chaire contre les amis de Bacchus ou les tenanciers de débits de boissons enivrantes, intimidaient les auditeurs, elles indisposaient fortement les coupables récalcitrants. La tradition rapporte qu'une dame irlandaise, au lendemain d'un virulent sermon où elle s'était sentie visée, avait pointé son revolver sous le menton de son trop rigide curé (5).

En décembre 1880, dans une lettre adressée à la supérieure du couvent, Mgr Rogers réprouvait le fait qu'on avait annoncé dans les journaux le bazar qui devait avoir lieu à la veille et au jour de Noël.

Vexé de ce que l'évêque, au lieu de s'adresser directement à lui, exprimait ses récriminations à la religieuse, l'abbé Richard écrivit une longue justification de sa conduite dont voici quelques extraits :

---

(4) Mgr James Rogers, lettre du 27 janvier 1881.

(5) Ce trait nous a été raconté par M. Laurent Guimont, ancien citoyen de Rogersville, et infirmier de Mgr Richard, durant sa dernière maladie.

"Soeur Sainte-Louise, toute en pleurs, vient de me communiquer la lettre de Votre Grandeur en réponse à la sienne du 2 courant. Puisque, je le suppose, c'est le moyen adopté pour me reprocher mon manque de soumission à l'autorité, je me crois justifié de me servir de cette connaissance pour expliquer les choses.

"D'abord, Monseigneur, voilà neuf ans que j'ai l'honneur d'exercer le ministère dans votre diocèse et je me trouve fort mortifié de ce que je suis si défavorablement jugé par un supérieur qui jusqu'ici fut pour moi un véritable père. J'ai toujours tâché, il me semble, de répondre à tant de bonté par mes efforts à vous plaire et à vous montrer toute la soumission et la déférence dues à un supérieur ecclésiastique. Je n'ai pas à me reprocher d'avoir, en aucune circonstance, volontairement agi d'une manière à contrarier Votre Grandeur. Avoir de propos délibéré entrepris quelque chose ou adopté des moyens de nature à scandaliser mes confrères, prêtres, soeurs ou fidèles, je ne pourrais l'admettre . . .

"D'après votre lettre, il paraît que je me trouve grandemen coupable en ce que je ne vous ai pas consulté dans l'organisation de la petite fête du couvent qui doit avoir lieu à la veille de Noël. Je regrette, Monseigneur, que vous soyez sur cette impression et que les messieurs qui vous entourent ainsi que les soeurs de Saint-Louis le soient également. Malgré tout le respect que je vous dois, je me vois obligé, en justice, de déclarer que j'ai consulté Votre Grandeur à ce propos et qu'Elle avait approuvé le projet. Sans doute, Votre Grandeur l'a oublié.

"Vous me permettrez donc de rappeler les lieux, les circonstances et les paroles. C'était à l'occasion de ma dernière visite à Chatham, dans le réfectoire, durant la veillée. J'ai alors informé Votre Grandeur de ce que les soeurs se proposaient de donner une séance la veille de Noël. Vous avez répondu que nous n'étions pas dans le cas des religieuses de Tracadie qui reçoivent un salaire du gouvernement et, par conséquent, la tenue d'un bazar était dans l'ordre. Je me croyais donc en règle et, par la suite, je l'ai fait annoncer dans les journaux . . ."

Après avoir réfuté tous les arguments invoqués par l'évêque contre la tenue d'un bazar la veille de Noël, l'abbé Richard conclut :

"Je ne saurais goûter la paix que Votre Grandeur veut bien me souhaiter, car je me trouve extrêmement mortifié de me voir ainsi jugé tandis que je me croyais parfaitement en règle. Votre Grandeur ne m'ayant pas habitué à recevoir des reproches, je les trouve très pénibles, surtout lorsqu'ils viennent d'un évêque que j'ai toujours aimé et que j'ai tâché de servir de mon mieux.

"Depuis quelque temps, je m'aperçois qu'il me faut être sur mes gardes et, malgré toute précaution possible, je ne puis éviter la critique. Je veux bien prendre la responsabilité de mes actes, mais je n'aimerais pas que le jugement de quelques-uns serait toujours considéré comme infaillible . . .

"Dans tous les cas, si la position de confiance que Votre Grandeur m'a confiée pendant neuf ans se trouve compromise par mon manque de prudence et de savoir-faire, je prie Votre Grandeur de m'en avertir et je céderai volontiers ma place à d'autres plus sages et plus prudents et plus à la hauteur de la position. Malheureusement, je ne suis pas assez vertueux pour accepter les épreuves comme je le devrais et, par conséquent, je prie Votre Grandeur de m'excuser si j'ai laissé glisser, dans cette trop longue épître, quelques expressions déplacées. Vos bontés à mon égard ne seront jamais oubliées et je serai toujours, Dieu aidant, votre dévoué serviteur" (6).

On aura remarqué, dans ce plaidoyer, une tendance à dramatiser que Mgr Rogers ne manquera pas de relever :

"Je suis très attristé du fait que vous avez étendu et exagéré le sens de ma lettre à Mère Sainte-Louise. Votre interprétation est injuste à mon égard et n'est pas du tout en votre faveur puisque vous ne pourrez pas jouir, dites-vous, de la paix que je vous souhaite à la fin de ma lettre. Ceci me cause beaucoup de chagrin, vu que je n'avais pas l'intention de produire un aussi sombre résultat. En me référant à la copie de ma lettre, je n'y vois rien à changer. Elle est la simple et candide expression de mes sentiments et aussi de mon embarras suscité par votre combinaison d'un bazar avec la messe de minuit et tout spécialement par le fait que vous en avez publié l'annonce dans les journaux. Mais elle

---

(6) M.-F. Richard, ptre, lettre du 7 décembre 1880.

exprime, en même temps, les sentiments les plus aimables et les plus respectueux à votre égard et envers toutes les autres personnes de Saint-Louis. Je trouve, par conséquent, votre réponse tout à fait exagérée, prenant trop au tragique le petit blâme que ma lettre à Mère Sainte-Louise a pu implicitement contenir à ce sujet.

"Si, dans le même esprit, j'écrivais sur une colonne les divers passages de votre lettre et, sur une autre parallèle, mes commentaires démontrant l'exagération de vos expressions — quoique vous professez votre soumission et votre respect envers l'autorité —, vous verriez combien elles sont injustes à mon égard, bien que je suis certain qu'elles ne furent pas intentionnelles. Je ne le ferai pas. Si toutefois vous persistiez dans cette voie, je me verrais obligé, à l'avenir, non seulement de me justifier, mais de vous démontrer qu'il n'est pas sage d'être aussi sensible quand votre évêque juge à propos d'adresser, dans un langage simple, aimable et délicat, certaines remarques à l'un de ses prêtres qu'il a sincèrement estimé et qu'il estime encore.

"Réjouissez-vous! Jamais plus de ces sottises! Regardez les choses et les personnes à la lumière de la justice et de la vérité ! Comportez-vous de manière que vous puissiez jouir et faites jouir aux autres de cette paix céleste qui "surpasse toute compréhension", fruit de la charité que le divin Enfant, dans la candeur de son innocence et de sa simplicité, est venu apporter aux hommes de bonne volonté! Je vous souhaite du plus profond de mon coeur cette sainte paix, avec un joyeux, heureux et saint Noël, à vous-même et à tous ceux qui sont sous votre garde" (7).

Déjà, à la fin de 1880, l'abbé Richard percevait, dans l'entourage irlandais de Mgr Rogers, quelques indices d'un courant antipathique à l'oeuvre éducatrice qui lui tenait à coeur. On avait même prétendu que les étudiants de langue anglaise perdaient leur temps au collège Saint-Louis et, ce qui était plus grave, leur vocation était en péril.

L'année suivante, à l'occasion d'une demande d'admission d'un certain M. Wallace désireux de s'inscrire au collège français à titre de professeur-élève, le supérieur crut bon d'adresser à l'évêque la mise au point suivante:

---

(7) Mgr James Rogers, lettre du 9 décembre 1880.

“Vos remarques, en deux occasions, aussi bien que l’opinion défavorable émise par l’abbé Bannon au sujet de l’envoi de jeunes gens de langue anglaise à Saint-Louis me font hésiter à accepter M. Wallace. En conférant avec vous l’été dernier, j’avais alors exprimé le désir de le recevoir s’il était recommandé. Comme le collège de Chatham était à ce moment-là partiellement organisé, j’ai pensé qu’il serait indélicat de ma part d’encourager ce jeune homme ou tout autre de Chatham à venir à Saint-Louis à moins que cela fût agréable à vous et à l’abbé Bannon.

“Ayant fait tout mon possible pour favoriser les intérêts des étudiants anglais comme français, en maintenant, au prix de durs sacrifices, deux groupes de professeurs, ce que je considère d’importance égale par rapport aux deux nationalités, je me rends compte que ma position devient de plus en plus critique et que le collège Saint-Louis est compromis par de telles remarques. J’ai eu à réprimander et même à expulser des étudiants aussi bien français qu’anglais pour des raisons justifiées, afin de maintenir le bon ordre et la discipline. Naturellement, si cette discipline est appliquée à l’égard d’un étudiant de langue anglaise, celui-ci se justifiera en alléguant qu’il a été victime du fanatisme, et il influencera les autres dans ce sens, ce qui sera de nature à créer un esprit d’animosité envers l’institution.

“Nous avons eu un américain, nommé Collaghan, qui a notablement exercé sur les autres étudiants irlandais une très mauvaise influence contre l’administration du collège. O’Leary et Harguil en furent les victimes. De plus, j’ai découvert que le jeune Collaghan, entretenait une correspondance louche avec une jeune fille et je l’ai expulsé. Marchant sur ses traces, le jeune O’Leary devint insolent, de sorte que j’ai prié son père de le retirer du collège pour quelque temps, ce qui fut fait. . .

“J’ai fait mes études dans un collège anglais où j’ai rencontré de nombreuses difficultés, aussi bien sur le plan national qu’en d’autres domaines. Néanmoins, je défie qui que ce soit d’avancer que j’ai parlé d’une manière défavorable de mon Alma Mater, ni des étudiants. Nous ne devons pas nous attendre à ce que chaque institution soit organisée de manière à favoriser également chacun des étudiants. Le plus que l'on puisse faire — et c'est ce que j'ai fait dans ma délicate position —, c'est de m'efforcer d'éviter toute juste cause de critique. Nous avons en ce moment quelques étudiants de langue anglaise, dont trois de Dalhousie, qui cette année donnent la plus entière satisfaction et je pense qu'ils font de bonnes études. Je serais prêt à les mettre en compétition avec ceux des autres institutions "*positis ponendis*". Je sais bien que notre système est loin d'être parfait. Certains actes d'imprudence furent commis, faute de sagesse. A cela, je ne puis que répondre: *omnis homo mendax.*

"Si je me suis longuement étendu sur le sujet, c'est que je pense qu'il est de mon devoir d'exprimer ouvertement ma pensée et d'expliquer respectueusement et loyalement ma situation. Percevant que des critiques se sont élevées contre l'administration du collège Saint-Louis à laquelle je suis personnellement intéressé, je crois que si je prenais plus de responsabilités que celles déjà assumées, je causerais du mal à moi-même et aucun bien aux autres. Ceci explique mon silence quand Votre Grandeur m'a proposé d'unir les deux collèges sous ma présidence. Je suis disposé à aider volontiers Votre Grandeur dans toute organisation qu'elle suggérera en vue de l'éducation des jeunes gens. Mais il faut laisser aux autres leur part de responsabilité dans la direction" (8).

Les réactions de l'abbé Bannon, devant ce qu'il appela une déformation de sa pensée, ne se firent pas attendre. Après avoir lu la lettre que lui montra l'évêque, il écrivit immédiatement au curé de Saint-Louis pour lui dire combien il avait été peiné de constater que ses paroles avaient été mal interprétées et que sa longue amitié, datant depuis le grand séminaire, risquait de subir un refroidissement si l'abbé Richard demeurait sur cette impression:

"Je n'avais pas affirmé d'une manière générale que tous les étudiants de langue anglaise étaient exposés à perdre leur vocation au collège Saint-Louis, mais seulement les trois jeunes gens dont je vous avais nommé les noms, ce

---

(8) M.-F. Richard, ptre, lettre du 26 décembre 1881. Cette lettre fut écrite en anglais. La traduction est de nous.

qui est bien différent. Je persiste dans mon opinion, puisque les raisons qui la motivent sont restées les mêmes et n'ont pas changé" [9].

Dans sa correspondance, l'abbé Richard nous fait connaître deux cas circonstanciés de congédiement, tel celui d'un nommé Gillis, ancien postulant chez les frères des Ecoles chrétiennes de Chatham et admis comme professeur d'anglais au collège Saint-Louis.

Un jour, il était allé à Richibouctou. M. Henry O'Leary voulut profiter de l'occasion pour remettre, au jeune homme, une lettre à destination de sa fille, étudiante au couvent de Saint-Louis. Sous l'empire d'une curiosité sentimentale, il ouvrit la lettre et y glissa, écrit de sa main, un poème intitulé: *The language of the handkerchief*. Congédié du collège, l'accusé protesta de son innocence auprès de l'évêque, en dépit des preuves évidentes résultant d'une enquête sérieusement conduite par le supérieur.

Ce dernier, en relatant en détails l'incident à Mgr Rogers, et en lui indiquant les motifs du renvoi de M. Gillis, ajoute ces paroles très significatives: "*Now, of course, he will endeavor to convey the idea that he has been the victim of a fanatical superior. I can't help this*" [10].

Tel encore cet abbé Donahue que, par un motif de charité, l'évêque avait admis provisoirement dans son diocèse. Ne sachant où le placer, à cause de certaines faiblesses, il avait supplié l'abbé Richard de le recevoir au collège à titre de professeur d'anglais [11].

La veille de la Saint-Patrice, ce trop grand ami de Bacchus s'oublia en de copieuses libations en l'honneur du célèbre patron de sa nationalité. Soucieux du bien général, le supérieur remercia ce récidiviste et le renvoya à l'évêque [12].

L'abbé Richard était convaincu qu'en lui refusant un prêtre pour diriger son collège, Mgr Rogers s'était laissé influencer par des personnes qui ne voyaient pas d'un bon oeil l'avancement des Acadiens. Il le déclare assez ouvertement dans sa réponse aux voeux du nouvel an de son évêque:

---

(9) Thomas Bannon, ptre, lettre en anglais du 28 décembre 1881. La traduction française est de nous.
(10) M.-F. Richard, ptre, lettre du 16 novembre 1878.
(11) Mgr James Rogers, lettre du 20 juillet 1877.
(12) M.-F. Richard, ptre, lettre du 18 mars 1878.

"Comme inférieur et n'ayant aucun moyen, sans causer du scandale, de me justifier ou de me faire juger par un tribunal ecclésiastique, je consens à me soumettre aux humiliations présentes et aux interprétations défavorables qui sont librement répandues sur mes actes. Votre Grandeur me permettra de dire que les troubles regrettables qui existent doivent leur origine à certaines imprudences, peut-être, mais le collège Saint-Louis et son humble supérieur, sans parler des autres, ont été traités avec bien d'ingratitude de la part de quelques-uns de ses sujets. Ce que je trouve pénible, c'est qu'il me faut subir les peines sur leur témoignage seulement, lequel n'est peut-être pas toujours désintéressé" (13).

Et dans son Mémoire, écrit en 1885, il revient sur le même sujet:

"Je ne cherche pas, ni ne veux la condamnation de mon évêque qui a beaucoup mérité de mes compatriotes et qui m'a toujours traité en véritable père. Mais un bon père peut se tromper et surtout être trompé. Il peut se laisser influencer par des personnes intéressées ou malveillantes et agir de manière à se rendre coupable d'exagération et même d'injustice" (14).

Une lettre de l'abbé Stanislas-J. Doucet nous révèle les noms des deux conseillers que Mgr Rogers avait appelés à Chatham pour délibérer sur le sort du collège Saint-Louis. Etaient-ils du nombre de ces "personnes intéressées ou malveillantes" dont parle l'abbé Richard dans son Mémoire?

Quoiqu'il en soit, ces deux oracles tomberont, plus tard, sous les foudres de l'irascible évêque au point d'être obligés de recourir à l'arbitrage du Métropolitain. Voici ce qu'écrit l'abbé Doucet:

"Savez-vous où sont allés tout dernièrement le grand vicaire et M. Varrily? Si vous ne le savez pas, vous allez être surpris. A Halifax! A Halifax, mon ami! A Halifax, pour voir l'archevêque et lui parler d'affaires assez sérieuses et lui demander tout simplement de vouloir bien régler un différend qui existe entre ces deux dignes membres du

(13) M.-F. Richard, ptre, lettre du 5 janvier 1883.
(14) Idem, Mémoire, loco cit.

clergé de Chatham d'une part, et Mgr Rogers, de l'autre. Vous vous souvenez, sans doute, que ce sont MM. Barry et Varrily que Mgr Rogers avait appelés à Chatham pour les consulter au sujet de la fermeture du collège Saint-Louis. Eh bien! je pense que Sa Grandeur ne serait guère disposée, par le temps qui court, à les faire ses conseillers et, probablement que, de leur côté, ils ne tiennent pas beaucoup maintenant à cet honneur-là" (15).

La fermeture du collège Saint-Louis ne demeura pas sans de graves répercussions. La presse s'en mêla. De nombreux articles furent écrits dans les journaux de l'époque. Le 18 janvier 1883, le *Moniteur Acadien* de Shédiac posait carrément la question:

> "Pourquoi le collège Saint-Louis est-il fermé? Quelle main y a apposé les scellés? Voilà ce que chacun se demande. C'est l'affaire des autorités du collège, dira-t-on? Pardon! Au mois de septembre dernier, M. l'abbé Richard annonçait publiquement la réouverture des classes . . . Tout est enveloppé d'un profond mystère! Pas un seul mot d'explication et, j'ose dire, de justification! Serait-ce que le grand apôtre et prêtre acadien du nom de M.-F. Richard aurait senti son courage défaillir et son âme robuste faiblir pendant l'exercice de cette année scolaire? Alors, pourquoi ouvrir le collège en septembre et inviter les parents à envoyer leurs enfants? Serait-ce l'argent qui lui aurait manqué? Si les ressources lui faisaient défaut, pourquoi ne pas avoir fait appel à la charité publique? Si cette fermeture est justifiable, qu'on l'explique donc, afin de faire cesser les commentaires, les murmures et même les médisances! La question est grave! Le collège Saint-Louis était une institution nationale, et on n'empêche pas un peuple de commenter une perte qui l'atteint profondément. Malgré tout le respect, même l'admiration que nous avons toujours eue pour l'abbé Richard, fondateur et supérieur, nous le tenons responsable de cet état de chose jusqu'à explication de sa part. Un Acadien intéressé" (16).

La semaine suivante, le curé de Saint-Louis répondit dans le même journal:

---

(15) Stanislas-J. Doucet, ptre, lettre du 15 octobre 1885 à M.-F. Richard, ptre.
(16) **Le Moniteur Acadien**, le 18 janvier 1883.

"La correspondance d'un Acadien intéressé qui a paru dans le dernier numéro du *Moniteur Acadien* m'embarrasse beaucoup. D'un côté, les réclamations faites sont si justes et si raisonnables que, pour ne pas m'exposer à passer pour un hypocrite et un traître à la patrie, il me faudrait rompre le silence, que des motifs de délicatesse et de prudence m'ont fait garder jusqu'ici, et satisfaire les intéressés par une explication détaillée des circonstances qui ont occasionné la fermeture du collège Saint-Louis.

"D'un autre côté, ces explications publiquement données pourraient compromettre de graves intérêts et avoir des conséquences malheureuses. Aussi, après mûre réflexion, je me suis décidé à ne pas m'écarter de ma première résolution, c'est-à-dire à me soumettre humblement à toutes les conséquences, si pénibles soient-elles, que cet événement fâcheux et regrettable doit m'occasionner.

"J'espère que la cause de la religion, de l'Eglise et de l'Acadie ne souffrira pas de cette détermination. Espérons que c'est un mal pour un bien. Je prie donc les intéressés, pour le présent du moins, d'agréer mes excuses. Si les sentiments de l'Acadien intéressé ne lui permettent pas de m'excuser, que sa charité le porte à adoucir l'amertume et la peine d'un compatriote éprouvé dans ses affections les plus chères" (17).

Son ami, l'abbé Stanislas-J. Doucet, approuva cette prudente réserve. Il lui écrivit, dès le lendemain: "Ce silence en dit plus à lui seul que toutes les réponses que vous pourriez faire et toutes les explications que vous pourriez donner. D'ailleurs, toutes ces explications se résumeraient à celle-ci: le collège est tombé faute d'un directeur. Comme c'est Mgr l'évêque qui devait pourvoir à ce point-là, ce serait à lui d'expliquer l'affaire, s'il le jugeait à propos" (18).

Ce jugement de l'abbé Doucet nous paraît très juste. Si l'abbé Richard avait renvoyé les étudiants du collège, au mois de novembre précédent, c'est parce que Mgr Rogers renonçait à lui envoyer un prêtre pour diriger son institution. Est-ce que celle-ci ne pouvait pas fonctionner sous la conduite de professeurs laïques? Mgr Rogers le pensait. Il écrit dans son Mémoire:

---

(17) M.-F. Richard, ptre, **Le Moniteur Acadien** du 22 janvier 1883.
(18) Stanislas-J. Doucet, ptre, lettre du 23 janvier 1883.

"It could be continued such as it has been commenced and carried on before Father Biron's coming to St. Louis and such as it has been done for several years at Chatham before the coming of the Christian Brothers in the case of St. Michael's College, when only lay teachers and clerical students, not priests, performed the work of education, under the general direction of the pastor and assistant priest who fulfilled the parochial ministry" [19].

Les commentaires y allaient de leur train. Même les journaux du Québec se mirent de la partie et s'engagèrent dans de vives polémiques.

Un jour, un certain M. Thibault, avocat et journaliste, communiqua à l'abbé Richard une lettre qu'il avait reçue de Mgr Peter McIntyre, évêque de Charlottetown. Ce dernier affirmait que le collège Saint-Louis avait été fermé par la volonté arbitraire de son fondateur et non d'après celle de Mgr Rogers. En outre, il réprouvait le fait que les journaux québécois, avant de s'enquérir de la vérité, se soient lancés dans d'injustes diatribes contre les évêques irlandais des provinces Maritimes en les accusant de mauvais traitements envers les Acadiens.

"Les évêques des provinces Maritimes, écrit-il, sont animés des meilleurs sentiments à l'endroit de leurs diocésains de la langue française et, si certaines plaintes sérieusement fondées leur étaient formulées, ils s'efforceraient aussitôt de corriger les abus qu'on leur aurait signalés: *Error corrigatur quando detegatur*" [20].

La lettre de Mgr Peter McIntyre fit sortir l'abbé Richard de sa réserve. Il écrivit aux évêques des provinces Maritimes, et leur demanda de bien vouloir suspendre leur jugement à l'égard du problème de la fermeture du collège Saint-Louis jusqu'à ce que cette question soit jugée par un tribunal ecclésiastique compétent.

A son évêque, il adressa la lettre suivante:

"Je viens d'apprendre qu'un digne prélat de cette province ecclésiastique, pour lequel j'ai le plus grand respect, a pris sur lui la responsabilité d'expliquer, d'après les renseignements reçus de Votre Grandeur, les circonstances qui ont

---

(19) Mgr James Rogers, Mémoire, loco cit.
(20) Mgr Peter McIntyre, évêque de Charlottetown, lettre du 9 décembre 1884.

occasionné la fermeture du collège Saint-Louis. Ces explications ne sauraient, d'après moi, faire justice à la question. Afin de donner justice à tous les intéressés, je suis arrivé à la conclusion de porter la cause devant un tribunal ecclésiastique. Je dois à Votre Grandeur et je me dois à moi-même et à la religion de demander une investigation sérieuse à ce sujet. Rien de plus légitime que de se soumettre aux tribunaux établis, et autorisés par l'Eglise pour la protection de tous. Je ne saurais plus longtemps tolérer la situation. Voir, d'un côté, Votre Grandeur citée devant le public par une presse curieuse et non juridique et, de l'autre, me voir condamné comme un rebelle, un ennemi de la paix et un fomentateur de discorde, c'est quelque chose qui devient intolérable.

"Je demande donc à Votre Grandeur de me faire connaître les personnes qui composent votre tribunal, *judices causarum*. A défaut du tribunal diocésain, je tâcherai de faire parvenir la cause devant d'autres tribunaux ecclésiastiques. Le clergé doit avoir autant de privilèges que les religieuses qui n'ont pas été blâmées d'en avoir appelé à la cour de Rome pour des griefs d'administration épiscopale.

"Ainsi, Monseigneur, veuillez recevoir cet avertissement comme sérieusement prémédité, avec la certitude que cette détermination, adoptée après trois années d'humiliations et d'attente, sera respectueusement et canoniquement mise à exécution. Ce ne sont pas mes intérêts personnels dont il s'agit. Bien que je tienne fortement à ne pas perdre la confiance de nos vénérables prélats et du public, comme étant une propriété privée, c'est la cause de la religion, du droit et de la justice qui est en jeu" [21].

Mgr Rogers lui répondit par le retour du courrier:

"Vous vous proposez d'intenter un procès contre moi pour une certaine faute que j'aurais commise relativement à la fermeture du collège Saint-Louis. Laquelle? Vous ne la spécifiez pas. Ayant conscience de ne pas avoir fermé moi-même le collège, ni approuvé une telle décision dont vous portez l'entière responsabilité, je sais fort bien que je n'ai pas mal agi en cette affaire. Envoyez-moi un exposé

---

(21) M.-F. Richard, ptre, lettre du 12 janvier 1885 à Mgr James Rogers.

clair et précis de vos griefs, et soyez assuré que je suis disposé à vous donner la plus juste satisfaction en ce domaine, comme en toute autre matière.

"Dans notre jeune diocèse, il n'existe pas de tribunal constitué pour ces genres de causes, de sorte que, si vous avez des plaintes à formuler contre votre évêque, vous devez les porter au Métropolitain. Et dans l'Eglise catholique, le plus humble des fidèles peut toujours recourir au Saint-Siège afin d'obtenir justice.

"Mais conformément aux principes du droit, il est nécessaire que l'accusé ait connaissance des griefs portés contre lui, afin de pouvoir se défendre" (22).

Dans le texte original anglais de la lettre épiscopale ci-dessus, on lit: *"Your letter of the 12th inst., notifying me of an action which you intend to enter in some competent ecclesiastical Tribunal against me for some fault, (what it is? you do not specify), in reference to the closing of the College of St. Louis".*

Selon la pensée de Mgr Rogers, il s'agit bien d'un procès (*an action*), tandis que l'abbé Richard parle d'une "investigation sérieuse", c'est-à-dire d'une étude attentive et suivie du problème en litige, par un tribunal légitime, afin qu'à la lumière de cette investigation, les journaux cessent leurs commentaires désobligeants.

Cette nuance, le curé de Saint-Louis semble la souligner dans sa réponse du 15 janvier:

> "Je viens de recevoir votre digne lettre du 14 courant. Je vais préparer les pièces et les documents relatifs à cette question et, avant de les transmettre au vénérable Métropolitain, puisque c'est là le tribunal que vous m'indiquez, je vous ferai parvenir une copie fidèle afin de donner à Votre Grandeur le privilège qu'Elle demande si justement.
>
> "Ce n'est pas ma justification, encore moins votre condamnation que je cherche. C'est dans le but d'apporter à cette triste affaire, les éclaircissements voulus, et que la justice soit rendue à tous et à chacun. Je réfléchirai et consulterai sur l'à propos de soumettre la question à notre digne Métropolitain ou à la cour de Rome" (23).

---

(22) Mgr James Rogers, lettre du 14 janvier 1885 à l'abbé M.-F. Richard.
(23) M.-F. Richard, ptre, lettre du 15 janvier 1885 à Mgr James Rogers.

Le 7 février suivant, l'abbé Richard adressait à Mgr Rogers un long dossier exposant en détails la situation des Acadiens dans les provinces Maritimes, l'historique de la fondation du collège Saint-Louis et de toutes les circonstances qui entourèrent sa fermeture [24].

L'envoi de ce document était accompagné d'une lettre dans laquelle on relève les passages suivants:

> "Votre Grandeur, avec son bon coeur si généreux, reconnaîtra que le désir indomptable d'être utile à l'Eglise et à mes compatriotes fut le seul mobile inspirateur de mes actions, et non l'orgueil, l'ambition ou l'intérêt personnel...
>
> "Votre Grandeur voudra bien me retourner ce dossier le plus tôt possible, car je veux en finir avec cette affaire également pénible à Votre Grandeur comme elle l'est à moi-même...
>
> "Ce que je demande n'est que simple justice. Si mon évêque est disposé à me l'accorder de bonne volonté, rien de plus satisfaisant. Dans le cas contraire, je dois m'adresser ailleurs..."

L'abbé Richard croyait-il que l'évêque allait se désavouer au point de déclarer qu'il avait lui-même fermé le collège Saint-Louis? Est-ce que le refus d'accorder un prêtre à la direction du collège (cause immédiate du renvoi des étudiants en novembre 1882), serait considéré par le tribunal comme un argument péremptoire en faveur de la thèse de l'abbé Richard, quand l'institution pouvait fonctionner sous la direction de professeurs laïcs?

L'abbé Richard termine sa lettre en demandant la permission d'aller rendre visite à l'archevêque d'Halifax:

> "Je lui écris aujourd'hui pour solliciter une entrevue. Tout indigne que je suis vos faveurs, veuillez continuer à bénir un enfant qui, tout en paraissant sévère et même ingrat envers un supérieur de qui il a reçu bien des marques d'attachement et d'amitié, conserve encore le souvenir des bienfaits reçus" [25].

---

(24) Ce long dossier, en deux cahiers manuscrits, respectivement de 86 et 36 pages, que nous avons cité sous le titre de Mémoire, a été conservé dans le texte original. On le trouve au Centre d'Etudes Acadiennes de l'Université de Moncton.

(25) M.-F. Richard, ptre, lettre du 7 février 1885 à Mgr James Rogers.

L'envoi du dossier occasionna une prise de bec épistolaire entre les deux correspondants. Mgr Rogers ne voulut pas consentir à lui retourner le document "le plus tôt possible" conformément à la requête de l'abbé Richard. Il lui fallait un certain temps pour l'étudier à fond de manière à pouvoir préparer sa défense:

"Si c'est la seule copie que vous avez, lui écrit l'évêque, je vous permets de venir à l'évêché afin de la transcrire, de sorte que je puisse conserver l'original".

Mgr Rogers conclut sa lettre en autorisant le curé de Saint-Louis à se rendre à Halifax, mais délimite son itinéraire au strict minimum: "aucune autre visite que celle qu'il doit effectuer au Métropolitain, au jour et au temps fixé par lui et, retour en ligne directe, sans arrêt, afin d'être le plus tôt possible dans sa paroisse" (26).

L'abbé Richard a très vivement ressenti cette restriction draconienne. En outre, le refus épiscopal d'obtempérer à son désir d'avoir le document "retourné le plus tôt possible", accentua son mécontentement:

> "J'ai promis à Votre Grandeur de vous donner une copie fidèle du document avant de le soumettre officiellement et juridiquement à un tribunal ecclésiastique. Je suis prêt à tenir ma promesse. Mais ce dossier, je vous l'ai envoyé à la condition de me le renvoyer. En le retenant, vous prenez la responsabilité des conséquences. Je n'ai aucune objection à ce que Votre Grandeur ait ce document ou une copie, mais je prétends que c'est ma propriété et je le réclame. Je dois vous avouer franchement, Monseigneur, que je suis extrêmement désappointé sur l'attitude de Votre Grandeur concernant ce document. J'étais loin de soupçonner que ma conduite loyale et confiante envers vous serait ainsi récompensée" (27).

Pour satisfaire les exigences de son correspondant, Mgr Rogers confia à son secrétaire la tâche de transcrire intégralement le dossier et retourna l'original à son auteur (28).

---

(26) Mgr James Rogers, lettre du 13 février 1885 à l'abbé M.-F. Richard.

(27) M.-F. Richard, ptre, lettre du 16 février 1885 à Mgr James Rogers.

(28) La copie de ce document a été conservée aux archives de l'évêché de Bathurst.

Le 18 janvier de la même année, Mgr Cornelius O'Brien, archevêque d'Halifax, écrivait à l'abbé Richard:

"Je n'ai jamais entendu prononcer des paroles malveillantes à votre sujet, encore moins que vous étiez un rebelle ou un révolté . . . Les journaux, en s'immisçant dans les affaires ecclésiastiques des provinces Maritimes, le font sans mandat et sans compétence. Les évêques ont beaucoup plus raison que vous, de se plaindre de leurs diatribes . . . Comme ami, je vous conseillerais de faire en sorte que vos légitimes et généreux efforts en faveur des Acadiens ne soient pas mal dirigés et surtout mal interprétés par ceux qui cherchent à satisfaire leurs intérêts politiques . . .

"D'une manière officielle, je ne puis ajouter que ceci: Si malheureusement, vous vous sentez obligé d'en appeler à mon tribunal, je m'efforcerai, en conscience, d'agir suivant mon devoir" (29).

Le 11 février suivant, le même correspondant écrivait:

"Je vous assure que je serai des plus heureux de vous recevoir à Halifax quand vous trouverez le moment propice de venir. Je serai chez moi durant tout l'hiver. Donc, n'importe quel temps me conviendra. Il vous suffira d'apporter vos documents avec vous. Au plaisir de vous revoir . . ." (30).

Peu versé dans les subtilités des distinguos (31), l'abbé Richard n'avait sans doute pas saisi la nuance, pourtant bien définie dans la lettre du 18 janvier, entre son ancien condisciple de collège et le personnage officiel qu'était l'archevêque d'Halifax; entre le simple confident de ses déboires et le Métropolitain chargé de se prononcer sur sa cause. Aussi, revint-il de son voyage, le 27 février suivant, réconforté par l'accueil sympathique de son ami et les bonnes paroles qui lui furent adressées, mais pas plus avancé quant au jugement qui devait le disculper de sa responsabilité au sujet de la fermeture du collège Saint-Louis.

Mgr Cornelius O'Brien, on le comprend, ne voulut pas trancher une question aussi délicate.

---

(29) Mgr Cornelius O'Brien, archevêque d'Halifax, lettre du 18 janvier 1885.
(30) Idem, lettre du 11 février 1885.
(31) L'abbé Auguste Allard affirme que Mgr Richard s'en tenait aux idées générales et que les nuances et les détails lui échappaient souvent.

L'abbé Richard écrira plus tard:

"Je n'ai que des remerciements à exprimer à Mgr O'Brien pour sa courtoisie et sa charité toute paternelle. Ses conseils et ses paroles d'encouragement m'ont été d'un grand secours.

"Comprenant combien il était difficile et délicat pour Sa Grâce de se prononcer dans une telle cause, je me suis borné à demander des avis charitables pour ma conduite personnelle" (32).

De retour à Saint-Louis, l'abbé Richard ne tarda pas à constater un revirement d'attitude chez son évêque. Celui-ci s'enferma dans une froide réserve dont il ne sortira obligatoirement que pour lui signaler des manquements, lui exprimer des reproches ou lui refuser des permissions. Le procès canonique que le curé de Saint-Louis s'était proposé d'intenter avait raviné le fossé et consommé la rupture entre lui et son évêque.

Ce fut une grave erreur dont il n'avait probablement pas envisagé toutes les conséquences et dont il devra porter tout le poids de l'amertume. Il n'avait pas compté sur la ténacité de Mgr Rogers, ni prévu les hasards de la politique, même religieuse.

Le glas, avec son timbre lugubre, venait de sonner annonçant l'extinction d'une amitié qui nous avait paru si belle. L'abbé Richard était entré dans les tourments de la disgrâce.

---

(32) M.-F. Richard, ptre, lettre du 16 août 1891 à Mgr James Rogers.

L'intérieur de l'église de Rogersville
dont la construction commença en 1888.

CHAPITRE XI

DANS LES TOURMENTS DE LA DISGRÂCE

Il aurait manqué un fleuron à sa couronne si l'abbé Marcel-François Richard, conduit jadis jusqu'aux limites du pénitencier comme prix de son dévouement à la cause de la religion, n'eût pas connu cet autre supplice moral, propre aux âmes d'élite: la disgrâce.

Doit-on s'en étonner? Son nom s'ajoute à la liste assez longue d'hommes et de femmes célèbres: un saint Jean de la Croix, un saint Alphonse de Ligouri, un saint Jean-Baptiste de la Salle, une sainte Thérèse d'Avila et, plus proche de nous, une Mère Marie-Anne, fondatrice des Soeurs de Sainte-Anne qui eurent à souffrir, non pas toujours des ennemis de la religion, mais de leurs coreligionnaires, voire de leurs supérieurs hiérarchiques ou de leurs guides spirituels. Tel ce Père Anizan, supérieur général de son Institut, dénoncé à Rome par un des membres de sa congrégation comme trop moderne dans ses idées et qui, déposé par la Sacrée Congrégation des Religieux, se retira dans le silence de l'anonymat, humblement soumis aux vues providentielles, acceptant sa disgrâce comme récompense de ses héroïques travaux [(1)].

Même d'éminents laïcs n'ont pas échappé à cette épreuve. Le cas du Maréchal Pétain, après la seconde guerre mondiale, est trop bien connu pour que l'on puisse mettre en doute cette fatalité incohérente de certains événements qui tranchent sur la logique humaine et nous forcent à recourir aux voies insondables de la Providence pour les expliquer.

A l'abbé Richard, le premier signal de sa disgrâce fut donné par son transfert à la pauvre mission de Rogersville. Son évêque lui écrivit:

---

(1) Daniels Rops, **Un Combat pour Dieu**, Fayard 1963, p. 835.

"Lors de ma récente visite au Madawaska, j'ai fait part à l'abbé Joseph Pelletier de mon intention d'opérer quelques changements ecclésiastiques exigés par l'intérêt de la religion, dans notre diocèse. J'ai voulu consulter l'abbé Pelletier qui, après l'abbé Egan, est le plus ancien prêtre du diocèse, afin de connaître ses préférences dans le cas où il serait concerné par ces changements. Il m'a répondu que, l'an dernier, à l'occasion de sa visite chez vous, vous lui aviez manifesté votre désir de le voir vous succéder à Saint-Louis dans l'éventualité de votre transfert dans une autre mission. Puisque les églises de Saint-Louis et de Saint-Ignace sont maintenant exemptes de dettes, j'ai pensé, en reconnaissance de ses mérites, de le nommer à Saint-Louis où il ne sera pas trop surchargé par d'épuisants labeurs.

"D'autre part, votre énergique jeunesse et votre actif tempérament, ainsi que le désir jadis exprimé par vous dans ce sens, m'inclinent à penser que Rogersville, avec sa population accrue, serait l'endroit tout désigné pour vous.

"En conséquence, vous voudrez bien vous préparer de manière à pouvoir prendre charge de la mission de Rogersville au début du mois de septembre prochain. Mais ce changement ne sera pas effectué si vous avez commencé contre moi les procédures signalées au mois de janvier. Car, tout acte administratif épiscopal, à l'égard d'un prêtre qui en appelle au Saint-Siège contre son évêque, demeure en suspens jusqu'à la décision du Souverain Pontife. Veuillez donc avoir l'obligeance de m'avertir le plus tôt possible si vous avez déjà mis votre projet à exécution, ou si vous avez l'intention de le poursuivre" [2].

L'occasion était belle, pour l'abbé Richard, de signifier son désistement qui très probablement eut abattu le mur que sa détermination de recourir aux tribunaux ecclésiastiques avait édifié entre lui et son évêque.

Le problème n'était pas aussi facile. Aux yeux de l'abbé Richard, il ne s'agissait pas d'une question de prestige personnel, mais national. En frappant un collège fondé dans l'intérêt des Acadiens, le coup avait rebondi sur tout le peuple. Son désistement, en l'occurrence, eut implicitement signifié qu'il assumait toute la

---

(2) Mgr James Rogers, lettre du 2 juillet 1885 à l'abbé M.-F. Richard, ptre.

responsabilité dans la fermeture de son institution et, par le fait même, exonérait son évêque de tout blâme.

Fermement convaincu que Mgr Rogers s'était servi de moyens détournés pour étouffer "petit à petit" le collège Saint-Louis, l'abbé Richard ne pouvait donc pas revenir sur sa décision [3].

Sa réponse laisse à entendre qu'une procédure reste toujours possible, suivant les événements et les circonstances:

> "Votre lettre du 2 courant, m'annonçant mon changement, m'est parvenue. Je savais déjà, par mon successeur, l'abbé Joseph Pelletier, que sa nomination et la mienne étaient un fait accompli, bien que je n'eusse reçu aucun avertissement de mon évêque [4]. Dans sa lettre, qui semble avoir été suggérée par Votre Grandeur, l'abbé Pelletier affirme avoir été "constamment sollicité" par vous d'aller à Saint-Louis, et que vous étiez absolument décidé de me changer à l'automne. Ce ne sont pas les mêmes raisons que vous indiquez dans la lettre officielle.
>
> "Dans tous les cas, je n'ai rien à dire ou plutôt, j'aime mieux ne rien dire et faire le sacrifice demandé, sans aucun commentaire. Votre Grandeur est absolument libre de suivre sa détermination, puisque c'est le besoin de la religion qui exige un tel changement. Il n'existe, à ma connaissance, aucun empêchement à cet acte d'administration épiscopale. Quant à mes intentions pour l'avenir, je me réserve le privilège de me décider d'après les circonstances et les événements" [5].

Un tel changement ne prenait pas l'abbé Richard par surprise, puisque l'évêque l'en avait prévenu au début de janvier 1883:

> "Vous devrez, au cours de la présente année, finir de payer le montant de la dette qui vous reste à solder, afin d'être prêt, au jugement de votre Ordinaire, à quitter Saint-

---

(3) A propos de la lettre adressée au vicaire général, lettre citée au chapitre VIII, l'abbé Richard écrit dans son Mémoire :
"C'était un exposé franc et sincère qui ne saurait être inspiré par la malice. Tout ce que je dis, c'est pour montrer que ma position est insupportable et que c'est vouloir étouffer petit à petit le collège Saint-Louis par des moyens non-compromettants".

(4) L'abbé Richard avait déjà été informé de la décision épiscopale par une lettre de l'abbé Pelletier.

(5) M.-F. Richard, ptre, lettre du 8 juillet 1885 à Mgr James Rogers.

Louis pour prendre charge d'une autre mission dans le diocèse.

> "Le paiement de la dette sur l'église de Saint-Louis fut la principale raison pour laquelle j'avais restitué les choses dans leur statu quo, quand vous avez si curieusement et si arbitrairement résigné vos fonctions de président et de procureur à un moment aussi critique de l'existence du collège Saint-Louis" (6).

Le transfert de l'abbé Richard à Rogersville fut interprété par le public comme une disgrâce. L'abbé Stanislas Doucet lui écrivit:

> "Inutile de vous dire combien j'ai été peiné, mortifié et même scandalisé de la position qu'on vous a faite dans le diocèse. Vous connaissez assez bien mes dispositions à votre égard pour croire que je pourrais être indifférent à la manière dont on a agi envers vous, quand même je ne vous ferais pas part de mes vues au moment où les différentes éventualités arrivent au grand jour.
>
> "S'il fallait absolument vous ôter la paroisse de Saint-Louis, pourquoi Monseigneur ne vous envoyait-il pas en quelque endroit dans le diocèse qui ne ferait pas croire au public qu'il commet une criante injustice à votre égard? Je demande cela comme si je pouvais l'ignorer! Tout ce que j'espère, c'est que vous n'avez pas consenti aux ordres de l'évêque, mais que vous avez seulement obéi! Quel train! Quel bouleversement de tous côtés" (7)!

Au point de vue humain, l'argument de l'abbé Doucet n'était pas dénué de fondement. Après avoir accompli les oeuvres que l'on sait, l'abbé Richard aurait certainement mérité une paroisse qui, aux yeux du public, eût paru comme une promotion. Rogersville n'était encore qu'au stage d'une modeste mission, munie d'une chapelle provisoire et trop étroite pour répondre aux besoins d'une population croissante.

Il allait falloir tout recommencer: bâtir une église, un presbytère, un couvent, des écoles, etc., et cela, avec de faibles moyens, eu égard à l'extrême pauvreté des citoyens (8).

---

(6) Mgr James Rogers, lettre du 1er janvier 1883 à l'abbé M.-F. Richard.
(7) Stanislas-J. Doucet, ptre, lettre du 16 octobre 1885.
(8) Nous le verrons plus loin.

"Dans toute vie humaine, il advient que tel fait se produise dont on se réjouira et se glorifiera par la suite, qu'on a pas véritablement voulu et que même, sur le moment, on a pu considérer avec méfiance" (9).

Cette parole de Daniel Rops s'est vérifiée à la lettre dans le cas du nouveau curé de Rogersville. Les voies de Dieu sont parfois déroutantes à l'esprit humain. Même si une petite vengeance mesquine à l'endroit de l'ancien supérieur du collège Saint-Louis pouvait être à l'origine de cette décision épiscopale, Mgr Rogers fut l'instrument inconscient d'une Providence qui, toujours un peu mystérieuse dans ses desseins, s'est servie de l'abbé Richard pour opérer une grande oeuvre: la colonisation de Rogersville.

Grâce à sa proximité de la voie ferrée qui relie Montréal à Halifax, cette nouvelle paroisse, sortie de la forêt immense et vierge de 1870, serait pendant longtemps plus importante que celle de Saint-Louis (10).

Arrivé à Rogersville, au début de septembre 1885, le nouveau missionnaire se mit à l'oeuvre. La tâche n'était pas facile. Exploités par des profiteurs sans scrupule, les colons vivaient très pauvrement. L'abbé Richard dut forcément se mêler d'affaires temporelles, moyens indispensables de les soustraire à la misère.

S'intéressant d'abord à l'industrie de la coupe du bois, il sollicita, sans succès, des autorités de la voie ferrée, un tarif de faveur dans le but de faire transporter le bois à Québec où s'offraient des débouchés avantageux.

Il poussa même la hardiesse jusqu'à demander à son évêque la permission de se rendre à Ottawa:

> "Mon but, en prenant l'intérêt dans cette organisation, c'est de prévenir la répétition de la crise du printemps dernier. Je ne connais rien qui peut aider autant les colons que cette industrie . . . Dans le but de favoriser ce projet et de battre le fer tandis qu'il est chaud, je vous ai envoyé un télégramme mercredi dernier, sollicitant l'autorisation

---

(9) Daniel Rops, l'Eglise des temps barbares, 2e ed., Paris 1956, p. 479.

(10) Mgr Rogers écrit dans son Mémoire : "Now, of all these missions, Rogersville is the most numerous, the most conveniently and prominently situated, with the Intercolonial Railroad passing through the middle of it". La paroisse de Saint-Louis fut, durant plusieurs années, un peu isolée. Depuis l'avènement de l'automobile, la situation a beaucoup changé.

de me rendre à Québec. Jusqu'ici, je n'ai reçu aucune réponse. J'ignore si Votre Grandeur a recu mon télégramme ou si Elle approuve le projet et qu'Elle soit disposée à m'accorder la permission demandée. Si Elle désapprouve mes démarches et juge à propos que je ne fasse pas cette visite, je me soumettrai sans critique. A l'imposible, nul n'est tenu" (11).

Mgr Rogers lui répondit:

"Votre lettre du 27 février m'est parvenue seulement aujourd'hui. Envoyé sitôt après votre visite à l'évêché, votre télégramme sollicitant l'autorisation d'aller à Québec, sans mentionner pour combien de temps, me laissa dans l'incertitude sur ce que je devais faire. Une absence de trois ou quatre jours pourrait vous être accordée. Mais d'après votre lettre, je me rends compte que votre absence durera deux semaines et, de plus, vous voulez vous rendre à Ottawa dans l'intérêt d'affaires purement temporelles que des laïcs intelligents (intelligent laymen) pourraient accomplir.

"Je ne puis pas vous permettre une telle absence à cette saison de l'année, d'autant moins qu'il ne convient pas de vous faire remplacer par un jeune prêtre, dans une colonie aussi nombreuse et aussi nouvelle que celle confiée à votre garde. Vous êtes un prêtre et non un commerçant. Tout en conseillant, dirigeant et en encourageant votre bonne population dans ses entreprises, il n'est pas nécessaire, ni expédient, ni prudent que vous deveniez vous-même leur homme d'affaires dans des matières qui sont exclusivement du ressort des laïcs. Non seulement la loi de l'Eglise s'y oppose, mais même une sage politique.

"Accomplissez tout le bien que vous pouvez accomplir dans votre domaine, en travaillant modestement, fidèlement et avec ardeur dans l'intérêt de votre troupeau, mais laissez aux laïcs, bien conseillés et dirigés, le soin d'exécuter la tâche qui leur revient" (12).

L'abbé Richard ne pensait pas avoir aussi notoirement transigé avec les règles canoniques ou celles de la prudence:

---

(11) M.-F. Richard, ptre, lettre du 27 février 1886.

(12) Mgr James Rogers, lettre du 1er mars 1886.

"D'abord, je ne prétends pas accumuler de l'argent en banque pour mon bénéfice personnel, ni pour celui de mes parents, encore moins pour faire servir mes revenus au profit des étrangers. Je considère que mes compatriotes et coreligionnaires ont plus droit à ces services que les étrangers. L'argent de nos missions acadiennes n'a jamais servi à notre avancement pour la raison que le clergé avait des sympathies plus prononcées pour les leurs. En ce qui me concerne, je veux travailler dans l'intérêt de l'Eglise et des enfants du pays. C'est là ma ligne de conduite, et je crois que Votre Grandeur me rendra le témoignage d'avoir toujours été fidèle à ce principe".

Brossant ensuite un tableau rétrospectif de ses activités à Saint-Louis, l'abbé Richard a recours à l'argument d'analogie:

"Mgr Sweeney a permis à l'un de ses prêtres de construire un moulin dans une de ses missions, et l'évêque d'Arichat a fait de même. Pourquoi la chose ne serait-elle pas permise ailleurs" [13]?

La chose s'imposait d'autant plus impérieusement que la situation des colons de Rogersville, avec leurs terres hypothéquées et endettées, se trouvait dans une condition voisine de la misère. Il fallait à tout prix reconquérir leurs propriétés et leur fournir des moyens de subsistance.

L'abbé Richard continue:

"Malgré les trop grandes responsabilités déjà assumées, je n'ai pu résister à la pression, en voyant la détresse des citoyens. J'ai fait des emprunts aux banques en faveur des colons, et j'ai pris les terres comme garantie. De plus, afin d'établir un commerce basé sur des principes équitables et justes, j'ai organisé un magasin général administré par un homme de confiance et d'expérience. Il vend, achète et s'occupe de tout; je reçois une rente pour le loyer des bâtisses, et une part des revenus.

"La colonie existe depuis dix ans et elle n'a pas de moulin, ni pour moudre le grain, ni pour scier le bois, condition impossible dans une nouvelle colonie. Devant le

---

(13) Quand il était curé à Saint-Louis, l'abbé Richard avait fait construire un moulin à la mission de Saint-Charles. Cette initiative n'avait pas alors été désapprouvée par l'évêque.

refus des MM. Buckley de construire à leurs frais le moulin indispensable, j'ai contracté des emprunts à cette fin et confié la charge à un homme compétent, en ne croyant pas que ces démarches et ces transactions étaient contraires aux lois canoniques.

"Votre Grandeur me répond que le but de mon voyage est "*simply on secular business which ought to be effected by intelligent laymen*". Il ne s'agit pas d'affaires purement séculières, ni de spéculation, mais de venir en aide à une colonie catholique, à des malheureux qui requièrent quelque chose de plus que le bon vouloir d'hommes séculiers, d' "*intelligent laymen*".

"Votre Grandeur ajoute: "*You are a priest, not a merchant*". Est-ce que le bon pasteur ne doit pas se faire tout à tous? Est-ce que la dignité sacerdotale serait amoindrie en favorisant de pauvres esclaves qui n'ont d'autres appuis que la protection de leur pasteur? Dans ce cas, la dignité épiscopale elle-même a été avilie plus d'une fois. Dans l'histoire politique de notre pays, nous voyons ces hauts dignitaires se mêler d'affaires séculières moins importantes que celles dont il s'agit maintenant . . .

"Pardonnez-moi, Monseigneur, si je laisse parler mon coeur trop librement. Après dix années d'expérience dans ces colonies, je me suis habitué à sympathiser avec les colons, et je sens le besoin de défendre leurs intérêts et de faire valoir leurs justes réclamations" [14].

Ce long plaidoyer, dont nous avons reproduit les idées principales, ne manquait ni de vigueur, ni de force persuasive. Dans les circonstances, il perdait toute sa valeur aux yeux d'un évêque qui demeurait toujours sous la menace d'un recours possible aux tribunaux ecclésiastiques.

Si l'abbé Richard avait humblement révoqué son appel, Mgr Rogers aurait probablement fermé les yeux sur des transactions commerciales qui, en définitive, étaient motivées par un très noble but, celui de soustraire les colons de Rogersville à la misère. Mgr Rogers l'insinue dans sa lettre suivante et l'explicitera davantage dans celle du 31 décembre 1888, que nous citerons plus loin.

---

(14) M.-F. Richard, ptre, lettre du 4 mars 1886 à Mgr James Rogers.

Le 13 novembre de la même année, le curé de Rogersville sollicita la faveur d'un congé dont il aurait un pressant "besoin pour refaire ses forces physiques et morales" (15).

L'évêque lui répondit par un refus:

"Je dois vous dire que je ne suis pas du tout disposé à vous accorder le congé demandé. Je vous retourne votre lettre. Vous savez que, par devoir, j'ai résolu depuis longtemps de me montrer très réservé à votre sujet, parce que vous avez abusé de la clémence avec laquelle je vous ai toujours traité.

"En plus, au mépris de toutes les règles canoniques, les nombreuses propriétés dont vous vous êtes porté acquéreur en faveur des bonnes gens de Rogersville et dont l'annonce fut publiée dans les journaux, et même dans le registre officiel, ajoutent un nouvel embarras.

"Je comprends très bien les raisons alléguées pour légitimer votre mode d'agir, c'est-à-dire empêcher les spéculateurs d'endetter vos paroissiens et, ensuite les déposséder de leurs biens. Je comprends toute la force de cet argument. Mais si vous veniez à mourir ou incapable de rencontrer vos obligations financières dans un avenir rapproché, qui empêcherait vos créanciers ou vos héritiers naturels de déposséder toutes ces bonnes gens de leurs propriétés enregistrées sous votre nom? Il m'est donc impossible d'approuver votre manière d'agir si irrégulière et si arbitraire, quoique j'éprouve la plus chaude et la plus sincère sympathie à l'égard des gens que vous voulez protéger.

"Je désapprouve fortement votre conduite si contraire aux règles canoniques et à celle d'un bon prêtre. Ma sympathie envers ces personnes me porte à temporiser et à patienter, avec l'espoir que vous finirez par tout mettre en ordre avant que je sois obligé de recourir aux sanctions qui s'imposent. J'espère que vous recevrez cette amicale et aimable monition dans un vrai et juste sens, et que vous ne perdrez aucun temps afin de régulariser au plus tôt cette situation" (16).

---

(15) M.-F. Richard, ptre, lettre du 13 novembre 1886 à Mgr James Rogers.
(16) Mgr James Rogers, lettre du 15 novembre 1886.

Dans la flamme de son zèle et le souci de sortir les indigents de la misère, l'abbé Richard ne se laissait-il pas trop souvent emporter au-delà des possibilités immédiates? Les terres dont il se portait acquéreur, ses emprunts aux banques pour venir en aide aux colons, tout cela inquiétait fortement Mgr Rogers.

Le curé de Rogersville n'avait-il pas écrit à son évêque que la cause de ses embarras financiers provenait "surtout des argents empruntés aux banques au printemps de 1885, et pour avoir imprudemment endossé des notes en faveur des marchands qui ont fait faillite" (17)?

Le 18 juin 1888, l'abbé Richard demanda la permission de tenir un bazar ou pique-nique dans le courant de l'été, soit vers le 15 août, soit durant la période de transition entre la fenaison et la moisson. Les fondations de la nouvelle église seront achevées à la fin du mois de juin, et la charpente montera au début de juillet.

> "Il nous faudra de l'argent pour défrayer le coût de cette construction, car notre intention est de couvrir la bâtisse en bardeaux, dès cette année: le bazar étant le moyen le plus propre à réaliser des fonds... Nous aimerions également avoir la bénédiction de la pierre angulaire à cette occasion. La fête de l'Assomption serait un beau jour pour cette cérémonie.
>
> "Immédiatement après la cérémonie, soit vers midi, commencerait le bazar, avec tous les amusements qui se continueraient durant deux jours. Il est entendu que si Votre Grandeur ne pouvait pas convenablement présider la bénédiction des fondations, Elle pourrait fixer une autre date, celle qui lui conviendrait la mieux. Tout ce que nous désirons, c'est de rencontrer les vues de Votre Grandeur et de faire notre possible pour réussir. Il est important que nous sachions à quoi nous en tenir, dans le plus bref délai possible. Si Votre Grandeur désire me voir personnellement pour recevoir ses ordres, je me rendrai à Chatham, au jour fixé par Elle" (18).

Mgr Rogers ne lui répondit qu'à son retour du Madawaska:

"Vous me demandez si vous pouvez tenir un bazar après la bénédiction de la pierre angulaire de votre nouvelle église,

---

(17) M.-F. Richard, ptre, lettre du 4 juillet 1888 à Mgr James Rogers.
(18) M.-F. Richarl, ptre, lettre du 18 juin 1888 à Mgr James Rogers.

le 15 août prochain. A cette question, je réponds: oui. Comme il n'est pas probable que je serai présent à cette cérémonie, je vous accorde la permission de bénir vous-même la pierre angulaire de votre église, en cette occasion. Concernant le bazar, je confirme simplement l'autorisation déjà accordée lors de ma dernière visite pastorale, l'année dernière à Rogersville.

"Je renouvelle et confirme également la monition que j'ai cru nécessaire de vous adresser de vive voix, en présence des abbés Pelletier, Comeau, Bannon et Toyner, quand vous êtes venu à Chatham au dernier jour de l'an. Cette monition se référait au ton et au style ampoulé (bombastic) et extravagant de vos écrits et de vos appels publics dans l'intérêt de votre nouvelle église de Rogersville.

"Votre lettre, publiée dans le Moniteur Acadien en rapport avec vos embarras financiers, était de telle nature que je me vois forcé de me montrer très réservé à votre égard, et d'exercer sur vous une constante surveillance. Dans votre propre intérêt, aussi bien que celui de la charité et de la religion, je vous engage à vous maintenir scrupuleusement dans les limites de la vérité, de la justice et de la décence chrétienne et cléricale. Il y a dans le diocèse d'autres oeuvres aussi importantes, sinon plus que celles de Rogersville.

"N'oubliez pas que vous êtes un prêtre, non un marchand, un commerçant de bois ou un membre du parlement, et que vous devez travailler en vue de la gloire de Dieu et de l'expansion de son Eglise. Souvenez-vous aussi qu'il existe dans le diocèse d'autres prêtres qui sont fidèles à leur vocation, et dévoués au bien spirituel et aux intérêts temporels de leurs ouailles" (19).

Devant ce plat fortement épicé que lui servit l'évêque, l'abbé Richard tenta de l'édulcorer:

"Les remarques que Votre Grandeur, dans sa sollicitude paternelle, veut bien me faire, quoique pénibles, sont loin de me froisser. Je les reçois avec soumission et reconnaissance. Je comprends que mes embarras financiers et mes liaisons avec certaines organisations commerciales sont de

---

(19) Mgr James Rogers, lettre du 1er juillet 1888.

nature à contrarier Votre Grandeur. J'aimerais cependant qu'Elle n'y verrait pas de malice, ni de mauvaise volonté si toutefois, comme je l'admets volontiers, il y a eu des imprudences et des extravagances. Dans le désir de rendre service, on est porté à commettre bien des imprudences... J'implore donc votre clémence et votre charité, même si j'en suis indigne...

Après avoir fait l'apologie de sa conduite dans l'organisation temporelle de la mission de Rogersville, il assure son évêque qu'il conserve toujours envers lui la même affection que par le passé au point que "ses peines et ses chagrins lui sont plus pénibles que ses propres chagrins', et qu'il s'efforce de trouver les moyens de régler ses affaires au plus tôt, dut-il le faire en sacrifiant ses nuits. Enfin, il conclut:

"Dans mes moments d'ennuis, j'aurais tout abandonné et pris la décision de me retirer dans un monastère ou de m'éloigner du champ de combat; mais l'idée de quitter mon évêque, mon pays et le diocèse fut pour moi le plus grand des sacrifices. Je serais toutefois prêt à le faire, si je croyais que Votre Grandeur serait d'accord, et qu'elle verrait dans cette décision un moyen d'assurer son propre confort, sa plus grande paix et le bien de l'Eglise" (20).

Ce panégyrique (21), où le sentiment prime sur la logique du raisonnement, esquivait le fond du problème. Toujours sous la menace, non révoquée, des procédures signifiées très formellement en janvier 1885 (22), Mgr Rogers doutait sérieusement de la bonne foi de l'abbé Richard. Dans une telle conjoncture, il était difficile de lui tendre la branche d'olivier.

Il écrit dans son Mémoire:

"L'abbé Richard m'avait envoyé, dans un style en quelque sorte pénitentiel, une lettre implorant miséricorde. Bien que ses sentiments fussent de nature à exciter ma pitié, il n'avait toujours pas retiré son appel devant les tribunaux ecclésiastiques. Les années se succédèrent, les unes après les autres, sans que je n'eusse entendu parler de ses intentions" (23).

---

(20) M.-F. Richard, ptre, lettre du 4 juillet 1888.

(21) Nous n'avons cité que les principaux passages de cette lettre.

(22) Voir le chapitre précédent.

(23) Mgr James Rogers, Mémoire, loco cit.

On reste étonné en voyant, chez l'abbé Richard, tant d'efforts pour recouvrer les bonne grâces de son évêque, tout en le maintenant sous la menace d'une procédure possible devant les tribunaux.

Légèreté? Oubli? Mgr Rogers, lui, ne l'oubliait pas. Ses objurgations réitérées contre les activités commerciales du curé de Rogersville n'étaient, en somme, qu'un mécanisme de défense devant le spectre d'une dénonciation au Saint-Siège. Les dénonciations n'ont jamais souri à personne, encore moins aux supérieurs qui, pour s'en défendre, ont souvent recours au procédé que les psychologues modernes appellent la rationalisation. Les activités commerciales servaient de prétexte pour légitimer l'attitude agressive de l'évêque à l'endroit de l'abbé Richard. La suite nous le démontrera.

Le 29 décembre suivant, l'abbé Richard s'est résolu à une dernière tentative en vue de la réconciliation:

> "Votre Grandeur sera heureuse de voir que je m'efforce de sortir de mes embarras financiers et de l'état anormal dans lequel je me suis trouvé depuis quelque temps. Il ne s'agit pas maintenant de justifier ma conduite: je suis déjà jugé. Il s'agit de mettre ordre aux affaires le mieux possible. Je désire me dégager de toute responsabilité personnelle dans les affaires, et d'en confier la charge à une société compétente et autorisée. Je serais donc très heureux, si de telles démarches pouvaient rencontrer l'approbation et la bienveillance de Votre Grandeur . . .
>
> "Voyant la beauté et les résultats merveilleux de la réconciliation du ciel et de la terre, fruit de la naissance de l'Homme-Dieu, je me sens naturellement porté à désirer et à chercher une réconciliation avec celui dont la confiance et l'appui serviraient efficacement la cause de l'Eglise et de la patrie. La distance entre un Dieu outragé et l'homme pécheur n'a pourtant pas de proportion avec celle qui existe entre un supérieur ecclésiastique et son humble sujet. Pourquoi donc des coeurs qui ont été si intimement unis resteraient-ils froids et isolés en présence du spectacle sublime qui se déroule sous nos yeux à l'occasion de la fête de Noël? Dieu ne s'est pas rabaissé en venant rencontrer sa créature ingrate et pécheresse, en lui remettant ses fautes et en oubliant ses erreurs . . .
>
> "Je me propose donc d'imiter l'exemple de l'enfant prodigue, au début de la nouvelle année, et de reprendre le

chemin de la maison paternelle. Si je ne suis pas jugé digne d'être considéré comme un enfant, j'espère, du moins, ne pas l'être comme un ennemi" (24).

Une telle lettre n'eut pas l'effet escompté. Dans sa réponse, Mgr Rogers dévoile très aigrement la véritable raison de ses récriminations:

"En toute franchise, mais sans malveillance, je préfère que vous ne veniez pas à l'évêché, à l'occasion du nouvel an. Votre persistance à gérer, sans autorisation et d'une manière aussi irrégulière, vos affaires temporelles et dont l'évidence s'accroît chaque jour, — ce qui risque de dégénérer en désastre pour les autres et de déshonorer le sacerdoce en votre personne —, m'empêchent, en ce moment, de vous exprimer une cordiale et sincère amitié. Je préfère donc ne pas recevoir votre visite. De toute évidence, votre profession d'amitié ne peut être qu'un simulacre. Si vous veniez me voir, je ne pourrais que vous dire à l'instar de Jésus à Judas: "Mon ami, pourquoi êtes-vous venu"? Dans la situation présente de vos affaires, si peu satisfaisante, le plus que je puisse faire, c'est de tolérer votre pastorat à Rogersville, de telle sorte que vous puissiez en arriver à stabiliser l'état des choses et à réparer, si c'est possible, les erreurs du passé.

"Jusqu'au jour où vous vous êtes décidé d'intenter un procès contre moi devant un tribunal ecclésiastique, je vous ai toujours traité avec bienveillance et cordialité, en m'efforçant d'être le plus paternel possible dans les monitions que j'ai cru devoir vous adresser. Vous avez néanmoins persévéré dans votre attitude d'auto-suffisance et de manque de simplicité, ce qui m'oblige, par devoir et prudence, à me montrer très réservé à votre égard, tout en ne cessant pas d'être vigilant. Si à l'avenir, vous continuez à user de ce ton ampoulé, arrogant et irrégulier, lequel met en évidence votre totale absence d'humilité et de simplicité cléricales, votre pastorat à Rogersville sera forcément toléré. Et il cessera si, ne profitant pas des leçons du passé, vous ne vous appliquez pas à redresser votre manière d'administrer, à vous abstenir prudemment de tout ce qui est étranger ou

---

(24) M.-F. Richard, ptre, lettre du 29 décembre 1888 à Mgr James Rogers.

incompatible avec votre ministère; si vous ne vous montrez pas plus réservé dans votre recours aux journaux, dont les communiqués vous procurent, sans doute, une certaine notoriété et satisfaction personnelle, mais qui ne sont à l'avantage d'aucune bonne cause. Votre ministère à Rogersville tombera donc à cause de ses propres déficiences. C'est assez pour le moment.

"Je vous écris ceci, non dans le but de vous faire du tort, mais en toute simplicité, afin de vous mettre en garde, et en vue de votre bien.

"Si, comme ce fut le cas par le passé, vous ne tenez aucun compte de mon avertissement, votre déchéance en résultera aussi logiquement que votre faillite dans l'opération de vos moulins, de vos emprunts aux banques et de vos prêts d'argent. Le *non serviam* a poussé Lucifer au *quid sit Deus* et a entraîné sa chute. Cet exemple doit vous ouvrir les yeux sur ce qui peut se produire de nouveau, comme châtiment de l'orgueil et de l'auto-suffisance. Avec mes meilleurs voeux et que Dieu vous garde" (25).

Ces admonestations, si rigoureuses dans leur teneur, semblaient se heurter à un mur. Quelques jours après, les 6 et 9 janvier, l'abbé Richard écrivit deux lettres à son évêque, pour soumettre à son approbation une croisade de prières qu'il se proposait d'organiser en vue de favoriser la cause de la colonisation dans les provinces Maritimes:

> "La colonisation intéresse nos provinces à un haut degré. Elle est d'une importance majeure, au double point de vue religieux et civil. La colonisation est le moyen de combattre l'émigration qui conduit à la ruine. A l'instar de Mgr Ireland et de Mgr Fabre qui se sont intéressés à cette oeuvre, les évêques des provinces Maritimes, sans sortir de leur sphère d'action spirituelle, pourraient avantageusement encourager l'oeuvre de la colonisation de leur haute approbation" (26).

Il fallait s'y attendre, Mgr Rogers garda le silence.

Voyant ses intentions mal interprétées et que tous ses efforts pour en arriver à un *modus vivendi* demeuraient inutiles, l'abbé Richard se décida à quitter le diocèse :

---

(25) Mgr James Rogers, lettre du 31 décembre 1888.
(26) M.-F. Richard, lettre du 6 janvier 1889.

"D'après ce qui s'est passé depuis quatre ans, et surtout depuis votre lettre du 31 décembre dernier, il ne me reste plus d'autre alternative que celle de demander la permission de m'agréger à un autre diocèse".

Portant ensuite un regard sur le passé, évoquant ses activités, ses luttes, et ses difficultés antérieures, il rappelle qu'en 1887, lors de la visite pastorale, l'évêque avait fait publiquement son éloge dans l'église d'Acadieville et approuvé toutes ses démarches qui lui étaient alors bien connues :

"Mon administration n'a guère changé depuis. Je n'ai fait que continuer l'organisation et consolider l'établissement des colonies. En voulant soulager l'opprimé et organiser une marche progressive dans ces colonies, j'ai contracté des dettes et assumé des responsabilités onéreuses en faveur des colons. Or, dans mes efforts pour en arriver à un terme satisfaisant et avantageux pour tous les intéressés et mettre les choses en règle, on me poursuit sans trève, et on me refuse les privilèges accordés aux autres enfants de la famille; on me repousse de la maison paternelle. Je n'ai plus le privilège de m'asseoir à la table de mon père. Judas, malgré sa trahison, a été mieux partagé. Il a eu la pleine liberté de s'approcher de son Maître et d'être appelé "*Amice*"; s'il n'a pas reçu le pardon, c'est qu'il ne l'a pas demandé; il ne saurait reprocher au Seigneur de l'avoir repoussé".

Après avoir évoqué la parabole de l'enfant prodigue, dont le Christ s'est servi pour illustrer l'infinie miséricorde de Dieu envers les pécheurs, l'abbé Richard conclut:

"Puisque mon éloignement ou mon rapprochement offensent tellement Votre Grandeur au point que je ne puisse avoir aucun accès auprès d'Elle; puisque mon administration est tellement défectueuse qu'elle menace d'attirer le scandale dans l'Eglise, et de compromettre des intérêts importants; puisque mon pastorat à Rogersville n'est que toléré et doit nécessairement cesser bientôt; puisque toutes les marques d'amitié pour mon évêque sont considérées comme simulées; puisque je suis plus indigne, à ses yeux, que Judas et aussi perfide que Lucifer; s'il faut, pour la paix et la sécurité publique que je sois surveillé comme un scélérat, le temps est donc arrivé pour moi de m'éloigner, afin de tranquilliser les esprits. Je ne saurais être utile au diocèse avec de pareils préjugés contre moi. Mon départ ne peut que donner satisfaction à tous ceux qui ont prétendu voir dans mes démarches un intérêt trop prononcé pour l'élément acadien" [27].

Ainsi, l'abbé Richard croyait que ses activités patriotiques étaient à l'origine du différend qui existait entre lui et son évêque. Il oubliait, sans doute, que sur ce dernier, pesait toujours la menace, non encore révoquée, d'un recours à un tribunal ecclésiastique. Il ne semble pas avoir saisi toute la portée de cette phrase, lourde de signification, que Mgr Rogers écrivait dans sa lettre du 31 décembre précédent :

> "Jusqu'au jour où vous vous êtes décidé d 'intenter un procès contre moi devant un tribunal ecclésiastique, je vous ai toujours traité avec bienveillance et cordialité" [28].

Si l'abbé Richard avait humblement révoqué son appel devant les tribunaux, est-ce que son évêque se serait conduit avec plus d'aménité à son égard ?

Après tout ce que nous savons de la bienveillance de Mgr Rogers, pendant la période des onze années que dura la lune de miel, il est permis de le penser [29].

Interprétant l'opinion qui prévalait trois ans après le décès du premier curé de Rogersville, l'abbé Thomas Albert écrivait en 1918 :

> "Mgr Richard eut certaines faiblesses qui sont malheureusement conues d'un assez grand nombre de gens, et qui n'ont pas échappé à ses adversaires. Elles ont même été colportées jusqu'aux chancelleries romaines. De plus, pour être impartial, il faudrait admettre que ces faiblesses ont été la cause des démêlés avec l'autorité ecclésiastique.

---

(27) M.-F. Richard, ptre, lettre du 19 mars 1889.

(28) Mgr James Rogers, lettre déjà citée du 31 décembre 1888.
Note: On s'explique difficilement que Mgr Rogers ait, en 1887, fait publiquement l'éloge de l'abbé Richard en l'église d'Acadieville, qu'il ait "approuvé toutes ses démarches", tout en continuant à le harceler privément sur sa manière d'administrer ses biens temporels, à moins de recourir au mécanisme de défense dont nous avons déjà parlé. D'après la psychologie moderne, la rationalisation consiste à justifier ses réactions par des motifs autres que ceux réellement en cause. Ainsi, dans le cas de l'abbé Richard, ses activités commerciales servaient de prétexte pour couvrir le véritable motif de l'attitude agressive le l'évêque qui protestait contre la menace d'une dénonciation possible au Saint-Siège.

(29) Voir le chapitre V.

Elles expliqueraient le départ de Saint-Louis et, jusqu'à une certaine mesure, la fermeture du collège, sans qu'on ait absolument recours aux préjugés nationaux pour en donner raison. Je ne nie pas l'hostilité irlandaise dans toute l'affaire mais, indépendamment de ce facteur, il y avait une raison grave d'agir de la part de l'autorité diocésaine" [30].

Ce témoignage, dont on ne saurait contester la valeur [31], nous montre que tous les torts ne sont pas d'un seul côté et que l'abbé Richard y avait aussi sa part. Si le procès canonique qu'il s'était proposé d'intenter contre son évêque était une erreur [32], il en a commis une plus grave en temporisant. Il aurait dû ou s'exécuter sur le champ ou prononcer son désistement.

Le curé de Rogersville croyait pouvoir sortir de l'impasse en s'agrégeant à un autre diocèse. Il comptait sur la bienveillance de Mgr Cornelius O'Brien qui, le 29 novembre 1886, lui avait écrit d'Halifax :

> "Je regrette que vos relations avec votre bon évêque ne sont pas aussi heureuses que je le souhaiterais. Je ne voudrais pas vous voir quitter votre diocèse, mais si jamais vous sollicitez un changement approuvé par votre évêque, je vous recevrai très volontiers, et je vous trouverai du travail en abondance" [33].

Pour passer à un autre diocèse, il lui fallait, conformément à la législation de l'Eglise, obtenir l'autorisation de son propre évêque. Or, Mgr Rogers refusa de la lui accorder. Ce refus acculait de nouveau l'abbé Richard au mur, et l'enfermait dans le dilemme suivant : ou prononcer son désistement, ou continuer à souffrir les objurgations de son évêque.

---

(30) Thomas Albert, ptre, lettre du 14 mai 1918 au R.P. Gildas, o.c.r.

(31) L'abbé Thomas Albert était l'un des deux exécuteurs testamentaires des biens de Mgr Richard.

(32) Sur une question qui nous paraît futile : sur qui retombe la responsabilité de la fermeture du collège Saint-Louis.

(33) Mgr Cornelius O'Brien, archevêque d'Halifax, lettre du 29 novembre 1886. Plus tard, en 1891, quand la crise eut atteint son paroxysme, le même archevêque promettait à l'abbé Richard un beau poste dans son diocèse. "I shall only renew the offer made before, viz, to give you a good position in my diocese, provided the arrangement should meet the views of all concerned". Idem, lettre du 25 août 1891.

Le 4 mars 1890, le curé de Rogersville avait sollicité l'autorisation de tenir un bazar dans l'intérêt du financement de son église en construction. N'ayant reçu aucune réponse, il revint à la charge le 2 juillet suivant. A cette dernière lettre, Mgr répondit :

"Quand, en route vers le Madawaska j'aperçus du train la belle apparence de votre église, j'en fus très heureux; en conséquence, je vous accorde très volontiers l'autorisation de tenir votre pique-nique. Votre lettre du 4 mars est demeurée sans réponse. Si je vous avais alors répondu, ma réponse eût été négative. Car, la dernière édition de l'ouvrage de M. Rameau renferme un nouveau chapitre empoisonné (a new poisoned chapter) relatant quelques-uns des propos diffamatoires et calomnieux qui ont malicieusement circulé depuis quelques années au sujet de la fermeture du collège Saint-Louis. En lisant ce chapitre, je me suis rappelé que l'auteur avait assisté à votre célébration du 15 août 1888 à Rogersville. Si ses assertions sont le fruit de la semence puisée lors de sa visite, je ne serais pas trop enclin, ni encouragé à permettre vos pique-niques. Mais ce n'est ni le lieu, ni le temps de traiter un tel sujet. Je ne le mentionne qu'en passant, en toute simplicité, en vous notifiant, qu'une telle déformation des faits, que plusieurs ont remarquée, ne peut demeurer impunie. Il ne m'appartient pas de punir. Je laisse ce soin à Celui qui a dit : "*I will repay*'. Mon rôle consiste à supporter avec indulgence" [34].

Après avoir remercié son évêque de lui avoir accordé la permission de tenir un pique-nique, l'abbé Richard s'empressa de rectifier la fausse allégation concernant le chapitre de l'histoire de M. Rameau de Saint-Père :

"Votre Grandeur fait allusion au '*poisoned chapter*" de l'histoire de M. Rameau, et Elle insinue que la semence a été jetée dans l'esprit de l'auteur lors de sa visite à Rogersville, le 15 août 1888.

"Je suis reconnaissant pour cette déclaration faite avec beaucoup de charité et de paternité. Je puis maintenant m'expliquer bien des choses qui étaient des énigmes pour moi jusqu'ici. J'admets que les apparences et les circonstances pouvaient contribuer à faire arriver Votre Grandeur à ces conclusions. Mais je puis, et je dois l'assurer que ses

---

(34) Mgr James Rogers, lettre du 6 juillet 1890.

suppositions et ses soupçons n'ont aucun fondement. A Dieu ne plaise que je fusse assez lâche, hypocrite et audacieux pour venir mentir volontairement à Votre Grandeur, et essayer de la tromper par des subterfuges ! Puisque je suis accusé de fausser l'histoire et l'opinion publique, il me sera bien permis d'établir les faits. Ce que j'avance ici, Monseigneur, est la franche vérité qui peut être corroborée par des preuves irréfutables.

"D'abord, je n'ai jamais invité M. Rameau à prendre part à notre fête de 1888. Je n'ai fait aucune démarche pour qu'il s'y trouvât, et ce sont les journaux qui m'ont annoncé ses intentions à cet égard. Sa visite n'était pas précisément inappréciée, car il a certainement rendu de bons services à la nationalité acadienne et au pays par ses recherches historiques mais, elle était redoutée. Il est arrivé, la veille de notre fête, accompagné de l'abbé Pelletier de Saint-Louis. Il a résidé à l'hôtel, et il a passé l'après-midi et la soirée avec les messieurs présents. J'étais trop occupé pour lui tenir compagnie, ayant eu à composer l'adresse qui a paru dans les journaux. Le lendemain, il a assisté à la messe, et il a édifié tout le monde par sa piété. Le soir, il a assisté à la séance et prononcé un petit discours qui n'avait aucune tendance à faire déprécier l'autorité ecclésiastique. Il est parti par l'express de nuit, de sorte que je ne lui ai parlé, ni du collège Saint-Louis, ni de mon évêque, ni de d'autres prélats d'une manière défavorable. De plus, je dirai que je n'ai jamais écrit une seule ligne à M. Rameau, ni autorisé qui que ce soit à lui écrire concernant le collège Saint-Louis, ni sur aucun autre sujet, de sorte que M. Rameau est responsable de ses assertions. Celles-ci ne peuvent pas être basées sur mes informations, puisque je ne lui en ai jamais données. Si j'eusse donné des notes à cet historien, je ne lui aurais certainement pas dit que j'avais été élève au collège de Memramcook comme il l'affirme dans son ouvrage . . .

L'abbé Richard profite de l'occasion pour faire une mise au point concernant les articles publiés dans les journaux et dont quelques-uns lui furent faussement attribués:

"Je sais fort bien que ce n'est pas par le moyen de la presse que doivent se régler les affaires ecclésiastiques. Il existe des autorités compétentes pour le faire et, ce serait le comble de la folie que de m'amuser à raconter à tous les passants ce qui ne les concerne pas, et dont ils n'ont aucune autorité pour en juger . . .

"Ce que j'ai écrit, dit ou fait, est connu de tous. On n'a le droit de me juger que sur mes propres actes. Si des écrivains jugent à propos de se mêler de ces questions et de les traiter dans les journaux, ce n'est pas de ma faute. Qu'ils prennent toute la responsabilité de leurs assertions ! Il n'est pas juste de punir l'innocent pour le coupable, surtout sans lui donner la chance de s'expliquer et de se justifier" (35).

Le 29 juillet suivant, le curé de Rogersville sollicita l'autorisation d'assister à la convention acadienne qui devait se tenir à Church-Point, en Nouvelle-Ecosse, le 15 août :

> "Personnellement, je n'ai pas une grosse envie d'y aller, et cela pour plusieurs raisons; mais, comme on pourrait mal interpréter mon absence et que, d'ailleurs, je pourrais peut-être servir la cause commune, je m'y rendrai si Votre Grandeur juge à propos de m'en accorder la permission. Je ne pense pas être absent un dimanche; cependant, si les circonstances l'exigeaient, j'aimerais avoir ce privilège, avec la permission voulue à ce sujet" (36).

La réponse négative est ainsi brièvement formulée par télégramme : "Pour des raisons qui vous sont personnelles, la permission d'assister à la convention ne vous est pas accordée" (37).

L'absence de l'éminent patriote fut, on le sait, mal interprétée par la plupart des congressistes dont la suspicion envers Mgr Rogers s'accrut davantage quand ils apprirent que l'abbé Joseph-R. Doucet, qui devait prononcer le sermon de circonstance, s'était vu refuser, par le même évêque, la permission de se rendre à la convention de Church-Point (38).

Au mois de novembre, le curé de Rogersville annonçait à son évêque qu'on avait commencé d'utiliser la nouvelle église, dont l'intérieur était crépi, avec l'espoir d'en faire la dédicace l'été suivant. Afin de récupérer les huit cents dollars dépensés pour de

---

(35) M.-F. Richard, ptre, lettre du 18 juillet 1890 à Mgr James Rogers.
(36) M.-F. Richard, ptre, lettre du 29 juillet 1890.
(37) "Leave of absence for Convention not granted, for personal reasons to yourself". Mgr James Rogers, télégramme daté du 1er août 1890.
(38) Voir "Conventions Nationales des Acaliens", vol. 1, Shediac 1907, p. 201.

tels travaux, il demandait la permission "d'avoir une petite organisation dans les fêtes de Noël" (sic). Quant à ses affaires personnelles, il s'efforçait de les régler le plus tôt possible [39].

Mgr Rogers félicitait le curé à propos des progrès réalisés, l'assurait que le montant de la dette n'était pas exorbitant et qu'il permettait la tenue d'un bazar durant les vacances de Noël : "*during Christmas holidays*" [40].

Une porte semblait donc s'entrouvrir par où pouvait passer un peu de lumière et de fraîcheur, laissant présager des jours plus ensoleillés.

D'après la teneur de la permission accordée, le bazar devait avoir lieu durant les vacances de Noël: "*during Christmas holidays*".

> "J'ai été étonné, lui écrivait l'évêque, de lire sur les journaux que votre bazar doit se tenir la veille de Noël. Telle n'était pas mon intention en vous accordant l'autorisation sollicitée. Je pensais qu'il aurait lieu durant les vacances, et non pas au jour le plus saint de l'année, le seul jour où chaque prêtre a le privilège de célébrer trois messes. La célébration religieuse doit toujours précéder les réjouissances profanes. On chante d'abord le *Gloria in excelsis* et, ensuite le *Pax hominibus bonae voluntatis*. Tout ceci démontre combien l'évêque doit être réservé et très précis relativement au temps et aux circonstances, quand il accorde de telles permissions" [41].

Peut-être l'abbé Richard aurait-il mieux fait de garder le silence, devant cette nouvelle admonition épiscopale. Sa qualité de tribun l'emporta sur la discrétion révérencielle. Il écrivit à son évêque :

> "Avant que les exercices de notre fête commence, je me permettrai d'expliquer à Votre Grandeur le programme de cette réunion. Ce n'est pas pour me justifier, ni par déplai-

---

(39) M.-F. Richard, ptre, lettre du 15 novembre 1890.

(40) "Your letter dated 15th, duly arrived. Congratulations for progress of new church. Am satisfied with amount of debt on it mentioned. I grant permission asked to organize little bazaar or other festivity during Christmas holidays towards payment of said debt". Mgr James Rogers, télégramme signé le 22 novembre 1890.

(41) Mgr James Rogers, lettre du 23 décembre 1890.

sir des remarques de Votre Grandeur que je suis porté à écrire, mais seulement dans un but d'explication.

"Une fête paroissiale, en campagne et en hiver, ne saurait réussir, à moins qu'une occasion extraordinaire réunisse nos gens. A Noël, nos habitants et les gens sortent des bois pour fêter Noël. On peut fort bien se poser la question : quel est le meilleur moyen d'occuper ce petit monde ? En attendant la messe de minuit, que vont faire les gens ? Seront ils assez sages et craignant Dieu pour s'éloigner des auberges et des lieux de débauche, jusqu'à l'heure de la messe ? C'est douteux. Ne serait-ce pas un moindre mal que de les réunir, sous la surveillance du curé et des parents, en les intéressant aux oeuvres paroissiales et en leur fournissant l'occasion de dépenser leurs petites épargnes, au lieu de les faire servir à des fins malhonnêtes ? Bien entendu, il s'agit de respecter l'abstinence et les règlements de l'Eglise et de se contenter de distribuer les objets de l'arbre de Noël, avec quelques rafraîchissements pour les enfants. L'heure de la messe étant arrivée on laisse tout pour se rendre à l'église et assister à la messe de minuit qui a tant d'attrait pour la population ouvrière. Ensuite, on se sépare jusqu'au lendemain. Le premier exercice de la fête, c'est la messe de dix heures, avec instruction, après quoi, on rassemble son monde pour le dîner de Noël préparé par les dames de la paroisse au profit de l'église. On continue de distribuer les objets de l'arbre de Noël et de servir des rafraîchissements jusqu'à 3 heures. A cette heure, ont lieu les vêpres et le salut du Saint Sacrement. Après quoi, on prend le souper, et on assiste à une petite séance préparée pour la circonstance. Le tout se termine vers 8 heures, et chacun s'en retourne dans son logis.

"Voilà, Monseigneur, ce qui se passe dans nos fêtes de Noël. De même, je me suis permis, le dimanche qui suit nos pique-niques, de réunir nos gens pour prendre le dîner et dépenser les restes qui, (autrement) seraient perdus. Il n'y a pas de jeux bruyants, ni à l'extérieur, de sorte que, il ne peut pas y avoir de scandale. Est-ce une profanation du dimanche ? C'est possible ! Dans tous les cas, Monseigneur, la chose ne se répetera pas, ayant été informé de vos vues à ce sujet" [42].

---

(42) M.-F. Richard, ptre, lettre du 24 décembre 1890.

L'année suivante, l'évêque a exclu Rogersville de son programme de confirmation. L'abbé Richard lui écrivit :

"Comme j'apprends de mes confrères voisins que Votre Grandeur se propose de donner la confirmation dans cette partie de son diocèse à la fin du mois ou au commencement du mois d'août, je prends la respectueuse liberté de l'inviter à venir à Rogersville. Je pense avoir au-delà de deux cents enfants à confirmer; je dois avoir une première communion le 25 courant, ce qui élèvera le nombre des candidats considérablement. Si Votre Grandeur pouvait se trouver à Rogersville pour le 25, ou encore mieux peut-être pour le 26, ce serait fort agréable à tous les intéressés. Cependant, Votre Grandeur pourra fixer, elle-même, le temps qui lui conviendra le mieux, et nous serons heureux de la recevoir en tout temps" (43).

La réponse de l'évêque est ainsi rédigée : "Cet été, Rogersville n'est pas inclus dans mon programme de confirmation' (44).

Une telle omission était-elle intentionnelle ? Etait-ce, selon l'opinion de quelques-uns, pour éviter la rencontre de l'abbé Richard ? Les curés voisins avaient-ils réellement reçu la consigne de ne pas inviter ce dernier, sous peine de voir l'évêque rebrousser chemin (45) ?

Le cas était grave. Depuis quatre ans, le sacrement de confirmation n'avait pas été administré à Rogersville et, les paroisses voisines, dans le même cas, étaient toutes inscrites au programme de l'année.

Ces relations de plus en plus tendues risquaient de causer du scandale parmi la population. L'abbé Richard se décida, enfin, d'en appeler au Saint-Siège. A ses deux lettres par lesquelles il sollicita la permission d'aller à Rome, Mgr Rogers ne répondit pas.

Il écrivit la lettre suivante au cardinal Simeoni, préfet de la Propagande :

"Le soussigné, Marcel-F. Richard, prêtre et curé de Rogersville, dans le diocèse de Chatham, de la province

---

(43) Idem, lettre du 3 juillet 1891.
(44) "In my programme for confirmation this summer, Rogersville is not included". Mgr James Rogers, télégramme daté de Dalhousie, le 11 juillet 1891.
(45) L'abbé Richard l'affirme dans une lettre adressée à Mgr Cornelius O'Brien, archevêque d'Halifax, et datée du 21 juillet 1891.

ecclésiastique d'Halifax, expose humblement à Votre Éminence Révérendissime que des circonstances de la plus haute gravité l'obligent à se rendre à Rome pour soumettre à la Sacrée Congrégation dont vous êtes l'illustre Préfet, des faits qui touchent aux plus graves intérêts de la religion et sur lesquels il est urgent et nécessaire qu'il obtienne la lumière et la décision du Saint-Siège.

"J'ai sollicité à deux reprises, le 15 août et le 5 septembre, la permission de quitter ma paroisse afin de soumettre les faits à la cour de Rome. Sa Grandeur qui connaît parfaitement ces faits n'a pas daigné me répondre" (46).

Dans sa réponse, datée du 18 octobre suivant, le cardinal Simeoni conseilla à l'abbé Richard de mettre ses griefs par écrit, afin de lui éviter une absence trop prolongée de sa paroisse et les dépenses occasionnées par un tel voyage.

Le Saint-Siège a tenu compte des plaintes formulées par l'abbé Richard. Le 16 décembre 1891, le cardinal Simeoni écrivit à Mgr Rogers pour lui demander d'expliquer sa conduite à l'égard du curé de Rogersville.

Voici la traduction française de la lettre latine adressée à Mgr Rogers par le cardinal Préfet de la Propagande :

"Je dois communiquer sommairement à Votre Grandeur plusieurs choses qui me furent rapportées se référant à votre diocèse, à savoir : Comme les Acadiens avaient été pendant longtemps à peu près délaissés dans le domaine de l'instruction et de l'éducation, l'abbé Marcel Richard, avec l'approbation de son Ordinaire, avait fondé, dans le même endroit, un collège et un couvent en faveur de l'éducation des jeunes gens et des jeunes filles.

"En dépit du grand bien que de telles institutions procuraient aux Acadiens, vous avez arbitrairement, et sans enquête préalable, fermé le collège Saint-Louis. Ensuite, quand il s'est agi de faire revivre cette maison d'éducation avec le concours des Pères Maristes, vous vous y êtes opposé. En outre, le collège Saint-Michel de Chatham fut abandonné par les frères de la Doctrine chrétienne à la suite de difficultés suscitées par Votre Grandeur. Ces deux ins-

(46) M.-F. Richard, ptre, lettre du 15 septembre 1891 au cardinal Simeoni.

titutions catholiques étant fermées depuis une dizaine d'années, les jeunes gens se trouvent, ou bien privés d'instruction ou doivent aller aux écoles protestantes.

"J'en viens à votre manière d'agir à l'égard de l'abbé Marcel Richard. Comme celui-ci avait construit plusieurs églises dans les nouvelles colonies acadiennes, bien que son zèle et son dévouement furent reconnus et appréciés de tous, vous l'avez néanmoins privé de sa paroisse pour l'envoyer dans deux missions de condition très inférieure. Un tel changement fut considéré comme une punition et a conséquemment provoqué l'étonnement chez la population. Toutefois, l'abbé Marcel Richard s'est soumis respectueusement et a quitté sa paroisse. Par la suite, en dépit du fait que le même abbé Marcel Richard jouissait, à cause de ses mérites, de la considération de ses concitoyens, vous vous êtes abstenu de vous conduire paternellement à son égard. Au contraire, en différentes occasions, vous avez proféré certaines accusations et des paroles absolument fausses et calomnieuses à son sujet. A savoir :

1) Vous l'avez accusé d'avoir fermé lui-même le collège Saint-Louis;

2) Vous l'avez faussement accusé d'être l'auteur des écrits défavorables à l'administration du diocèse;

3) Vous lui avez refusé la permission d'assister à la profession religieuse de quelques anciennes élèves du couvent et à l'ordination sacerdotale de ses anciens protégés et étudiants de Saint-Louis;

4) Vous l'avez accablé de reproches et de paroles injurieuses en présence de ses confrères, et vous avez même demandé à ces derniers de s'abstenir de toute relation avec lui;

5) Vous lui avez refusé l'autorisation d'assister à la convention acadienne légitimement approuvée par les supérieurs ecclésiastiques;

6) En l'année 1887, en présence de tout le clergé réuni, vous avez proféré, à son égard, des reproches odieux et désagréables qu'il ne méritait pas;

7) Quoiqu'il ait humblement sollicité la miséricorde de Votre Grandeur, vous avez refusé de lui pardonner;

8) A l'occasion de votre visite pastorale dans la région, vous avez refusé d'aller à la paroisse de l'abbé Marcel

Richard, en dépit du fait que de nombreux enfants étaient prêts à recevoir le sacrement de confirmation.

"Toutes ces accusations, telles que rapportées ci-dessus, sont graves et exigent une explication de votre part. Daigne Votre Grandeur m'envoyer les informations justes et nécessaires au sujet de ces griefs' (47).

Dans un long document, Mgr Rogers réfuta point par point les accusations portées contre lui relativement à la question du collège Saint-Louis et à son attitude agressive à l'endroit de l'abbé Richard (48).

Il fallait s'y attendre, le plaidoyer épiscopal pesa d'un poids plus lourd dans la balance du tribunal romain que les griefs du modeste curé de Rogersville.

Ce dernier reçut du Saint-Siège la réponse suivante :

"Les plaintes que vous avez formulées, le 13 octobre 1891, sur la conduite de votre évêque à l'égard des Acadiens et de vous-même, n'ont pas été trouvées conformes à la vérité. Elles sont, ou exagérées ou dénuées de réel fondement. En conséquence, je vous exhorte fortement à vous abstenir dorénavant de pareilles accusations, et à vous adonner davantage à l'humilité chrétienne en montrant à votre évêque le respect, la révérence et l'obéissance qui lui sont dûs. Priant humblement Dieu de vous aider de sa grâce, je demeure votre tout dévoué serviteur" (49).

L'abbé Richard s'empressa d'écrire au Préfet de la Propagande pour l'assurer de son entière soumission à la décision du Saint-Siège.

Sa lettre lui valut une réponse dans laquelle on lit :

"C'est avec une joie non médiocre que j'ai lu votre lettre du 3 septembre dernier. Vos sentiments sont ceux qui conviennent à un prêtre dont la piété, le zèle et les oeuvres ne nous sont pas inconnus, ici à notre Congrégation. Tout en

---

(47) Jean Simeoni, cardinal préfet de la Propagande et Ignace, archevêque de Tamiathen, secrétaire, lettre du 16 décembre 1891, Protocole 4679.

(48) La copie de ces deux documents est conservée aux archives de l'évêché de Bathurst.

(49) Ignatius, archevêque de Tamiathen, secrétaire, lettre du 20 août 1892, protocole 1741. La traduction française du texte latin est de nous.

louant votre exemple d'humilité chrétienne, je dois vous exhorter à vous abstenir, désormais, de telles critiques, il ne peut en résulter rien de bon" (50).

L'abbé Richard écrivit à son évêque :

"J'ai recu hier une réponse de la Propagande à mon exposition du 13 novembre 1891. Je félicite Votre Grandeur de ce que la Propagande ne trouve rien de repréhensible dans sa conduite à mon égard. Je m'attendais à une enquête de quelque sorte, afin de me fournir une occasion de m'expliquer; mais on en a jugé autrement. Ce n'est pas à moi à trouver faute. Mon devoir est d'obéir et de me soumettre, et faire le sacrifice de ma volonté et de mes opinions; *fiat voluntas tua; bonum mihi quia tu humiliasti me.*

"La permission d'aller à Rome m'ayant été refusée, je devais m'attendre à ce résultat. Toutefois, puisque la Providence l'a jugé ainsi, je me résigne volontiers. Je vais adopter une ligne de conduite qui, je l'espère, satisfera tous les intéressés et réparera les torts dont j'ai pu me rendre coupable. Si Votre Grandeur a quelques suggestions à me faire, quelques conseils ou directions à me donner, quelques réparations ou satisfactions à imposer, je suis prêt et disposé à me conformer à ses volontés et à ses désirs" (51).

Mgr Rogers ne semble pas s'être laissé émouvoir par cette profession de soumission et d'humilité. Même s'il était sorti en triomphateur de la lutte, il devait maintenir son attitude de réserve et limiter ses relations avec l'abbé Richard au strict devoir de sa charge pastorale.

Le 29 décembre 1892, il administra le sacrement de confirmation à Rogersville et, le 14 août 1894, il bénit "les trois belles cloches de l'église du même endroit" (52).

Le 26 février 1898, il envoya un télégramme de condoléances au curé de Rogersville qui, deux jours auparavant, avait perdu sa vénérable mère décédée à l'âge de 96 ans.

A part ce dernier geste conventionnel de sympathie, nous n'avons relevé aucun autre trait qui puisse nous permettre de con-

---

(50) Idem, lettre du 30 septembre 1892, protocole 3912.
(51) M.-F. Richard, ptre, lettre du 5 septembre 1892 à Mgr James Rogers.
(52) Mgr James Rogers, lettre du 13 août 1894 à l'abbé L.-N. Dugal.

clure que Mgr Rogers ait renoué ses relations d'amitié avec l'abbé Richard. Au contraire, toutes les initiatives prises par ce dernier se heurtèrent au silence désapprobateur de son évêque.

Découragé, il songe de nouveau à quitter le diocèse, pour entrer, cette fois chez les Eudistes. Il consulte à ce propos le vicaire général [53]. L'abbé Thomas Barry s'abstient prudemment de lui donner son avis sur une question qui n'est pas de son ressort [54].

De son côté, le R.P. Cochet, eudiste, supérieur du grand séminaire d'Halifax, reste sceptique devant une vocation qui lui semble plutôt inspirée par un sentiment de frustration et de déception. Il écrit à son supérieur général :

> "Le Père Richard vint avec nous jusqu'a Rogersville. Chemin faisant, il parla beaucoup et il me plut moins qu'au séminaire. C'est un prêtre très bon, très sobre, très dévoué, mais évidemment, il a les défauts de ses éminentes qualités, et il n'y a pas lieu de penser à en faire un Eudiste" [55].

L'abbé Richard dut donc se résigner à attendre que la divine Providence ait modifié le cours des événements.

En apprenant que son évêque était entré dans sa dernière maladie, il accourut à son chevet. En l'apercevant, Mgr Rogers aurait dit : "*This is the man that I wanted to see*". La scène fut très émouvante [56].

A cet instant où l'homme est à la veille de paraître devant Dieu, le ressentiment doit céder la place au plus héroïque devoir de la charité chrétienne : le pardon.

De ces deux apôtres, se donnant le baiser de paix, on ne sait lequel des deux il faut le plus admirer; ou le vénérable prélat, usé par quarante-trois années d'un rude labeur, dans le diocèse qu'il avait fondé et organisé au prix de nombreux sacrifices, ou le prêtre disgracié, victime de son grand patriotisme, qui sut s'élever au-dessus de la mesquinerie d'une vengeance personnelle pour offrir à son évêque une dernière chance : celle de pardonner du fond du coeur comme l'exige le précepte évangélique. Grâce à cette démar-

---

(53) M.-F. Richard, ptre, lettre du 5 septembre 1899.
(54) Thomas-F. Barry, ptre, v.g., lettre du 7 septembre 1899.
(55) R.P. Cochet, eudiste, lettre du 4 mars 1896 au T.R.P. Ange Ledoré, supérieur général des Eudistes à Paris.
(56) D'après une chronique conservée au monastère des RR. PP. Trappistes de Rogersville, N.-B.

che filiale et magnanime de l'abbé Richard, le différend qui dura trop longtemps put se terminer en beauté: la beauté de la réconciliation.

Qu'on ne s'étonne pas de ce différend ! Qu'on ne s'en scandalise pas non plus ! Nous sommes devant l'insondable mystère du surnaturel où Dieu se sert des hommes pour façonner l'âme de ses saints.

Au début de son apostolat, saint Jean Bosco avait été en sérieuses difficultés avec son évêque. Pour le consoler, son confident, l'abbé Gastaldi lui disait : "Ceux qui veulent vivre pieusement dans le Christ doivent souffrir persécution". Nommé plus tard archevêque de Turin, grâce à l'intervention de Jean Bosco auprès du pape, Mgr Gastaldi devait se faire l'instrument de ses propres paroles, en prenant nettement parti contre l'oeuvre des vocations tardives instituées par Dom Bosco. Il lui livra une lutte âpre, en contrariant tous ses efforts en vue d'obtenir du Saint-Siège, l'approbation de la Société salésienne (57).

En proclamant la sainteté de Dom Bosco, le pape Pie XI écrivait :

> "Il eut à souffrir la contradiction de la part de ceux-là mêmes de qui il était en droit d'espérer aide et secours. Faut-il donc nous étonner ? Non ! Car il n'y a pas de vie de saints qui ne contienne une page semblable à celle-ci. D'ailleurs, ne lit-on pas dans l'Evangile de saint Jean cette parole de Jésus à ses disciples: On vous rejettera des synagogues, et il viendra un jour où celui qui vous fera mourir croira servir Dieu" (58).

Nul doute que, par son attitude agressive et ses harcèlements à l'égard de ce prêtre qu'il avait jadis beaucoup estimé et admiré, Mgr James Rogers "croyait servir Dieu". Quoi qu'il en soit, il nous a permis d'écrire cette page "semblable à celle de tous les saints" dont parle Pie XI, et où l'on trouve l'un des plus beaux titres de gloire de l'abbé Richard : sa charité indéfectible puisée aux sources les plus pures de l'amour évangélique et son admirable fidélité, sans aucune défaillance, à son idéal sacerdotal, même dans les plus cruels tourments de la disgrâce.

---

(57) Hugo Wast, **Les aventures de Dom Bosco,** adapté de l'espagnol par Paul de Sèze, Paris 1938, p. 259.

(58) Idem, p. 322.
Mgr Rogers mourut le 22 mars 1903. Le 26 suivant, à la messe des funérailles que présida Mgr Thomas-F. Barry, l'abbé Richard remplit les fonctions de diacre. D'après une lettre du R.P. Lebastard, eudiste, datée du 2 mai 1903.

CHAPITRE XII

UN NOBLE EFFORT POUR RĒCOMPENSER LE MĒRITE

Au mois de mai 1905, les journaux annoncèrent l'élévation de trois prêtres du diocèse de Chatham à la dignité de prélat domestique de Sa Sainteté le pape Pie X, les abbés Louis-Napoléon Dugal, vicaire général, William Varrily, curé de Bathurst et Marcel-François Richard, curé de Rogersville.

Au nombre des lettres de félicitations que reçut Mgr Richard, trois retiendront notre attention.

D'abord celle de l'abbé Stanislas Doucet, futur vicaire général et prélat domestique ;

> "Je viens d'apprendre avec un indicible plaisir la nouvelle de votre promotion à la prélature romaine. Je m'empresse de vous écrire pour vous offrir mes plus cordiales félicitations et vous exprimer ma vive satisfaction sur le choix qui a été fait. Tous les Acadiens seront ravis d'apprendre la bonne nouvelle. Ils diront que vous méritez plus que n'importe qui la dignité qui vient de vous être conférée et qu'elle vous sied à merveille. Il est à espérer que Rome ne s'arrêtera pas en si bonne voie et que ce sera la mitre que vous recevrez en temps opportun" [(1)].

Le R.P. Patrice-Alexandre Chiasson, c.j.m., supérieur du collège Sainte-Anne de Church-Point et futur évêque de Chatham :

> "Je viens d'apprendre votre nouveau titre. Permettez-moi de vous féliciter de cette marque d'estime que Rome a bien voulu vous conférer. Les services que vous avez rendus à

---

(1) Stanislas-J. Doucet, lettre du 20 mai 1905.

l'Eglise depuis que vous exercez le saint ministère vous ont bien mérité cela à défaut d'une autre distinction qui, il me semble, vous siérait mieux. Le temps n'est pas encore arrivé. Espérons que bientôt peut-être la question si longtemps agitée aura une solution. J'espère que j'aurai bientôt le bonheur de revoir encore Rogersville et de vous présenter de vive voix mes hommages et mes félicitations" (2).

Promu au même titre, le vicaire général écrit :

"Je dois vous dire que je suis à demi content de l'honneur pourtant bien mérité qui vous est fait. Il me semble que je lui ôte du prix en le partageant quoique bien innocemment et involontairement. J'ai beau m'examiner, me tâter, je ne trouve aucun titre à cet honneur. Le vicaire général comporte une responsabilité, une charge : je l'ai acceptée à ce point de vue. Mais le P.D. avec le violet et le Mgr supposent un mérite que je ne puis trouver en moi; tandis que vous, vous méritiez cette élévation à plus d'un titre; je le reconnais sincèrement, après les juges autorisés qui vous ont signalé au Saint-Siège . . ." (3).

Ces témoignages élogieux seraient-ils purement conventionnels ? Qu'on se détrompe ! Tous trois sont concordants sur un point: une dignité plus haute aurait mieux convenu aux mérites du curé de Rogersville.

Ainsi l'avait pensé Son Exc. Mgr Donat Sbaretti, délégué apostolique au Canada. On lit dans sa lettre à Mgr Thomas Barry:

"Après avoir très attentivement considéré la matière sur laquelle je vous avait écrit il y a quelque temps, et au sujet de laquelle j'ai lu votre lettre du 27 août dernier, à savoir qu'un titre honorifique puisse être accordé à quelques dignes prêtres de votre diocèse par le Saint-Siège, j'en suis arrivé à la conclusion, qu'en considération du but que je m'étais proposé et que je vous avais fait connaître, il serait préférable de restreindre ma recommandation à un seul membre de votre clergé. En conséquence, j'ai envoyé le nom de l'abbé Marcel-F. Richard au cardinal Préfet de la Propagande en lui demandant que le titre de protonotaire apostolique lui soit conféré. Libre à vous de prendre l'ini-

---

(2) Patrice-Alexandre Chiasson, c.j.m., ptre, lettre du 29 mai 1905.
(3) Louis-Napoléon, Dugal, vicaire général, lettre du 24 mai 1905.

tiative, si vous pensez que d'autres prêtres, au sujet de qui vous m'avez écrit, puissent recevoir quelque titre honoraire" (4).

En honorant ainsi un de leurs prêtres les plus méritants, le délégué apostolique voulait-il offrir aux Acadiens une compensation à l'ostracisme dont ils avaient si longtemps souffert ? Tel est, semble-t-il, le sens le plus plausible de cette phrase contenue dans la lettre du 26 octobre : "En considération du but que je m'étais proposé et que je vous avais fait connaître, il serait préférable de restreindre ma recommandation à un seul membre de votre clergé".

Mgr Barry n'approuva pas cette restriction. Il écrivit le 31 octobre suivant :

> "En réponse à la lettre de Votre Excellence du 26 courant, je dois d'abord la remercier de son désir d'honorer le diocèse en élevant l'abbé Marcel Richard à la dignité de protonotaire apostolique. Toutefois, si vous me le permettez, je vous dirai que je ne serais pas très heureux si vous honoriez ce prêtre de la manière que vous m'avez suggérée dans votre lettre. Je le serais si vous le mettiez sur un pied d'égalité avec les quelques autres dont je vous avais donné les noms et dont le mérite, sous certains rapports, est plus grand. En voici les raisons :
>
> 1) Tout en étant un prêtre exemplaire à plusieurs points de vue, l'abbé Marcel Richard fut néanmoins loin d'être une "*persona grata*" auprès de mon prédécesseur avec qui il s'est sérieusement querellé. Il a même porté ses griefs au Saint-Siège qui les a jugés frivoles et dépourvus de fondement. Et durant les années qui suivirent, ce fut un fait connu du clergé et du public que les relations entre les deux demeurèrent tendues et continuèrent ainsi jusqu'à la mort de l'évêque. Or, en choisissant l'abbé Marcel Richard, de préférence à d'autres, deux ans seulement après le décès de Mgr Rogers, cela pourrait paraître aux yeux de tout le diocèse comme une sorte de justification de la conduite de l'abbé Richard, au préjudice de la réputation et de l'administration de mon prédécesseur immédiat.

---

(4) **Donat Sbaretti, délégué apostolique au Canada, lettre du 26 octobre 1904. Cette lettre est aux archives de l'évêché de Bathurst.**

2) En conférant au seul abbé Richard les dignités de l'Eglise, une telle manière d'agir laisserait le public sous l'impression qu'on a voulu spécialement et particulièrement honorer le prétendu chef (the supposed leader) de l'agitation acadienne dans les affaires ecclésiastiques. Sans nier certaines qualités attachées à une telle agitation, il faut toutefois avouer, qu'en plusieurs cas, elle fut irrespectueuse, canoniquement irrégulière et même défavorable aux vrais intérêts du peuple acadien lui-même, comme l'a déclaré un des prêtres acadiens les plus distingués dans sa controverse publique avec le sénateur Poirier. Quand votre illustre prédécesseur, Mgr Falconio avait, en 1900, averti quelques-uns des chefs acadiens d'éviter, dans leur convention, de discuter des questions ecclésiastiques, on n'a nullement tenu compte de son sage avertissement comme en témoignent les rapports publics de cette même convention. Mais si d'autres prêtres du diocèse étaient élevés en même temps et au même degré que l'abbé Richard, le danger de l'interprétation ci-dessus serait par le fait même écarté et on n'aurait aucune raison de se plaindre, ni de critiquer.

3) Si l'abbé Richard recevait le titre que vous voulez lui conférer, il serait plus élevé en dignité que le vicaire général du diocèse.

4) Plusieurs prêtres, plus recommandables par leur obéissance et leur conduite cléricale, et aussi dévoués aux intérêts de la religion, pourraient se demander ce que l'abbé Richard a accompli de plus que les autres dans le diocèse. Incapables de trouver une réponse à cette question, ils en arriveraient à conclure que le titre lui fut conféré, à l'exclusion des autres, parce qu'il était le chef des Acadiens, de sorte qu'il en résulterait un sentiment d'insatisfaction et peut-être aussi, beaucoup de mécontentement.

5) Je pourrais apporter d'autres objections mais qui, je le pense, n'auraient aucune conséquence si d'autres prêtres partageaient le même titre que l'abbé Richard, à savoir l'abbé Louis-Napoléon Dugal, vicaire général et l'abbé William Varrily.

"Je suis bien aise de vous dire que, maintenant, il existe heureusement un véritable esprit d'union et d'harmonie parmi les prêtres de mon diocèse. Je craindrais que ce bon esprit soit troublé si un seul d'entre eux était choisi de préférence à d'autres qui, sous plusieurs rapports, pour dire le moins, sont aussi justement méritants" [5].

L'ombre de Mgr Rogers, on le constate, se profilait encore derrière son successeur immédiat. Le nouveau prélat domestique en eut-il le soupçon ? On ne saurait le dire. Ses réactions, où la modestie alterne avec la déférence, sont magnanimes. Il remercie son évêque pour ses gracieuses félicitations offertes à l'occasion de cette nomination nullement sollicitée de sa part, et tout à fait inattendue. "Son Excellence, écrit-il, s'est montrée très charitable en recommandant un sujet si peu qualifié à cet insigne honneur, et le Saint-Père fort bienveillant en accédant à sa requête. Votre Grandeur a dû coopérer à cette démarche et, à tous, je dois une dette de reconnaissance dont je tâcherai de m'acquitter en me rendant le moins indigne possible des honneurs et de la confiance que l'on a reposés sur moi" [6].

Dans sa lettre au délégué apostolique, le nouveau prélat s'efface devant sa chère Acadie à qui il renvoie tout le mérite des honneurs qu'on vient de lui conférer dans son humble personne : "Je suis profondément touché de cette marque de bienveillance de la part de Votre Excellence et du Saint-Père envers les Acadiens. C'est la première fois que Rome accorde un titre honorifique à un descendant des exilés et martyrs de 1755. L'Acadie toute entière s'en réjouira et en conservera un reconnaissant souvenir" [7].

Dans les circonstances particulières où il se trouve, Mgr Richard ne pense pas qu'il soit opportun de se prévaloir des privilèges et des prérogatives attachés à la dignité conférée. Il veut rester dans son *statu quo* pour quelque temps, du moins, et servir le mieux possible les intérêts de l'Eglise et de la patrie avec son même costume de missionnaire. C'est assez d'honneur pour lui.

"J'espère que Votre Excellence ne trouvera rien de répréhensible dans cette détermination que je considère justifiable, vu la position délicate où je me trouve vis-à-vis de mes compatriotes, et pour me protéger contre les adversaires de la cause acadienne que j'ai

---

(5) Mgr Thomas-F. Barry, lettre en anglais du 31 octobre 1904 à Mgr Donat Sbaretti. La copie de cette lettre est aux archives de l'évêché de Bathurst. La traduction française est de nous.

(6) M.-F. Richard, lettre du 23 mai 1905 à Mgr Thomas-F. Barry.

(7) Idem, au délégué apostolique.

épousée pour d'autres motifs que ceux d'arriver aux honneurs personnels" [8].

Le délégué apostolique n'est pas tout à fait de cet avis. Il laisse entrevoir qu'en honorant le curé de Rogersville, un tel honneur rejaillirait sur tous les Acadiens qui s'en trouveront heureux.

"Quoique je n'aime pas qu'on fasse un déploiement exagéré et inutile des dignités, si vous persistiez dans votre détermination, cela pourrait créer l'impression que vous n'avez pas apprécié à sa juste valeur l'acte de paternelle bienveillance du Saint-Siège" [9].

Soumis au désir exprimé par le délégué apostolique, Mgr Richard modifie sa manière de voir : "Je ne voudrais pas me montrer ni ingrat, ni indifférent envers les autorités qui ont contribué à obtenir ces privilèges, et au Saint-Siège qui les a accordés. Si c'est le désir de Votre Grandeur que je remplace le costume de simple missionnaire par celui de prélat domestique (de temps en temps), je le ferai par déférence et par reconnaissance" [10].

Mgr Barry lui répond : "Au sujet du titre de prélat domestique que le Saint-Père vous a conféré ainsi qu'à d'autres membres de notre clergé, qu'il me suffise de dire que ces titres furent accordés à la suite de ma demande expresse et de mon approbation, et que je suis entièrement d'accord avec l'opinion émise par le délégué apostolique dans la lettre qu'il vous a personnellement adressée sur ce sujet. En conséquence, quand je vous ai fait parvenir le bref papal, il y a quelques semaines, je fus très heureux de vous offrir en même temps mes plus cordiales félicitations" [11].

Le nouveau prélat ne se presse pas de revêtir les insignes de sa dignité. Il n'y eut pas, semble-t-il, de cérémonie d'investiture.

Un message en provenance d'Ottawa lui apprend que le délégué apostolique se propose de visiter Rogersville [12].

Mgr Richard en informe immédiatement son évêque :

"Je viens de recevoir une lettre du secrétaire de Mgr Sbaretti m'annonçant que Son Excellence doit se trouver à Church-Point les 23 et 24 août pour la bénédiction de la

---

(8) Idem, lettre du 23 mai 1905 à Son Exc. Mgr Donat Sbaretti.
(9) Mgr Donat Sbaretti, lettre du 31 mai 1905 à Mgr M.-F. Richard, P.D.
(10) M.-F. Richard, lettre du 7 juin 1905 à Mgr Thomas-F. Barry.
(11) Mgr Thomas-F. Barry, lettre du 17 juin 1905.
(12) Alfred-A. Sinnott, secrétaire du délégué apostolique, lettre du 24 juillet 1905 à Mgr M.-F. Richard, P.D.

nouvelle église de cette paroisse. Son Excellence désire, en retournant, passer le dimanche du 27 août à Rogersville. Dans ce cas, je me propose d'avoir notre fête paroissiale les 26 et 27 août, afin de n'avoir qu'une seule organisation. Le samedi 26 août, les gens seront réunis pour recevoir Son Excellence et, le dimanche, aura lieu la réception solennelle à l'église. Votre Grandeur est invitée avec les prêtres dont Elle voudra se faire accompagner en cette circonstance. Je suis invité à Church-Point, mais je ne sais pas si je pourrai m'y rendre. Je présumerai la permission, à moins d'un ordre contraire, c'est-à-dire si je vais pouvoir y aller" (13).

La visite du délégué apostolique dans une paroisse française à l'exclusion de la ville épiscopale pouvait porter atteinte aux règles protocolaires, éveiller des soupçons et susciter des inquiétudes chez l'évêque irlandais de Chatham.

Mgr Richard veut éviter le danger, toujours possible, d'une interprétation défavorable :

> "Votre Grandeur exprime le désir de saluer Son Excellence *en passant.* Je regrette qu'il en soit ainsi. Je préférerais, non seulement en passant, mais constamment. Nous n'avons peut-être pas autant de titres à votre temps et à votre attention que d'autres paroisses de votre diocèse, néanmoins, nous sommes aussi vos enfants et nous avons le droit de dire: *Abba Pater!*
>
> "Je dois ajouter que cette visite de Son Excellence est l'accomplissement d'une promesse faite *motu proprio* quand Elle est venue jadis dans le diocèse. Cette visite n'a donc aucune signification particulière. Le voyage à Church-Point n'en est que l'occasion immédiate. Je serais donc infiniment reconnaissant si Votre Grandeur daignait nous honorer de sa présence durant tout le séjour de Son Excellence parmi nous; autrement il manquerait quelque chose à la visite si notre bon évêque de Chatham n'était pas avec nous" (14).

Les deux évêques du Nouveau-Brunswick, Mgr Timothy Casey de Saint-Jean et Mgr Thomas Barry de Chatham, avec les

---

(13) M.-F. Richard, lettre du 28 juillet 1905 à Mgr Thomas-F. Barry.
(14) M.-F. Richard, ptre, lettre du 23 août 1905.

deux nouveaux prélats domestiques Mgr Louis-Napoléon Dugal, vicaire général, et Mgr William Varrily de Bathurst, se joignent à Mgr Richard pour accueillir le représentant du Saint-Siège à Rogersville.

Par déférence envers son hôte distingué, le curé paraît, pour la première fois, revêtu des insignes de la prélature romaine [15].

En assignant à Rogersville cette place d'honneur en tête de son itinéraire, Mgr Sbaretti avait peut-être une intention cachée: celle d'offrir au vaillant défenseur des droits acadiens un hommage compensatoire à l'échec de le faire nommer protonotaire apostolique. En outre, il insiste pour que le nouveau prélat domestique acadien l'accompagne durant sa tournée au Nouveau-Brunswick et en Nouvelle-Ecosse [16].

Partout, le représentant du Saint-Siège prêche l'harmonie, l'union et la bonne entente entre les catholiques de toute origine [17].

Ce n'est pas sans raison; une vague de mécontentement s'élevait alors parmi les Acadiens qui supportaient mal de voir les Irlandais et les Ecossais occuper toujours les hauts paliers de la hiérarchie catholique dans les provinces Maritimes. Le délégué apostolique le sait et très probablement désire faire justice à ce peuple demeuré fidèle à la foi catholique.

Toutefois, un mur presque infranchissable se dresse devant lui : le nationalisme irlandais. C'est à la démolition de ce mur que va s'attaquer, audacieusement, énergiquement, inlassablement le nouveau prélat domestique acadien.

---

(15) **Souvenir de la seconde visite en Acadie de Son Exc. Mgr Donat Sbaretti, délégué apostolique au Canada**, Shédiac 1905, p. 5.

(16) Ibidem.

(17) Ibidem.

CHAPITRE XIII

LE PREMIER VOYAGE À ROME EN 1877

En l'année 1877, le pape Pie IX célébra ses cinquante ans d'épiscopat. La catholicité toute entière rendit hommage au vénéré jubilaire. A ce mouvement de piété universelle, le peuple canadien ne voulut pas demeurer étranger. Deux pèlerinages, un de langue française et l'autre de langue anglaise, s'organisèrent sous la direction respective de Mgr Racine, évêque de Chicoutimi et du curé de la paroisse Saint-Patrice de Montréal.

Fort de la bienveillance de son évêque, le curé de Saint-Louis invita les Acadiens à se joindre aux pèlerins de langue française à l'instar des Irlandais des provinces Maritimes qui devaient prendre part au groupe de langue anglaise.

En lui envoyant les lettres testimoniales requises, Mgr Rogers écrivait à l'abbé Richard :

> "Je demande à Dieu de vous bénir et de vous accorder un heureux voyage, avec l'espoir que vous serez de retour sain et sauf, et en bonne santé, vers le premier juillet. Il est probable que l'abbé Thomas Bannon, s'il n'est pas déjà trop en retard, accompagnera l'abbé Thomas Barry. Ce dernier, à titre de vicaire général, présentera l'adresse au nom de l'évêque et de tous les prêtres du diocèse. Le curé de Saint-Louis et celui de Chatham seront les dignes représentants des deux groupes ethniques qui composent notre diocèse : les Français et les Irlandais. J'espère que votre passage à travers l'île d'Emeraude et la belle France accroîtra votre pieuse satisfaction, celle de vous agenouiller aux pieds du Souverain Pontife, le successeur de celui qui envoya de France saint Patrice évangéliser l'Irlande. J'espère également que la bénédiction apostolique obtenue en faveur

de vos paroissiens sera aussi fructueuse que celle apportée par saint Patrice en Irlande.

"Présumant qu'il vous sera nécessaire de partir la semaine prochaine, de manière à pouvoir être à temps afin de vous joindre au pèlerinage français, je m'empresse de vous envoyer les lettres testimoniales que vous trouverez ci-incluses. Je prie Dieu de vous bénir, de vous guider, de vous protéger durant votre pèlerinage, et d'enflammer votre piété quand vous aurez le bonheur de visiter les lieux saints. Qu'il vous ramène en bonne santé, et heureux de pouvoir transmettre à votre bon peuple la bénédiction apostolique du Saint-Père" (1).

Le jeune pèlerin tint fidèlement son évêque au courant des péripéties de son voyage, jusque dans les plus infimes détails. De l'archevêché de Québec, il date sa première lettre :

"Votre Grandeur sera justement étonnée de recevoir une lettre datée de Québec et écrite par son humble serviteur. En voici l'explication. En recevant votre bienveillante lettre du 2 courant, je me suis décidé à partir sans délai, avec l'intention de passer par Chatham, afin de faire mes adieux à Votre Grandeur et lui demander sa bénédiction. Comme les chemins étaient très mauvais, je me suis dirigé vers Welford pour y prendre le train, le mercredi soir, et descendre à Newcastle, puis à Chatham le jeudi matin. Arrivé à Newcastle, j'ai rencontré l'avocat Adams qui me dit que la glace, sur la Miramichi, était dangereuse. Comme le temps menaçait de devenir mauvais, j'ai continué ma route. Arrivé à Rimouski, j'ai rencontré un prêtre de l'évêché qui m'apprit que M. le grand vicaire Langevin se proposait de partir le lendemain et qu'il serait heureux de faire ma connaissance avant notre départ. Je me suis donc arrêté, spécialement par considération pour Votre Grandeur, dont j'ai l'honneur d'être le représentant avec les confrères qui doivent bientôt partir. J'ai été fort cordialement reçu.

"Le lendemain, nous sommes partis de Rimouski au milieu d'une démonstration presque grandiose. Nous sommes donc arrivés hier soir à Québec d'où je me propose de partir ce soir pour Montréal.

---

(1) Mgr James Rogers, lettre du 2 avril 1877.

"Le pèlerinage canadien se compose d'une quarantaine de pèlerins. Je ne sais si je pourrai être du nombre, vu que je suis un peu en retard. Presque tous ceux qui font le pèlerinage sont d'anciennes connaissances. Le juge Winter, qui regrette beaucoup de ne pas avoir Monseigneur Rogers comme compagnon de voyage, est au nombre des pèlerins. La plupart ont leur itinéraire tracé pour quatre mois. Je pense bien que mes ressources ne me permettront pas d'accompagner mes compagnons dans leurs pérégrinations, car je me trouve obligé de faire des économies.

"Si toutefois j'étais choisi comme délégué de la population acadienne, alors je serais plus en état de satisfaire mes désirs et d'accomplir ma mission. Je tâcherai cependant de me conformer aux désirs de Votre Grandeur, et revenir au commencement de juillet" (2).

C'est de Hokoben, N.Y., qu'il écrit sa seconde lettre :

"Nous nous embarquons à 2 heures. Le vapeur "Gellert" qui nous est destiné est un joli vaisseau qui contient 150 cabines. Nous sommes partis hier de Montréal, au milieu d'une démonstration magnifique . . . Nous avons été escortés à la gare, la fanfare en tête. Mgr Moreau se trouvait présent, avec un grand nombre de prêtres et de citoyens" (3).
Le 28 avril, Mgr Rogers répondit :

"Vos deux lettres, l'une de Québec, l'autre de Hokoben, avant de vous embarquer, me sont parvenues et m'ont vivement intéressé. Je suis heureux de savoir que vous n'avez pas manqué d'être parmi les pèlerins canadiens-français. J'espère que vous aurez fait une bonne traversée, et que vous êtes maintenant dans la Ville éternelle, jouissant des bénédictions et des consolations spirituelles que l'on ne goûte que là seulement . . .

"Les journaux de Montréal et de New York nous ont relaté tous les détails des magnifiques démonstrations qui eurent lieu au départ des pèlerins . . . Je viens d'écrire à l'abbé Barry en lui envoyant une lettre qu'il doit remettre à Son Eminence le cardinal Franchi et par laquelle je lui présente les trois prêtres de notre diocèse : l'abbé Barry, vous et

---

(2) M.-F. Richard, ptre, lettre du 7 avril 1877.
(3) Idem lettre du 12 avril 1877.

l'abbé Bannon. Si cela est possible, j'aimerais que vous fussiez tous les trois ensemble quand la lettre sera présentée, puisque je mentionne ces trois noms. Vous aurez probablement eu votre audience avec le Saint-Père, en même temps que vos compagnons de voyage, avant que les autres pèlerins du Canada arrivent. L'abbé Bannon apporte avec lui, pour la remettre à l'abbé Barry, l'adresse qui sera présentée au Saint-Père, au nom du diocèse. Je serais heureux si vous pouviez vous trouver tous les trois ensemble au moment de la présentation de l'adresse; si cela peut se faire sans inconvénients, car je suppose qu'il y aura des points d'étiquette à observer et connus seulement de ceux qui sont sur les lieux" [4].

Le pèlerinage canadien-français arriva à Rome le 5 mai. Le 10 suivant, l'abbé Richard relata à son aimable correspondant de Chatham le captivant périple de ce voyage dont le récit traduit bien le sens d'observation de son auteur:

"Le devoir et la reconnaissance me portent à vous adresser ces lignes pour vous apprendre que nous sommes arrivés sains et saufs, le 5 courant, dans la Ville éternelle. La traversée de New-York à Cherbourg (France) a duré douze jours. Elle a été d'autant plus longue que nous avons essuyé une tempête de deux jours, et des plus sévère. On dit que c'est le plus gros mauvais temps de l'hiver. Les pèlerins ont presque tous été malades, mais tous ont eu sérieusement peur. Je dois pourtant vous avouer que j'ai moins craint de périr qu'en d'autres circonstances où le danger fut moins grand. Inutile de parler de la joie ressentie lorsque, le onzième jour, vers midi, on aperçut les plages de l'Angleterre. Le soir, au soleil couchant, nous pûmes contempler à loisir le magnifique port de Plymouth où nous nous sommes arrêtés, et la magnifique campagne qui se présente aux yeux du voyageur.

"Le lendemain, à 5 heures a.m., nous étions à Cherbourg, le port de mer le mieux fortifié de l'Europe. Le 23 avril, nous avons mis les pieds sur le beau sol de France. Après un bon café au lait, nous prîmes le train pour Paris. Le trajet de Cherbourg à Paris est certainement fort intéres-

---

(4) Mgr James Rogers, lettre du 28 avril 1877.

sant. On traverse la Normandie considérée comme la plus riche campagne du monde. C'est vraiment magnifique. Je parle ici de la tenue des terres, et non des habitations.

"Nous arrivâmes à Paris vers 7 heures p.m. Nous passâmes trois jour à Paris; la déclaration de la guerre nous ayant forcés de hâter un peu notre marche afin d'arriver à Rome, avant que les événements y mettent obstacle. Nous profitâmes de ces quelques jours pour visiter un peu les beautés et les richesses de Paris. Le 27 avril, nous prîmes la direction de Lyon. Nous arrivâmes à Macon où nous passâmes la nuit et, le lendemain, nous avons pu visiter le sanctuaire de Paray-le-Monial, lieu où Notre-Seigneur apparut à la bienheureuse Marguerite-Marie. C'est un pèlerinage fort intéressant et très impressionnant. Le lendemain midi, nous nous rendîmes à Lyon, ayant salué de Villefranche les lieux sanctifiés par le saint Curé d'Ars. Nous passâmes deux jours à Lyon, ce qui nous a permis de faire un pèlerinage à Notre-Dame de Fourvière . . . Lyon est une très belle ville.

"Le mardi suivant, nous nous mîmes en route pour Gênes. Nous traversâmes le fameux tunnel du Mont-Génis ou plutôt les Alpes, et nous arrivâmes à Gênes vers midi. Nous ne sommes pas arrêtés longtemps à Gênes, quoique cette ville possède des monuments d'une richesse plus qu'ordinaire, surtout des églises. Nous continuâmes jusqu'à Pise où nous passâmes une journée, ce qui nous a fourni l'occasion de visiter la magnifique cathédrale, son baptistère, son Campo Santo, et sa fameuse tour penchée : monuments bien dignes d'être visités.

"Le lendemain, nous prîmes la route de Rome où nous arrivâmes vers les deux heures de l'après-midi. L'arrivée à Rome par le train est tout à fait insignifiante. On serait loin d'imaginer que nous sommes près de la capitale du monde.

"Nous nous sommes installés, chacun dans sa maison de pension, et dès le lendemain, au moyen d'une pieuse intrigue, nous avons pu avoir une audience papale, avec les pèlerins français. Nous avons donc eu l'insigne faveur de voir le Saint-Père et de recevoir sa bénédiction paternelle, et de l'entendre prononcer en français un magnifique discours.

"L'audience du pèlerinage canadien est fixée au 11 courant. Depuis mon arrivée, nous avons visité les principaux monuments de Rome qui sont des plus intéressants, comme vous le savez. C'est toujours mon intention de retourner au pays vers le commencement de juillet" (5).

Dans sa lettre du 7 avril, on l'aura remarqué, le curé de Saint-Louis écrit : "Si toutefois j'étais choisi comme délégué de la population acadienne, alors je serais plus en mesure de satisfaire mes désirs et d'accomplir ma mission" (6). Quelle était cette mission ? Celle de faire connaître au Chef suprême de l'Eglise catholique l'existence du peuple acadien.

Dans ce but, il sollicita et obtint une audience privée auprès du Saint-Père à qui il présenta une adresse où était brièvement exposée l'histoire des Acadiens, victimes de la déportation, et dont les fils formaient maintenant un groupe imposant de fidèles profondément attachés à la foi de leurs ancêtres.

"Mais, écrit le R.P. Gildas, le saint Pontife touchait à sa fin. L'heure n'était pas encore venue de faire droit aux revendications du peuple martyr. Toutefois, cette première démarche du grand patriote ouvrait, pour ainsi dire, aux Acadiens le chemin de Rome. De cet événement, datent leurs relations comme peuple avec le Saint-Siège. Nous ne pouvions le passer sous silence et les Acadiens ne sauraient l'oublier" (7).

Trente années s'écouleront avant que l'abbé Richard puisse, de nouveau, s'agenouiller aux pieds du Père commun des fidèles afin d'exposer et de défendre une cause juste : le droit des Acadiens d'avoir un évêque de leur nationalité dans la hiérarchie catholique.

---

(5) M.-F. Richard, ptre, lettre du 10 mai 1877 à Mgr James Rogers.

(6) M.-F. Richard, ptre, lettre du 7 avril 1877.

(7) Fr. M. Gildas, o.c.r., ptre, op. cit, p 89

CHAPITRE XIV

LE DÉFENSEUR D'UNE CAUSE JUSTE

Déjà, en 1885, l'abbé Richard exprimait le regret "que durant plus d'un siècle, l'Acadie n'avait vu aucun des siens occuper un rang honorable dans l'Eglise et la société" (1). Un tel ostracisme, conséquence de la déportation, n'avait plus sa raison d'être vers 1885. Dans le clergé surtout, il persistait toujours. Tous les évêques des provinces Maritimes étaient et avaient été d'origine irlandaise ou écossaise. On ne comptait même pas un seul vicaire général français.

Devant cette situation humiliante et injuste, des laïcs influents, tels un Pascal Poirier, un Pierre-A. Landry etc., prirent la tête d'un mouvement en vue de faire reconnaître les droits des Acadiens.

En France, grâce à l'intervention de M. Rameau de Saint-Père et de quelques autres amis, on parlait de faire nommer un évêque acadien. "Mais, écrivait le P. Rochemontaix, Rome n'aime pas que les laïcs se mêlent de cette question : elle veut tout régler sans bruit; elle est, en ce moment, embêtée par le problème des évêques américains" (2).

Le 3 octobre suivant, le même correspondant précisait sa pensée :

> "Il ne s'agit pas de laïcs influents, tels que les chefs d'Etat, mais Rome n'aime pas que n'importe qui s'occupe de la nomination des évêques; surtout, elle veut éviter le bruit. L'affaire est lancée; appuyée par de hauts personnages, elle

---

(1) M.-F. Richard, Mémoire, loco cit.
(2) P. Rochemontaix, lettre du 16 juillet 1891 à Rameau de Saint-Père.

marchera vite et mieux. Mais que cette intervention ne soit ni bruyante, ni trop pressante : voilà l'état réel des choses" (3).

A l'automne de 1893, une rumeur circule : Mgr Rogers songe à se faire nommer un coadjuteur, avec future succession.

Le sénateur Pascal Poirier et le juge Pierre-A. Landry envoient une lettre circulaire à tous les membres du clergé acadien français :

"Dans l'intérêt de la justice, le futur évêque de Chatham, quand il plaira à Sa Sainteté d'en nommer un, devra être pris dans les rangs du clergé représentant, par la langue et la nationalité, le plus grand nombre des fidèles du diocèse, c'est-à-dire d'origine française" (4).

L'abbé Richard entre pleinement dans ces vues :

"Comme prêtre, comme catholique et comme acadien, je m'empresse de répondre à l'appel dont il s'agit. Vu que cette démarche est dans l'ordre et nullement en contradiction avec les usages et les lois ecclésiastiques, je ne puis que féliciter les auteurs de ce projet, de leur dévouement à l'Eglise et à leur patrie.

"Il est juste que leurs compatriotes, qui ont mis leur confiance en eux et qui les ont placés dans les honneurs, reçoivent de leur part une reconnaissance publique. Cette démarche spontanée, cet acte d'amour filial envers une mère ne peut qu'augmenter la confiance du peuple envers leurs chefs politiques. Il est possible que cette démarche soit un peu tardive. Dans tous les cas, elle a sa raison d'être, et il est urgent de notifier la Propagande à cet égard. Une copie de la circulaire envoyée à Son Eminence le cardinal Ledochowski, avec une explication respectueuse et digne, en attendant une organisation plus complète, servirait, je pense, la cause en question. Ne sachant pas ce qui se passait parmi les laïques, j'ai écrit moi-même à Rome, il y a quinze jours, donnant des renseignements sur la situation. Peut-être, ai-je mal fait ? Mais, comme je n'ai aucune ambition personnelle à ce sujet, j'ai cru que, dans les circonstances,

---

(3) P. Rochemontaix, ptre, lettre du 3 octobre 1891 à Rameau de Saint-Père.
(4) Lettre circulaire A adressée aux membres du clergé acadien français.

il était de mon devoir de venir dans l'arène pour servir les intérêts de ma patrie. Ci-incluse la somme de vingt dollars pour défrayer les dépenses, telles qu'expliquées dans la circulaire" [5].

Le temps presse. Les deux chefs acadiens visitent les évêques des Maritimes qui leur recommandent la paix et la plus stricte discrétion.

L'abbé Richard faisait-il partie de cette délégation ? Une note, écrite de sa main au bas de la circulaire, est ainsi rédigée :

"Ma réponse à cette circulaire fut d'aller moi-même, en personne, voir les évêques afin d'exposer les griefs des Acadiens" [6].

Devant l'accueil satisfaisant des évêques, Pascal Poirier et Pierre-A. Landry écrivent de nouveau aux membres du clergé acadien :

> "Nous désirons retirer la lettre circulaire que nous vous avons envoyée relativement à la nomination d'un évêque d'origine française. Nous venons de consulter, à ce sujet, Nos Seigneurs l'archevêque d'Halifax et l'évêque de Saint-Jean. Leur réponse satisfaisante nous induit à vous demander de considérer cette circulaire comme non avenue, pour le présent du moins" [7].

Ecrivant, le 13 février 1896, à Mgr Cornelius O'Brien, archevêque d'Halifax, Mgr James Rogers sollicite, avec instances, la faveur d'un coadjuteur, avec future succession, et suggère le choix de son vicaire général, l'abbé Thomas-F. Barry" [8].

Le 29 décembre suivant, il revient sur le même sujet :

> "Je ne voudrais faire aucune recommandation particulière concernant le prêtre le mieux qualifié. Trois de langue anglaise, les abbés Thomas - F. Barry, vicaire général, William Varrily, John Carter et, trois de langue française, les abbés J.-H. Babineau, curé de Tracadie, Stanislas Doucet, curé de Shippagan et Louis-Napoléon Dugal, curé de Saint-Basile au Madawaska, sont tous d'excellents et dignes prêtres.

---

(5) M.-F. Richard, ptre, lettre du 24 octobre 1893 au juge Pierre-A. Landry.
(6) M.-F. Richard, note écrite au bas de la circulaire A.
(7) Lettre circulaire B adressée au clergé acadien.
(8) Mgr James Rogers, lettre du 13 février 1896 à Mgr Cornelius O'Brien, archevêque d'Halifax.

"Mais si Dieu le voulait, et les évêques n'y missent aucun obstacle, je crois que Sa Grandeur Mgr McNeil, évêque de St. George Bay, de Terreneuve, serait l'homme tout désigné pour le siège de Chatham. Ses vastes connaissances, surtout en matière d'éducation, de colonisation et d'agriculture, le rendraient utile dans cette partie nord du Nouveau-Brunswick" [9].

Les suppliques du clergé acadien adressée au délégué apostolique et même au Saint-Siège demeurèrent sans effet. Les évêques de la province ecclésiastique d'Halifax désignèrent, en 1899, les abbés Thomas-F. Barry et Timothy Casey, respectivement successeurs de Mgr Rogers et de Mgr Sweeney.

Le juge Pierre-A. Landry reçut du délégué apostolique le billet suivant :

"Son Eminence le préfet de la Propagande m'informe qu'il a reçu votre exposé, et il regrette qu'il lui soit arrivé trop tard, c'est-à-dire que tout était déjà réglé. Je vous fais mes meilleurs souhaits, et je vous bénis de tout coeur, ainsi que votre ami Pascal Poirier" [10].

Devant cet échec, il restait une autre solution : celle de former un nouveau diocèse à Moncton, avec un titulaire acadien. La lutte s'engagea sur ce terrain.

Promu à la dignité de prélat domestique, dignité qu'il n'avait acceptée, dit-il, qu'afin d'avoir plus d'influence à la cour de Rome, Mgr Richard méditait depuis longtemps un voyage à la Ville éternelle. C'était là seulement, pensait-il justement, que les revendications des Acadiens pouvaient être efficacement entendues.

Sous quelle bonne étoile exécuter son dessein, sans éveiller les soupçons des Irlandais ? Ironie des choses ! Cette bonne étoile devait paraître au firmament irlandais quand, en juin 1907, le savant et pieux abbé Patrick Dixon, curé de Newcastle, se décida d'aller à Rome.

Ecoutons Mgr Richard nous raconter, dans une lettre piquante d'intérêt et de finesse, comment il a saisi cette occasion

---

(9) Idem, lettre du 29 décembre 1896. On trouve ces deux lettres aux archives de l'évêché de Bathurst.

(10) Son Exc. Mgr Diomede Falconio, délégué apostolique au Canada, lettre du 6 décembre 1899.

providentielle qui lui permit de franchir les obstacles jugés jusque-là insurmontables.

"L'autre jour, quand nous étions à table Votre Grandeur a mentionné que l'abbé Dixon était décidé d'entreprendre un voyage en Europe. J'ai alors soufflé à l'oreille de Mgr Varrily, mon voisin, qu'un tel voyage m'intéresserait. Mgr Varrily a semblé très flatté à l'idée que je pourrais ainsi servir de compagnon de voyage à son ami intime (*his bosom friend*).

"Mis au courant de mon désir, l'abbé Dixon est venu me voir à Rogersville afin de s'enquérir de la sincérité de mes intentions. Je ne lui ai rien promis, puisque je n'étais pas alors décidé, pas plus que maintenant, à propos d'un tel voyage. Dans sa lettre que je viens de recevoir, il m'annonce qu'il se propose de partir le 29 de ce mois, et réitère sa requête au sujet de mes intentions.

"Tout d'abord, je dois savoir si Votre Grandeur est favorable au projet; autrement il n'en sera plus question. Avec la permission de Votre Grandeur, et sa bénédiction, j'accompagnerai l'abbé Dixon.

"Strictement parlant, les affaires paroissiales sont en de telles bonnes conditions qu'une absence de quelques mois ne comporterait aucun inconvénient. Il en est de même de la question financière. Quant à la desserte de la paroisse en mon absence, je pourrai facilement me procurer les services d'un autre prêtre pour assister mon vicaire. En outre, à ma demande, le Père Prieur du monastère des Pères Trappistes a bien voulu consentir à mettre à ma disposition deux de ses religieux, les Pères Antonio et Stanislas, tous deux bilingues qui, avec votre consentement et la juridiction requise, pourront assurer les services du ministère paroissial.

"Mais, avant de me décider, je désire connaître les vues de Votre Grandeur. Je ne suis pas très anxieux de faire ce voyage, et ce ne sera pas un très grand sacrifice d'en abandonner l'idée. Je suis déjà allé à Rome, en 1877, à l'occasion du jubilé d'or épiscopal de Pie IX, et cette année, étant le jubilé de Sa Sainteté le pape Pie X, ce serait un mémorable anniversaire. Un mot de Votre Grandeur influencera ma décision" [11].

Un si grand désintéressement, à l'égard d'un voyage auquel il songeait depuis longtemps, est d'une habileté consommée. On ne reconnaît plus l'abbé Richard d'autrefois, quand sa franchise lui attirait les foudres et les avanies de Mgr Rogers. L'âge et l'expérience l'avaient assagi et rompu à l'art diplomatique.

Mgr Thomas Barry ne semble pas avoir décelé le rusé stratagème du curé de Rogersville. Il lui accorde huit à douze mois d'absence. C'était se montrer extrêmement généreux. Aussi, Mgr Richard lui en exprime toute sa gratitude :

> "Je veux vous remercier de m'avoir accordé, avec autant d'amabilité, la permission de m'absenter durant tant de mois (8 à 12). Je ne m'attends pas à demeurer aussi longtemps. Cependant, votre amabilité m'est très agréable. Puis-je solliciter de Votre Grandeur un souvenir à l'autel durant mon absence ? De mon côté, je n'oublierai pas mon bon et saint évêque aux sanctuaires que j'aurai le privilège de visiter" [12].

D'après son itinéraire, l'abbé Dixon devait passer un mois en Irlande, son pays natal. Il fut donc convenu qu'il partirait seul, le 29 juillet, et que Mgr Richard irait plus tard le rejoindre.

Après s'être muni de nombreuses lettres de recommandation de la part des hauts dignitaires ecclésiastiques et civils, même de Sir Wilfrid Laurier, alors premier ministre du Canada [13], Mgr Richard partit le 31 août 1907.

De l'Irlande, où il avait rejoint l'abbé Dixon, il se rendit en France pour visiter le célèbre sanctuaire de Notre-Dame de Lourdes, et même l'abbaye cistercienne de Bonnecombe, maison mère du monastère des Pères Trappistes de Rogersville.

De Rome, il écrivit à Mgr Thomas Barry:

> "J'arrive de Naples où j'étais allé accompagner l'abbé Dixon qui s'est embarqué hier, le 22 novembre, pour New-York, en route vers Newcastle. Il n'a réellement pas

---

(11) M.-F. Richard, ptre, lettre en anglais du 5 juillet 1907 à Mgr Thomas-F. Barry, évêque de Chatham. La traduction est de nous.
(12) Idem, lettre du 31 août 1907.
(13) Toutes ces lettres sont au Centre d'Etudes Acadiennes de l'Université de Moncton.

Mgr Thomas-F. Barry, 2ième évêque de Chatham.

joui de son voyage. Il en a tout de même profité, puisqu'il a maintenant une idée des pays européens. Soit dit en passant, il n'en est pas enchanté. Le cher Père Dixon a des idées fixes sur toutes choses et il y tient mordicus. Durant tout le voyage, il a exprimé le désir de retourner le plus tôt possible au pays. Le voyage en Terre Sainte l'inquiétait. J'ai regretté lui avoir lu une lettre de mon assistant à Rogersville et dans laquelle était racontée l'aimable visite de Votre Grandeur dans cette paroisse et la mention faite de l'embarras où Elle se trouvait pour répondre aux besoins des paroisses.

"Heureux de rendre service à Votre Grandeur, et plus heureux de retourner sans retard à son cher Newcastle qui a plus de charme pour lui que le macaroni italien, il s'est décidé résolument à partir par la ligne allemande, et il pense arriver le 8 décembre. J'ai voulu lui montrer ma bonne volonté, en l'accompagnant jusqu'à Naples où il prenait son bateau. Pour moi, je pense passer encore une couple de mois ici et ailleurs. Mais le voyage en Terre Sainte ne me sourit guère. Je verrai et me déciderai bientôt. Le repos complet semble me donner un surcroît de santé. Je suis très bien, Dieu merci.

"Nous avons eu, le 26 octobre, notre audience privée avec le Saint-Père, audience que le Père Dixon a trouvé un peu courte. Mais s'il avait, comme le Saint-Père, à recevoir chaque jour tous les pèlerins de l'Univers, il verrait que ce n'est pas une petite besogne. Sa Sainteté a été très paternelle et met à l'aise sans détour" (14).

Mgr Richard vit partir, sans trop de regrets on le pense, son ange gardien, témoin de ses actes. Il allait ainsi avoir les coudées franches pour entrer dans le plein feu de sa mission.

"Quand, dira-t-il plus tard, je me suis vu dans les rues de Rome, seul et pauvre missionnaire inconnu, pour aller exposer une cause juste, mais dans laquelle je pouvais paraître personnellement intéressé, mon seul soutien était la Madone de Sainte-Marie-Majeure. J'accourais vers elle, et je lui disais: si vous voulez faire quelque chose en faveur des Acadiens, en voici l'occasion" (15).

Il rendit visite au cardinal Gotti, préfet de la Propagande, à qui il remit un long exposé de l'histoire et de la situation du peuple acadien, et au cardinal Merry del Val, secrétaire d'Etat, de qui il obtint une audience papale. Cette audience eut lieu le 12 novembre.

Le R.P. Caplin, supérieur du collège canadien à Rome, introduisit le prélat acadien auprès du Saint-Père et lut une adresse où les doléances des Acadiens, si longtemps délaissés, étaient exprimées avec vigueur, clarté et éloquence (16).

"Je pleurais d'attendrissement en écoutant ce discours, écrit Mgr Richard. Le pape s'en aperçut, sans doute, et sans me laisser le temps de dire un mot, il prononça une allocution et approuva la création d'un nouveau diocèse en Acadie: *certissime, habebitis novum dioecesim*".

Le curé de Rogersville adressa une seconde lettre à son évêque:

"La saison des fêtes approche. Il convient que je donne signe de vie à cette occasion, et que j'exprime à mon

---

(14) M.-F. Richard, ptre, lettre du 23 novembre 1907 à Mgr Thomas-F. Barry.

(15) Citée par l'abbé François Bourgeois, aujourd'hui prélat domestique, qui avait connu personnellement Mgr Richard. Voir le **Moniteur Acadien** du 6 janvier 1916.

(16) Le texte de cette adresse a été conservé au Centre d'Etudes Acadiennes de l'Université de Moncton.

évêque mes sentiments de respect et d'affection. Heureux Noël et heureuse année. Voilà mes voeux. Votre Grandeur, dans sa sollicitude pastorale, a tant d'occasions d'éprouver des ennuis, de sorte que c'est un devoir de charité de lui souhaiter le moins d'épreuves possibles, et autant de bonheur que Dieu voudra bien lui accorder. J'aurais dû dire beaucoup d'années de bonheur. Car le clergé et les fidèles du diocèse de Chatham sont intéressés à ce que Votre Grandeur vive encore longtemps pour mener à bonne fin les oeuvres entreprises et d'autres projetées.

"Le Père Dixon est sans doute arrivé dans sa paroisse et moi, qui ne semble pas m'occuper du troupeau, suis encore à l'étranger. C'est mon intention de me rendre au pays, en février, pour aider à l'accomplissement du devoir pascal. Je renonce au voyage à Jérusalem. Trois pèlerins d'Ontario en sont arrivés ces jours derniers, et ils furent retenus en quarantaine durant plusieurs jours, à cause de la fièvre qui règne dans cette région. Je n'aime pas la quarantaine; j'en ai eu assez à Rogersville. D'ailleurs, ce n'est pas un voyage à faire seul, et les pèlerinages réguliers ne se font qu'au mois de mars; c'est trop tard pour m'accommoder. Je vais tâcher de jouir de l'été en hiver pour quelques semaines encore ici. Ensuite, je retournerai probablement en France, en passant par la Suisse et la Belgique, afin de prendre la ligne française au Havre. Ce n'est qu'un projet, et non une décision finale. Le Père Vachon fait chauffer ma chambre, le matin et le soir. Je suis confortable. J'ignore si cela est compris dans les 7 francs par jour. Nous verrons plus tard" (17).

Le 3 janvier 1908, Mgr Richard fut favorisé d'une troisième audience papale. Il l'a racontée comme suit:

"Je suis reçu par le Saint-Père, en audience privée, pour la troisième fois. Je suis seul. On m'annonce. J'entends la voix du Saint-Père:

— Ah! Mgr Richard!

"J'arrive, je me jette à ses pieds, je baise l'anneau de sa main. Il me fait asseoir près de lui. Je lui dis: je suis sur

---

(17) M.-F. Richard, ptre, lettre du 8 décembre 1907 à Mgr Thomas-F. Barry.

mon départ vers mon pays, ma chère Acadie et, avant de partir, je voulais revoir Votre Sainteté afin de la remercier de ses bontés envers moi, et pour l'intérêt qu'Elle porte aux Acadiens.

"Votre Sainteté se rappelle-t-elle que je suis déjà venu lui parler de la cause acadienne?

— Si! Si! Les bons Acadiens!

"Je me proposais de donner quelques détails sur l'Acadie; le pape m'interrompt:

— Soyez sans crainte, la cause triomphera! *Causa praevalebit!*

"Puis, après un silence:

— Bientôt, dans peu de temps; *Brevi tempore, non post multos dies*; Certainement! Certainement! *Certe! Certe!*

"Je lui rappelle que nos démarches ont été faites d'après la direction du premier délégué apostolique au Canada, et de son successeur:

— Bien! Bien! *Bene! Bene!* dit le pape.

"Je lui cite les paroles d'un ancien missionnaire sur son lit de mort: Je n'ai qu'un seul regret avant de mourir, celui de quitter l'Acadie sans avoir eu la consolation de voir un de ses enfants porter la mitre.

— La mitre viendra! La mitre viendra! *Mitra veniet! Mitra veniet!* répliqua aussitôt le pape" [18].

Quelques jours après cette mémorable audience, l'éminent patriote écrivit à son filleul:

"Je suis à Rome. Je me prépare au martyre. N'est-ce pas que j'ai bien choisi le local? Votre parrain a besoin de secours. Inutile de vous dévoiler ce qui se passe ici. J'espère que beaucoup me sera pardonné, parce que j'ai beaucoup aimé.

"Je dois vous dire que j'ai eu trois audiences avec le Saint-Père, et plusieurs avec le cardinal Gotti et le cardinal

---

(18) Extrait du carnet de voyage de Mgr Richard.

Merry del Val. J'avais besoin de revoir et d'entendre ces personnages suprêmes pour me donner une juste idée du gouvernement ecclésiastique et de la justice distributive et commutative dans l'Eglise. Je comprends la délicatesse de ma position, et combien je me suis compromis aux yeux de ceux qui ne voient pas le fond de mon coeur. Qu'importe? Aime Dieu et va ton chemin. Je pensais partir le 24 de Naples afin de retourner au pays. Mais, avant de quitter Rome, je désire savoir quelle tournure vont prendre les affaires" (19).

Le 5 février suivant, Mgr Richard annonçait à son évêque qu'il avait acheté son billet pour New-York, via Naples.

"Je m'embarquerai vendredi le 7, et si tout va bien nous serons à New-York le 19. Je me propose de passer une journée dans cette cité, et ensuite, je partirai vers Montréal, Québec et Rogersville où j'espère arriver le samedi 29 afin d'être présent, durant les "jours gras", dans ma paroisse.

"J'ai vu l'abbé Thomas Albert et Monsieur Daigle hier, et ils m'ont paru en excellente santé. Tous deux réussissent bien dans leurs études . . . J'ai assisté au consistoire quand les cardinaux Luçon et Landrieux, et plusieurs autres, reçurent le chapeau rouge. Quelle grandeur que cette cérémonie!

"Je remercie Votre Grandeur de m'avoir accordé ces quelques mois de vacances que j'ai passés, la plupart du temps, dans la Ville éternelle"(20).

Le 28 février, Mgr Richard était à Québec d'où il écrivit de nouveau à Mgr Barry:

"La traversée de Naples à New-York fut superbe. L'Irène a fait le trajet en douze jours . . . J'irai rendre mes hommages à Votre Grandeur sous peu. En attendant, je renouvelle mes remerciements pour la permission accordée de prendre congé et de visiter la Ville éternelle. Le voyage a été heureux, et je bénis la Providence pour sa protection signalée" (21).

---

(19) M.-F. Richard, ptre, lettre du 12 janvier 1908 à son filleul. Cette lettre est aux archives de l'évêché de Bathurst.

(20) M.-F. Richard, ptre, lettre du 5 février 1908.

(21) Idem, lettre du 28 février 1908.

Dans ses lettres à son évêque — on l'aura remarqué —, Mgr Richard garde un silence absolu sur ses démarches entreprises dans l'intérêt de la cause acadienne. Les évêques des provinces Maritimes lui reprocheront ce silence et l'accuseront même d'avoir agi avec déloyauté en extorquant la permission d'aller à Rome sous le prétexte du rétablissement de sa santé:

> "Il eut été plus loyal de faire connaître à son Ordinaire ses véritables intentions, d'autant plus qu'il n'avait aucune raison de penser qu'une telle permission lui eût été refusée. Il aurait ainsi évité de mettre l'archevêque et les évêques dans leur présente humiliante position" (22).

Il ne fut pas question de santé dans la lettre du 5 juillet 1907. Le seul motif invoqué en faveur de ce voyage était de servir de compagnon à l'abbé Dixon. Instruit par une longue expérience, alors que sa franchise lui avait attiré tant d'avanies, Mgr Richard crut plus sage d'agir avec la même discrétion et user des mêmes tactiques que les Irlandais qui machinaient tout dans le plus grand secret.

Est-il aussi certain que Mgr Barry lui eût permis ce voyage à Rome, dans l'éventualité d'une révélation claire et nette de ses intentions?

Un ancien citoyen de Rogersville, aujourd'hui décédé, très au courant des faits de la petite histoire, nous avait raconté, en 1948, que Mgr Barry s'était fortement opposé à ce que l'abbé Dixon prît Mgr Richard comme compagnon de voyage. Un dialogue, entre ces deux bons Irlandais, se serait engagé un peu de la manière suivante:

— Depuis longtemps, Monseigneur, vous me conseillez d'aller à Rome.

— Très bien! Très bien! lui répondit Mgr Barry.

— Mais comme je n'y suis jamais allé, il me faudrait un compagnon.

---

(22) "Mgr Richard requested permission from his Ordinary to visit Rome for his health, and without mentioning the object of his mission, made use of his permission to petition for the dismemberment of the various dioceses. An honourable way would have been to make his desire known, particularly as he had no reason to believe the permission would be refused by his Ordinary, and thus avoid placing the Archibishop and Bishops in their present humiliating position". Les évêques de la province ecclésiastique d'Halifax, lettre du 17 janvier 1908 au délégué apostolique du Canada.

— Prenez n'importe quel compagnon de votre choix.

— J'ai choisi Mgr Richard; c'est un de mes bons amis.

— Tout autre compagnon, mais pas Mgr Richard!

— Vous avez donné votre parole d'honneur, Monseigneur, en me permettant de prendre n'importe quel compagnon de mon choix. Si vous me refusez Mgr Richard, je ne ferai pas le voyage" (23).

Nous n'avons pas été en mesure de vérifier l'authenticité de ce récit verbal. Toutefois, s'il est conforme à la vérité, il expliquerait les périphrases et les circonlocutions de la lettre du 5 juillet 1907.

L'affaire était lancée, grâce à l'initiative hardie de l'intrépide défenseur des droits acadiens. "Certainement, vous aurez un nouveau diocèse", lui avait dit le pape Pie X.

Dans la pensée de Mgr Richard, le siège de ce nouveau diocèse devait être à Moncton, la seconde ville la plus populeuse du Nouveau-Brunswick et centre ferroviaire autour duquel gravitait une très forte majorité des descendants du peuple martyr (24).

Le 3 janvier 1908, Son Exc. Mgr Donat Sbaretti, délégué apostolique au Canada, adressait une lettre officielle aux évêques de la province ecclésiastique d'Halifax, en leur recommandant de bien vouloir obtempérer à l'ordre du Saint-Père, en formant un diocèse à Moncton.

Ce nouveau diocèse allait forcément entraîner le démembrement d'une imposante partie de ceux de Chatham et de Saint-Jean, leur enlever des paroisses florissantes et, de plus, soustraire à la juridiction de l'évêque de Saint-Jean l'institution diocésaine la plus prospère: le collège Saint-Joseph de Memramcook. Une telle coupure ne pouvait que déplaire souverainement aux évêques qui, réunis à Halifax, rédigèrent un long rapport à l'adresse du délégué apostolique.

Dans ce long dossier étaient évoqués, avec l'ancienne querelle suscitée autour du problème de la fermeture du collège Saint-Louis, les griefs de l'abbé Richard envoyés à Rome dont il était sorti perdant et humilié.

---

(23) Récit verbal d'un ancien citoyen de Rogersville raconté en 1948.

(24) Mgr Richard aurait songé à l'édifice de Ste Mary's Home, comme futur palais épiscopal. D'après une lettre de Cyriaque Daigle écrite en 1948.

En outre, les chefs du mouvement acadien, tels le sénateur Poirier et le juge Landry, de concert avec l'abbé Richard, étaient accusés d'avoir semé la zizanie de la discorde et du mécontentement chez les Acadiens qui, jusque-là, avaient été les plus paisibles brebis de leurs troupeaux.

Au surplus, ériger un nouveau diocèse à Moncton, n'était-ce pas consacrer ouvertement le principe du nationalisme, au risque de soulever de graves dissensions au milieu d'une population mixte, dans un pays qui demeurait toujours une possession anglaise? Un tel démembrement n'allait-il pas entraîner une déprédation financière des deux diocèses ainsi coupés de leurs plus riches paroisses?

Tels furent, en résumé, les principaux arguments invoqués par les évêques des Maritimes pour légitimer leur refus formel à la création d'un diocèse acadien à Moncton (25).

Afin de satisfaire les légitimes revendications des Acadiens et répondre au désir du Saint-Siège, les évêques pensèrent à une autre solution: celle de couper, dans le diocèse de Chatham, une tranche qui eut englobé les trois comtés de Gloucester, Restigouche et Madawaska, dont le quatre-cinquième de la population était d'origine française, et former un diocèse typiquement acadien, avec siège épiscopal à Campbellton ou Bathurst. Cette dernière ville, avec son église, son presbytère et son couvent, tous construits en pierre de granite par Mgr Barry quand il était curé, semblait l'endroit tout indiqué comme centre de ce nouveau diocèse.

La principale et peut-être la seule objection à ce projet, auquel adhéraient les évêques, était la dette de $65,000 contractée lors de la construction de la cathédrale de Chatham.

Nos Seigneurs l'évêque de Saint-Jean et l'archevêque d'Halifax firent preuve de bonne volonté en promettant de souscrire respectivement le montant de $20,000 et de $5,000 à l'amortissement de la dette; la balance de $40,000 serait ainsi répartie: le nouveau diocèse payerait $27,951.27, et celui de Chatham $12,048.73. Il était en outre demandé que les prêtres aient la liberté de choisir leur stabilité dans l'un ou l'autre diocèse (26).

---

(25) Les évêques de la province ecclésiastique d'Halifax, lettre du 17 janvier 1908 au délégué apostolique du Canada.

(26) Les évêques de la province ecclésiastique d'Halifax, lettre du 15 septembre 1908, dont la copie est aux archives de l'évêché de Bathurst, N.B.

Les évêques avaient même songé au titulaire de ce diocèse acadien. Dans une lettre confidentielle adressée à son supérieur général, le R.P. Jean Levallois, eudiste, raconte qu'il avait été convoqué, le 1er décembre 1908, à l'archevêché d'Halifax. Les évêques lui demandèrent quelques renseignements sur le R.P. Patrice-Alexandre Chiasson, alors supérieur du collège de Church-Point.

Tout en admettant que la nomination du R.P. Chiasson serait susceptible de projeter un lustre sur la congrégation des Eudistes, le R.P. Levallois ne la juge pas opportune; il la qualifie même de regrettable. Car elle priverait, selon lui, la Congrégation d'un sujet très précieux, et risquerait d'indisposer la population acadienne qui désire un évêque pris dans les rangs du clergé séculier.

> "La congrégation des Eudistes, écrit-il, a déjà été accusée, très à tort, d'avoir fait opposition, par Mgr Blanche lors de son passage à Rome, à la création d'un évêché à Moncton, pour favoriser le projet proposé par Mgr Barry d'un évêque à Bathurst. Si l'un des nôtres était nommé à cet évêché, s'il est créé, — car c'est Bathurst qui en sera le siège —, les Acadiens nous accuseraient d'avoir fait cause commune avec les Irlandais, et d'avoir, comme récompense, obtenu l'évêché pour un des membres de la Congrégation.
>
> "La création de l'évêché ne ferait pas cesser la lutte entre Irlandais et Acadiens. L'évêque du nouveau diocèse devra prendre fait et cause pour ceux de sa race, au moins dans une certaine mesure, créant par là même des difficultés avec les évêques de langue anglaise des provinces Maritimes. Et comme ces évêques ne pourraient rien contre l'évêque acadien, ce serait sur la congrégation des Eudistes et leurs maisons de Sainte-Anne (Church-Point) et d'Halifax (le grand séminaire) que retomberait leur mécontentement. Je ne parle pas des intérêts personnels du R.P. Chiasson; il aurait énormément à souffrir de tous côtés; il lui faudrait tout organiser et, je doute qu'il soit de taille à accomplir ce travail" [27].

Ce n'est pas ici le lieu de porter un jugement sur la valeur des raisons alléguées par le supérieur du grand séminaire d'Halifax

---

(27) R.P. Jean Levallois, lettre du 8 décembre 1909 au T.R.P. Ange Ledoré, supérieur général des Eudistes.

contre la nomination du R.P. Chiasson. Celui-ci succédera à Mgr Gustave Blanche, comme vicaire apostolique du Golfe Saint-Laurent, le 18 octobre 1917, avant d'être transféré au siège de Chatham où il sera intronisé le 16 décembre 1920. Plus tard, en 1938, il deviendra effectivement le premier évêque de Bathurst.

Les évêques jugèrent utile l'envoi à Rome de l'abbé Henry O'Leary, avec plein pouvoir de négocier en leur nom. Mgr Thomas-F. Barry lui remit la lettre testimoniale suivante, que nous traduisons du texte original latin:

> Par les présentes, nous te confions, à toi notre vicaire général, un mandat spécial en vue d'exposer verbalement le contenu du rapport adressé, le 15 septembre 1908, par l'archevêque et les évêques de la province ecclésiastique d'Halifax, et de la lettre du 6 décembre de la même année où sont plus clairement indiquées les conditions requises à la création d'un nouveau diocèse dans la partie septentrionale du Nouveau-Brunswick. Il s'agit de soumettre à fond le problème de la répartition des dettes et de fournir au Saint-Siège les explications nécessaires sur cette matière. Donné à Chatham, sous notre seing et notre sceau, le 7 mars 1909, Thomas-F. Barry, évêque de Chatham" [28].

Puisque les tractations, entre les évêques et le Saint-Siège, s'opéraient dans le plus grand secret, diverses interprétations furent données au voyage de l'abbé Henry O'Leary. Mgr Richard pensa — il avait partiellement raison —, que ce délégué avait expressément pour mission de faire échouer le projet d'un diocèse acadien à Moncton.

Mgr Richard avait à Rome un ami sincère dans la personne du R.P. Caplin, supérieur du collège canadien. Grâce à l'hospitalité offerte au clergé du Canada, de passage à la Ville éternelle, ce collège était, par le fait même, un poste d'écoute par excellence. Le supérieur communiquait, à son ami de Rogersville, les quelques bribes recueillies au cours de ses conversations avec les hauts dignitaires ecclésiastiques du Canada.

Citons les principaux extraits de ses lettres qui nous peignent, avec une dose d'optimisme, un intéressant tableau de la situation et des opinions courantes.

---

(28) Ce document est conservé aux archives de l'évêché de Bathurst.

Le 31 mars 1908:

"A Rome, tout le monde est pour vous, depuis le pape jusqu'au moindre *minutante* de la Propagande. On a été surpris du *non volumus* de l'épiscopat. Vous pouvez être assuré qu'on exigera des raisons, et de bonnes, avant de surseoir au projet. Au fait, il paraît qu'on a envoyé une raison, une seule et celle-ci: les évêques craignent que, par la création d'un diocèse acadien, on ait l'air d'admettre et de consacrer le principe des nationalités, chose qui pourrait, disent-ils, avoir des conséquences fâcheuses même pour les autres provinces du Dominion. Je vous laisse à juger de la valeur de l'argument. On m'assure qu'il n'y a rien de plus, dans la seconde lettre que les évêques viennent d'envoyer à la Propagande.

"Mgr Laurenti que j'ai vu, il y a peu de jours, semble craindre que la Propagande, surtout le cardinal Préfet, soit impressionné par cette opposition déterminée et unanime des évêques, et qu'on n'ait pas le courage, au moins immédiatement, de passer outre. Il me dit de vous conseiller de vous tenir en relation épistolaire suivie avec le cardinal Merry del Val. C'est de lui, c'est-à-dire de son action directe sur le pape, qu'il paraît attendre le triomphe de votre cause. En effet, si le Saint-Père dit au cardinal Préfet qu'il faut marcher, il marchera, en dépit même de l'opposition des évêques. Sinon, il est bien à craindre que le cardinal Préfet, qui est timide et d'une prudence peut-être exagérée, cherche à faire machine en arrière.

"Donc, cher Monseigneur, écrivez le plus tôt possible au cardinal Merry del Val, lui faisant connaître l'opposition que rencontre votre projet, et la crainte que la Propagande se laisse intimider par elle, et suppliez-le de vous rendre encore le service d'informer le Saint-Père sur tout cela. Envoyez votre lettre recommandée, c'est important" (29).

Il n'en fallait pas davantage à Mgr Richard pour obtempérer à ce conseil. Dès qu'il eût reçu la lettre du R.P. Caplin, il s'empressa d'écrire au cardinal Merry del Val:

"Le souvenir de votre grande charité apostolique envers moi et mes compatriotes acadiens me soutient et m'encoura-

---

(29) R.P. Caplin, lettre du 31 mars 1908 à Mgr M.-F. Richard, P.D:

ge. Que de fois j'ai pleuré d'attendrissement à la pensée de la bonté paternelle du Saint-Père et de son charitable secrétaire d'Etat, pour un pauvre prélat acadien et pour ses délaissés compatriotes. J'apprends que nos évêques, qui ne semblent pas comprendre la mortification, l'humiliation et le découragement de leurs sujets acadiens, persistent à leur refuser un petit coin, dans le pays qu'ils ont fondé et arrosé de leurs sueurs et de leur sang, pour fonder un nouveau diocèse afin de leur donner satisfaction et la consolation d'avoir un évêque de leur race.

"La question n'est pas précisément une question nationale proprement dite, mais plutôt celle de savoir s'il est permis dans l'Eglise de faire des distinctions et d'exclure, avec détermination, les enfants d'un pays fondé par leurs ancêtres, des positions que leurs semences leur ont méritées.

"Je comprends combien la cause de l'Acadie est privée de l'influence qui fait triompher les causes ecclésiastiques. Je ne suis qu'un pauvre missionnaire, qu'un simple prélat auquel on peut attribuer des motifs intéressés dans ses démarches, pour revendiquer les droits de ses compatriotes ignorés et méprisés. Je comprends que les évêques d'une province ecclésiastique, s'unissant pour empêcher la réussite d'un projet (même proposé par la Propagande et approuvé par le Saint-Père), exercent une grande influence auprès de la Propagande. Cependant, la question est de décider si les Acadiens ont des droits, s'ils ont leurs mérites dans l'Eglise romaine, et si ces droits et ces mérites doivent être ignorés avec persistance par ceux qui gouvernent et sont chargés de faire aimer le pape et l'Eglise et d'attacher ses enfants à son service. Il ne s'agit pas des mérites ou des démérites des évêques, mais d'une question de justice et de charité élémentaires.

"Dans notre faiblesse et notre abandon, nous comptons sur le mérite de notre cause, parfaitement connue des autorités de Rome, sur la charité et la justice du Souverain Pontife qui a déjà fait connaître ses intentions à notre égard, sur la charité bienveillante de Votre Eminence qui s'est déjà montrée sympathique envers notre petit peuple délaissé et opprimé . . .

"Permettez, Eminence, qu'au nom de l'Acadie, ma patrie, je vous demande votre puissant concours auprès de Sa

Sainteté pour obtenir la réalisation des espérances du peuple acadien, à savoir: la création d'un nouveau diocèse à Moncton et un évêque de sa nationalité" [30].

Le pape Pie X avait promis qu'un diocèse serait créé en faveur des Acadiens, mais il n'avait pas précisé l'endroit. Or, nous l'avons vu, l'opposition des évêques ne portait pas sur la création d'un diocèse acadien, mais sur le lieu, c'est-à-dire Moncton tel que le voulait Mgr Richard. Le R.P. Caplin l'indique assez clairement dans sa lettre du 31 mars:

"Mgr McDonald, ancien évêque de Harbour-Grace, maintenant retiré à Pictou, est notre hôte depuis une dizaine de jours; c'est un ami intime de Mgr Barry pour lequel il professe la plus haute estime. En le voyant arriver à Rome, j'ai cru qu'il venait peut-être pour prendre la défense des évêques. J'ai été bien agréablement surpris, en causant avec lui, de constater qu'il est, au contraire, favorable à votre cause. Il croit qu'une division de la province d'Halifax s'impose et qu'un Acadien doit être nommé évêque. Il a eu connaissance de ce qui s'est passé à la réunion des évêques à Halifax; il m'a dit que c'est surtout le projet de division tel que proposé par vous qui a rencontré l'opposition des évêques.

"Dans tous les cas, il pense qu'on n'empêchera pas l'affaire de marcher et, qu'avant bien longtemps, il y aura un autre diocèse dans le Nouveau-Brunswick. Son idée à lui, est que Chatham seul, pour le moment, devrait être divisé, avec siège à Bathurst, et je ne serais pas surpris qu'il ait même conseillé à Mgr Barry de proposer au Saint-Siège cette solution à la question acadienne. Plus tard, le diocèse de St. John pourrait être divisé, à son tour, et un second évêque acadien serait nommé.

"Mgr McDonald m'a dit que les deux adversaires les plus résolus de votre projet auraient été Mgr Casey et Mgr McCarthy. Je vous livre ces informations pour ce qu'elles valent . . . Mgr Bégin, dans son audience de congé, a parlé de la question acadienne au pape, et il l'a trouvé dans les mêmes dispositions toutes favorables à votre cause" [31].

---

(30) M.-F. Richard, ptre, lettre du 15 avril 1908 au cardinal Merry del Val.
(31) R.P. Caplin, lettre du 31 mars 1908 à Mgr M.-F. Richard, P.D.

Le 20 juin suivant, le même correspondant écrit:

"Il est certain que l'unanimité de votre épiscopat à rejeter le projet d'érection d'un nouveau diocèse a fait impression ici, particulièrement sur le cardinal Préfet, et qu'on n'ira pas heurter de front, en insistant, le sentiment des évêques. La division tant désirée ne se fera donc pas tout de suite. Mais c'est là, à mon avis, le seul point qu'aient gagné les évêques.

"La cause acadienne n'est pas perdue. Elle continue d'avoir la sympathie du pape et de la Propagande elle-même. On s'est déjà préoccupé ici de savoir comment et sous quelle forme, à défaut de la division projetée, on pourra donner satisfaction aux légitimes aspirations du bon peuple acadien.

"Ce que je vais vous dire est un secret que vous voudrez bien, jusqu'à nouvel ordre, garder pour vous seul. La Propagande a chargé son délégué au Canada de suggérer à Mgr Barry de demander un coadjuteur acadien. Au cas où Mgr Barry refuserait, Mgr Laurenti m'affirme être sûr qu'on saisira la première occasion, comme par exemple la mort du vieil évêque d'Antigonish, pour nommer un évêque acadien.

"Vous voyez donc que, d'une manière ou d'une autre, la parole du Saint-Père, *mitra veniet*, aura bientôt sa réalisation. Ce résultat heureux sera dû, cher Monseigneur, à vos prières, à vos efforts et au succès, reconnu par tous, de votre mission à Rome. Je suis intimement convaincu, pour ma part, que le prochain évêque qu'on nommera, dans les provinces Maritimes, sera un acadien français" (32).

Le 8 novembre de la même année, nouvelle lettre du R.P. Caplin:

"La noble cause acadienne n'est pas morte, comme mon silence aurait pu vous le faire supposer. J'ai le plaisir aujourd'hui de vous annoncer qu'elle va revivre plus forte que jamais.

"Vous savez les changements que Sa Sainteté vient d'opérer dans l'organisation des Congrégations romaines.

---

(32) R.P. Caplin, lettre du 20 juin 1908 à Mgr M.-F. Richard, P.D.

Le Canada échappe à la Propagande, et la nomination des évêques échoit désormais à la Congrégation Consistoriale dont le cardinal secrétaire d'Etat est l'âme et où, lui seul fera la pluie et le beau temps. Or, vous savez que vous n'avez à Rome d'ami plus sincère et plus convaincu que le cardinal Merry del Val. Vous vous rappelez aussi qu'il vous disait que le temps d'agir était venu. Soyez sûr qu'il agira, maintenant qu'il en a le pouvoir. Mgr Bruchési est allé le voir hier soir et il lui a parlé des Acadiens. Il l'a trouvé on ne peut plus décidé à s'occuper de vos intérêts.

"Ecrivez-lui, cher Monseigneur, pour lui dire toute votre joie de savoir que votre cause est désormais entre ses mains, et toutes les espérances que sa sympathie bien connue vous fait conserver pour l'avenir. Je suis sûr qu'il va s'occuper de vous et qu'il vous rendra pleine justice. J'ai vu Mgr Sbaretti, lors de son passage à Rome il y a un mois, et je lui ai parlé de nos chers Acadiens. Lui aussi m'a paru bien disposé à votre égard. Il ne croit pas cependant que la création d'un diocèse à Moncton soit réalisable pour le moment. Le plan que vous avez proposé bouleverserait trop les choses selon lui. Mais, m'a-t-on dit, il faut que quelque chose se fasse. Il m'a exposé son plan (tenu secret), ce serait de demander au Saint-Siège de diviser en deux le diocèse de Chatham, en donnant le nouveau siège à un Acadien. Il est convaincu que la division est possible, et qu'elle ne rencontrerait pas d'opposition de la part des évêques. Qu'en pensez-vous? Si ce nouveau plan ne vous allait pas, il serait peut-être bon que vous fassiez connaître vos vues sur le sujet au cardinal Merry del Val, car je suis sûr que le délégué va lui parler de la chose, s'il ne l'a pas déjà fait.

"Me fais-je illusion? Mais il me semble que vos affaires vont désormais marcher vite, et je me vois déjà assistant, le 15 août 1909, à la consécration du premier évêque acadien"[33].

Mais les choses ne marchèrent pas aussi vite que l'avait rêvé le bon Père Caplin qui, on le constate, était assez bien renseigné.

---

(33) R.P. Caplin, lettre du 8 novembre 1908 à Mgr M.-F. Richard, P.D.

Le second projet, celui de créer un diocèse à Bathurst, projet préconisé par Mgr Barry, n'eut pas plus de succès que celui dont Mgr Richard s'était fait le promoteur.

En formant un diocèse acadien, le Saint-Siège craignait certaines implications d'ordre politique, comme en témoigne la lettre suivante signée par Mgr Augustin Marre, abbé général de l'Ordre des Trappistes, et autre avocat du curé de Rogersville:

> "C'est en cours de route que j'ai reçu votre honorée lettre du 30 mars dernier. On ne peut pas ne pas se sentir touché de votre dévouement inlassable à la cause de vos chers Acadiens. Vous n'ignorez pas quel intérêt elle m'inspire, et comme je souhaite vivement vous voir réussir dans une entreprise qui est comme le résumé et le couronnement de tous vos efforts. Il n'est pas facile ou plutôt, il est impossible de savoir ce qui se prépare à la Consistoriale. Rien ne transpire au dehors, soit pour la nomination des évêques, soit pour la formation de nouveaux diocèses. On a imposé à tous les membres, qui en font partie, un secret rigoureux, quelque chose qui ressemble à celui du Saint-Office. Lorsque j'ai vu Son Eminence le cardinal Merry del Val, nous avons, tout naturellement, parlé de votre affaire aussi. De cet entretien, il m'est resté l'impression qu'à Rome, on éprouve de l'hésitation, de la répugnance même à ériger un diocèse strictement acadien, dans la crainte de voir une question politique venir se greffer sur une affaire purement religieuse en soi.
>
> "Le R.P. Supérieur du séminaire canadien, que j'ai vu également, m'a paru avoir la même impression, mais sans que je puisse savoir s'il l'avait puisée à la même source" (34).

Fidèle au conseil du R.P. Caplin, Mgr Richard adressa, au cours des années 1908 et 1909, plusieurs lettres au cardinal Merry del Val, secrétaire d'Etat de Sa Sainteté le pape Pie X.

Toutes ces lettres se ramènent à une idée principale: La création d'un nouveau diocèse, avec un titulaire d'origine acadienne, n'est pas une question de nationalité, comme on pourrait le penser, mais une question de justice et de droit. L'ostracisme à l'égard des

---

(34) Mgr Augustin Marre, abbé général de l'Ordre cistercien ou des Trappistes, lettre du 18 avril 1910. Mgr Marre était évêque titulaire de Constance et auxiliaire du cardinal Langénieux, archevêque de Reims, en France.

Acadiens n'a pas sa raison d'être dans une Eglise qui doit être inspirée par un esprit de justice et de charité. Les Acadiens sont toujours demeurés fermement attachés à leur foi catholique. Ils se sont montrés toujours respectueux et obéissants envers leurs évêques, et de fidèles sujets du pape. Ils ont donc un droit strict, à cause de leur imposante majorité dans la province du Nouveau-Brunswick, à un représentant de leur nationalité dans la hiérarchie ecclésiastique [35].

Devant la lenteur de Rome à acquiescer à leurs légitimes revendications, les Acadiens s'impatientaient. Réunis en congrès à Saint-Basile du Madawaska, le 15 août 1908, ils résolurent d'envoyer "au Saint-Siège une supplique dans laquelle ils demandaient au Souverain Pontife de bien vouloir se souvenir de leur délaissement, et de leur accorder, selon leurs humbles prières, un évêque de leur nationalité' [36].

Au bas de cette supplique, figuraient les trois noms réglementaires successivement qualifiés de "*dignissimus*", "*dignior*" et "*dignus*" à l'épiscopat.

Une telle initiative, prise à l'insu de Mgr Richard, et en marge de la ligne de conduite qu'il s'était tracée, le contraria d'autant plus qu'elle risquait de contrecarrer les résultats de ses démarches antérieures.

On l'avait même exclu du vote, pris parmi les 59 prêtres acadiens consultés et dont 38 répondirent. Pourquoi cette exclusion? Etait-ce par un "oubli simplement involontaire" comme l'a écrit, pour s'excuser, l'abbé Désiré Léger, l'un des promoteurs de ce mouvement? Le nom du curé de Rogersville figurait-il sur la liste des trois noms envoyés à Rome, et sur lesquels le même abbé Léger demandait: "silence, trois fois silence" [37]?

A Rome, c'était aussi le silence. Ce silence devenait de plus en plus inquiétant, surtout quand on apprit le départ de l'abbé Henry O'Leary, chargé d'une mission spéciale auprès du Saint-Siège.

---

(35) **Résumé des lettres de Mgr Richard au cardinal Merry del Val.**
(36) **Supplique du clergé acadien envoyée à Rome et datée du 12 novembre 1909.**
(37) **Désiré Léger, ptre, lettre du 20 novembre 1909 à Mgr M.-F. Richard, P.D.**

Mgr Edouard Leblanc, premier évêque acadien, nommé en 1912.

Qu'était-il allé faire à Rome? Apposer le sceau du veto irlandais au projet d'un diocèse acadien?

Les commentaires y allaient de leur train. Les esprits s'échauffaient. Une vive inquiétude gagnait les coeurs. On pressa Mgr Richard de partir pour la Ville éternelle.

CHAPITRE XV

LE COURAGE DEVANT LA VÉRITÉ

Aux instances des délégués acadiens, Mgr Richard répondit: "Vous me demandez le plus grand sacrifice de ma vie". Il n'exagérait pas.

La perspective d'une démarche, dont il doutait d'autant plus de l'opportunité qu'elle s'écartait de la filière normale [1] et risquait, par là même, de compromettre le résultat des tractations déjà amorcées par le délégué apostolique, ne lui souriait guère.

A la même époque, la province d'Ontario était le théâtre d'une vague d'assimilation dont le trop célèbre Mgr Fallon était l'âme. Les évêques irlandais sollicitaient à tout prix le siège archiépiscopal d'Ottawa pour l'un des leurs [2]. Etait-ce le moment d'aller à Rome quand le Saint-Siège était aux prises avec des difficultés raciales beaucoup plus aiguës en Ontario qu'au Nouveau-Brunswick? Ne valait-il pas mieux temporiser, et attendre l'accomplissement de la promesse formelle de Pie X?

Aux yeux de Mgr Richard, la requête en faveur d'un évêque acadien était fondamentalement une question de justice et d'équité. Ce principe légitime, inspirateur de toutes ses démarches

---

(1) Représentant officiel du Saint-Siège au Canada, le délégué apostolique était la filière normale par où devaient passer les requêtes de ce genre.

(2) Robert Rumilly, **Histoire des Acadiens**, Montréal 1955, t. 2, p. 877.

antérieures, n'allait-il pas essuyer un démenti devant la curie romaine, témoin des luttes raciales d'Ontario?

Ces considérations prudentes, causes de ses hésitations, transpirent dans la lettre suivante qu'il eut la précaution d'écrire au cardinal Merry del Val, avant d'entreprendre ce nouveau voyage à la Ville éternelle:

> "Je viens de recevoir une requête du clergé acadien qui me sollicite à aller à Rome, avec le juge Landry, dans l'intérêt de la cause acadienne qui n'est pas une cause nationale proprement dite, mais simplement une question de justice distributive dans l'Eglise. Je ne vois pas ce que je pourrais faire de plus . . . pour déterminer les autorités romaines à récompenser des sujets méritants et fidèles. D'ailleurs, le Saint-Père ayant promis de répondre à mes désirs bien légitimes, et ayant avisé la Propagande de proposer un nouveau diocèse dans la province ecclésiastique d'Halifax, une telle proposition devrait, il me semble, recevoir l'appui de l'entourage du pape et de nos évêques.
>
> "Le diocèse proposé, c'est-à-dire Moncton est, de l'aveu général, celui qui répond le mieux aux besoins actuels en Acadie. C'est ce diocèse qui a été demandé, et c'est celui qui est ardemment désiré. Donc, ces désirs raisonnables étant connus du Saint-Père et des cardinaux, tout aussi bien que les raisons les plus convaincantes qui militent en faveur de l'établissement de ce nouveau diocèse, il me paraît inutile de retourner à Rome pour faire valoir une cause déjà approuvée par le Saint-Père . . . [(3)]

Le juge Pierre-A. Landry ne crut pas opportun d'accompagner Mgr Richard. Celui-ci l'affirme dans une lettre à son ami l'abbé Stanislas Doucet:

> "Je suis venu à Moncton afin de rencontrer le juge Landry et lui parler du voyage projeté . . . Il se décourage, et ne veut pas l'entreprendre . . . Pour compléter mon martyre, je vais me décider à partir . . . Il n'y a pas moyen de résister à la pression des confrères et des amis . . . J'espère réussir à mettre fin à l'agitation qui a duré déjà trop longtemps. S'il faut subir plus d'humiliations, le plus tôt le

---

(3) M.-F. Richard, ptre, lettre du 20 avril 1910 au cardinal Merry del Val.

mieux. Evidemment, je m'expose beaucoup, mais il faut en sortir vivant ou mort" [4].

Ainsi, Mgr Richard n'entrait pas aveuglément dans l'arène du combat. Il savait à quoi il s'exposait. Qu'importe? La cause n'en valait-elle pas la peine?

Tel un lutteur intrépide, il fonce sur les obstacles dont le premier à franchir, et peut-être le plus ardu en l'occurrence, était d'obtenir, — condition *sine qua non* —, l'autorisation de son évêque.

Mgr Richard écrivit à ce dernier:

"Ma présence est requise à Rome, et le devoir m'oblige de répondre à l'appel. Je demande respectueusement un *Celebret*, pour être en règle durant ce voyage, et la bénédiction de mon évêque. Je partirai bientôt et je retournerai aussitôt que possible. Cela dépendra des autorités ecclésiastiques à Rome. Je pourvoirai à la desserte de la paroisse durant mon absence" [5].

Mgr Barry répondit par le retour du courrier:

"J'accuse réception de votre lettre du 4 courant que je ne puis pas considérer comme une communication officielle des désirs du Saint-Siège sollicitant votre présence à Rome. Bien que je n'aurais aucune objection à vous accorder l'autorisation nécessaire, je voudrais néanmoins recevoir, soit le texte original, soit une copie du document exigeant votre présence à Rome.

"En même temps, toute disposition prise à l'égard de la desserte de votre paroisse, durant votre absence, doit être soumise à l'approbation de votre évêque. Sur réception du document officiel ci-dessus mentionné, je vous enverrai, avec l'autorisation de vous absenter, le *Celebret* demandé" [6].

La teneur énigmatique de la lettre du 4 mai avait suscité des inquiétudes chez Mgr Barry qui s'était empressé d'en communi-

---

(4) Idem, lettre du 10 mai 1910 à l'abbé Stanislas Doucet.

(5) M.-F. Richard, ptre, lettre du 4 mai 1910 à Mgr Thomas-F. Barry.

(6) Thomas-F. Barry évêque de Chatham lettre du 5 mai 1910. La traduction française est de nous.

quer une copie à son collègue de Saint-Jean. Le 8 mai suivant, Mgr Timothy Casey lui répondit:

> "Tout ira bien, je le pense, à Antigonish quand nous y serons, mais nous ne pouvons pas encore entretenir d'espoir au sujet de Charlottetown. Je tâcherai de vous rencontrer à M . . . jeudi, quoique je ne puis rien promettre.
>
> "Concernant l'autre affaire, j'ai de bonnes raisons de croire que notre ami veut aller comme délégué de la "petite nation" (sic). J'en connais un qui a refusé cette mission. Mais ceci paraît en dehors de la question. Ses expressions semblent équivoques et trompeuses (deceiving). Exigez les documents ou les raisons pour lesquelles sa présence est requise. Si celles-ci sont bonnes, très bien! Sinon, vous avez le droit de savoir toute l'affaire. Prenez garde au chien! *Cave canem* (sic)! Encore d'autres querelles en marche; aucune raison d'en douter" (7).

Le billet suivant, adressé à l'archevêque d'Halifax par l'abbé Henry O'Leary, éclaire singulièrement les réticences du distingué correspondant de Saint-Jean:

> "J'ai reçu certains renseignements que j'ai communiqués à Mgr Barry. Celui-ci m'a prié de vous en faire part.
>
> "Le délégué apostolique a tout récemment recommandé aux autorités romaines qu'un Acadien soit nommé au premier siège vacant dans notre province ecclésiastique. En outre, j'ai compris qu'il est décidé de pousser, s'il le peut, le projet jusqu'à sa réalisation. S'il ne réussit pas à Antigonish, il le fera dans l'Ile. Ce renseignement est strictement confidentiel et ne peut pas être divulgué. Je dois ajouter qu'il ne provient pas de l'homme de Toronto (the Toronto man), mais d'une source très bien informée. (8).

L'heure des circonlocutions diplomatiques était donc désormais révolue chez l'envoyé de la "petite nation". Dans un style direct, quoique respectueux, Mgr Richard révèle, sans détour, le vrai motif de son voyage:

> "Dans ma lettre demandant un Celebret pour un voyage à Rome, j'ai dit: ma présence est requise à Rome. Je n'ai

---

(7) Mgr Timothy Casey, évêque de Saint-Jean, N.B., lettre du 8 mai 1910.

(8) Henry O'Leary, ptre, lettre du 10 mai 1910 à Mgr l'archevêque d'Halifax. La traduction française est de nous.

pas dit que j'étais appelé à Rome ou par Rome. J'ai supposé que Votre Grandeur comprendrait les raisons qui exigent ma présence à Rome, comme Elle avait compris l'importance d'envoyer un délégué pour combattre un projet émané de la Propagande dont j'ai été le promoteur. Je ne pensais nullement qu'il était nécessaire d'avoir "*an official communication*" de Rome pour obtenir un Celebret de mon évêque dans les circonstances présentes" (9).

Mgr Barry n'insiste pas. Il lui écrit le 9 mai: "Dear Mgr Richard. I enclose Celebret as requested. I wish you a sage and pleasant voyage! Please, pray for me at the Holy Shrine! With all my heart, I say: bon voyage et heureux retour (sic)! Your's very truly" (10).

Mgr Richard se montre très reconnaissant:

"Merci, Monseigneur, pour votre bonne lettre et pour le Celebret. Je partirai plus encouragé, ayant la bénédiction de mon évêque. Ma mission est si délicate et si pénible. Je regrette qu'elle soit nécessaire. Je m'étais nourri de la douce espérance que mes lettres filiales, sinon diplomatiques, adressées au délégué et aux évêques de la province ecclésiastique d'Halifax, en décembre 1907, produiraient des résultats consolants. Je voulais rendre les Acadiens reconnaissants à leurs évêques pour leur bienveillante paternité.

"Mon voyage à Rome a pour but de constater ce qui s'est passé depuis mon départ de Rome, en 1908, et de mettre fin à l'agitation d'une question qui demande une solution finale à tous les points de vue. Il est possible que je partirai mercredi, le 18 courant, pour m'embarquer le 21 sur le bateau "Irène" pour Naples; car je désire arriver à Rome, le plus tôt possible. Quant à la desserte de la paroisse durant mon absence, j'avais pensé que la même organisation, à l'occasion de mon premier voyage durant les retraites et le concile, serait agréable à Votre Grandeur. Le Père Régneault, mon assistant, me remplacera, et les Pères missionnaires lui donneront l'aide nécessaire. Si cela ne satisfait pas Votre Grandeur, Elle est libre de changer

---

(9) M.-F. Richard, ptre, lettre du 6 mai 1910 à Mgr Thomas-F. Barry.
(10) Mgr Thomas-F. Barry, évêque de Chatham, lettre du 9 mai 1910.

le programme. Pour moi, je ne puis faire davantage, je ne fais que me servir des prêtres ayant juridiction dans le diocèse" [11].

Le même jour, Mgr Richard écrit à Son Exc. Mgr Donat Sbaretti, délégué apostolique au Canada:

> "Sur les instances du clergé acadien, je me propose de partir pour Rome, sous peu. Le malaise qui existe en Acadie nous donne des inquiétudes. Nous croyons que la foi unie d'autrefois et la confiance dans l'épiscopat et le clergé menacent de diminuer. C'est bien regrettable. Notre devoir est d'informer Rome de la situation de ce bon peuple, et de prévenir le Saint-Siège des dangers dont la religion est menacée en Acadie. C'est là le but de mon voyage, et j'espère que Votre Excellence comprendra l'importance de ma mission et l'aidera à la rendre fructueuse" [12].

Le délégué apostolique prit-il ombrage d'une initiative considérée par lui comme un empiètement sur ses prérogatives?

Par une coïncidence assez étrange, Mgr Sbaretti se trouve à Rome quand, le 31 mai, le curé de Rogersville y arrive. Il est même son voisin de chambre au collège canadien. Le délégué ne cache pas, paraît-il, son désenchantement. Même réserve chez le cardinal Merry del Val qui renvoie Mgr Richard au cardinal de Lai.

Le courageux émissaire du peuple acadien semble insinuer cette déconvenue dans sa lettre du 6 juin à Mgr Barry: "Parti de Québec, le 20 mai, je suis arrivé à Rome le 31 suivant. J'occupe une chambre voisine de celle de Mgr Sbaretti. Jusqu'ici, pas de chicane" [13].

Avec le flair divinateur du savant qu'il était, l'abbé Stanislas Doucet n'avait pas manqué de signaler, avant le départ de son ami de Rogersville, le courage dont il faisait preuve:

> "Vous êtes brave, plus brave que vous ne l'avez jamais été. Pourtant le courage, surtout au milieu des épreuves et des dangers, a toujours été votre qualité dominante. S'il y avait dix hommes comme vous en Acadie, ce ne sont pas toutes

---

(11) M.-F. Richard, ptre, lettre du 12 mai 1910 à Mgr Thomas-F. Barry.
(12) M.-F. Richard, ptre, lettre du 12 mai 1910 à Mgr Sbaretti.
(13) Idem, lettre du 6 juin 1910 à Mgr Thomas-F. Barry.

les congrégations romaines, agissant de concert, qui pourraient résister à leur assaut" [14].

Mgr Richard était seul! Seul, avec sa foi en l'avenir de l'Acadie et sa confiance en la protection de sa Patronne, Notre-Dame de l'Assomption. Il lui fallait du cran pour marcher, sans peur, dans les méandres de la diplomatie romaine. Tout semblait se conjurer pour signifier à l'envoyé de la "petite nation" l'inopportunité de sa présence et son intrusion dans une affaire qui n'était pas de son ressort.

L'audience papale, sollicitée comme suprême recours, se fit longtemps attendre. On a jadis épilogué sur les causes de ce délai. Le veto irlandais se serait-il hasardé jusqu'à la porte du Saint-Père pour interdire l'entrée au vaillant défenseur des droits acadiens [15]? Robert Rumilly écrit: "Le curé acadien franchit tous les obstacles" [16].

A dix heures et demie, le 26 juin, l'humble prélat acadien était au rendez-vous. Il se jette aux pieds du pape:

— Saint-Père, vous ne me reconnaissez pas?

— Si! Si! Acadien! Acadien!

Pie X fait asseoir Mgr Richard à ses côtés, écoute sa requête et lui dit:

— Soyez sans crainte, les Acadiens auront bientôt leur récompense.

Au terme de l'audience, le pape se lève, prend dans une armoire un beau calice d'or et le remet au curé acadien:

— Ce calice rappellera aux Acadiens que le pape les aime. Vous vous en servirez dans vos cérémonies solennelles.

Mgr Richard emporte triomphalement son précieux cadeau comme gage, non seulement de l'amour de Pie X, mais de sa promesse d'accorder bientôt aux Acadiens un évêque de leur nationalité.

---

(14) Stanislas-J. Doucet, ptre, lettre du 14 mai 1910 à Mgr M.-F. Richard, P.D.

(15) La tradition rapporte que, devant le refus du préposé aux audiences papales, Mgr Richard lui aurait dit: "Je veux voir le pape et je le verrai, même en vous marchant sur le dos". Ce trait ne figure pas dans son carnet de voyage. Il nous fut impossible d'en vérifier l'authenticité.

(16) Robert Rumilly, **Histoire des Acadiens**, Montréal 1955, t. 2, p. 878.

Mgr Richard revint au Canada avec le R.P. Caplin, sur le même bateau que Mgr Tampieri, un des hauts fonctionnaires de la curie romaine.

Le mercredi 27 juillet, il arriva dans sa paroisse et, le dimanche suivant, on célébra à Rogersville son retour en même temps que le quarantième anniversaire de son ordination sacerdotale, le 31 juillet (17).

Mgr Tampieri qui, au dire du sénateur Pascal Poirier, était chargé d'une mission secrète en vue d'enquêter sur la situation des Acadiens, visite les principaux centres français du Nouveau-Brunswick.

A Moncton, il rencontre l'abbé Savage, l'un des plus fougueux adversaires de la cause acadienne. Même s'il est bilingue, le curé irlandais refuse de parler en français à son illustre visiteur polyglotte. La visite est brève, d'une durée de quinze minutes, mais elle suffit pour convaincre Mgr Tampieri de la justesse des réclamations des Acadiens de Moncton: leur droit d'entendre au moins quelques sermons dans la langue de leurs pères. Sans se douter, l'abbé Savage était tombé dans le piège que lui avait tendu le rusé sénateur acadien (18).

Après avoir entendu le discours de Mgr Bourne, archevêque de Westminster et la célèbre réplique de Henri Bourassa dans l'église de Notre-Dame de Montréal, vu de ses yeux l'efflorescence de la vie catholique française en Acadie, Mgr Tampieri retourne à Rome, porteur de toute la vérité. A sa lumière va bientôt s'effondrer le mur "des fausses représentations faites à Rome contre les Acadiens" (19). Les choses vont désormais marcher vite. Les Acadiens auront leur évêque.

En l'été de 1912, on annonce la nomination de l'abbé Edouard Leblanc, modeste curé de la paroisse Saint-Bernard de Weymouth en Nouvelle-Ecosse, comme évêque de Saint-Jean du Nouveau-Brunswick. "La nouvelle tombe comme un aérolithe dans

---

(17) Voir **l'Evangéline** des 4 et 18 août 1910.

(18) Pascal Poirier, Mémoires publiés par la Société Historique Acadiennne, 33ième cahier, v. IV, no. 3, p. 132.

(19) Stanislas-J. Doucet, ptre, lettre du 14 mai 1910 à Mgr M.-F. Richard, P.D.

le jardin des presbytères. Elle met tout le monde religieux en émoi dans les provinces Maritimes. Et aussi tout le monde acadien"[20].

Au comble de sa joie, Mgr Richard accueille cette nomination comme un triomphe. Il s'empresse de féliciter le nouvel élu; il l'invite même à présider l'inauguration du sanctuaire qu'il vient d'édifier en l'honneur de la Patronne des Acadiens.

Mgr Edouard Leblanc lui écrit:

> "Dans ma lettre de samedi dernier, je vous disais que je me rendrais à votre fête du 15, si la chose est possible. Je vois maintenant que c'est très difficile, pour ne pas dire impossible de m'y rendre. Et pourtant, Dieu sait si je serais heureux d'aller vous serrer la main pour vous remercier en personne pour tout ce que vous avez fait pour l'Acadie. Je n'oublie pas vos voyages et les sacrifices que vous vous êtes imposés afin de présenter au pape Pie X la véritable situation des Acadiens.
>
> "Les honneurs qui me viennent, en ce moment, vous appartiennent, et je me sens bien indigne de les recevoir. C'est à vous, Monseigneur, qu'il appartient de célébrer, le 15 août, la messe dans votre nouveau sanctuaire et d'y bénir le monument et la statue de Marie, notre patronne. J'aurais honte de vous remplacer . . .
>
> "De mon côté, Monseigneur, je vous promets que ma première visite sera pour vous à Rogersville et cela, le plus tôt possible. Vous serez invité à ma consécration plus tard, mais je vous y invite dès maintenant et là, nous chanterons ensemble le *Te Deum* de l'Acadie" [21].

Le 15 août 1912, cinq mille personnes sont réunies au monument de Notre-Dame de l'Assomption à Rogersville. L'occasion est propice pour faire entendre à l'évêque élu la joie délirante d'un peuple reconnaissant.

---

(20) Robert Rumilly, op. cit., t. 2, p. 889.

NOTE. Avant de nommer Mgr Edouard Leblanc au siège épiscopal de Saint-Jean, alors occupé par Mgr Timothy Casey, le délégué apostolique aurait tout simplement demandé à celui-ci s'il accepterait un archevêché. Croyant qu'il s'agissait de Toronto, Mgr Casey s'empressa de répondre affirmativement. Quand il reçut le décret papal le nommant à Vancouver, il en aurait été profondément déçu.

(21) Mgr Edouard Leblanc, évêque de Saint-Jean, lettre du 12 août 1912.

De sa propre main, Mgr Richard rédige le télégramme suivant:

> "Nombreux clergé et peuple réunis à Rogersville pour fêter Assomption — se réjouissent — de nomination — premier évêque acadien — présentent à Votre Grandeur leurs hommages et cordiales félicitations — prient Dieu — rendre épiscopat très heureux et fructueux. Signé: M-F. Richard" (22).

La réponse de Mgr Edouard Leblanc se lit comme suit:

> "Profondément touché des hommages du clergé et peuple réunis à Rogersville — vive l'Acadie" (23)!

L'ordination épiscopale du premier évêque acadien eut lieu dans l'église cathédrale de Saint-Jean, le 10 décembre 1912. Cérémonie d'un déploiement sans précédent. Les évêques de la province de Québec sont presque tous présents ou représentés. Du fond de la Louisiane des Etats-Unis, des prêtres acadiens sont accourus pour témoigner leur joie.

Le 17 suivant, les Acadiens fêtent leur premier évêque à Memramcook. Mgr Richard prononce l'un des plus éloquents sermons de sa carrière sacerdotale. Empruntant les paroles de l'ange aux modestes bergers de Bethléem, "je vous annonce une grande joie", le prédicateur laisse parler son coeur débordant de reconnaissance (23).

Aux Acadiens qui avaient vécu si longtemps dans l'attente de l'accomplissement de la promesse de Pie X, Mgr Edouard Leblanc ne faisait-il pas figure d'un nouveau Messie?

Quelques années auparavant, un journal anglais avait osé écrire: "*There is no episcopal timber amongst the Acadian clergy*".

Par sa sagesse, son intelligence et son habileté, Mgr Edouard Leblanc démentit cette affirmation gratuite, en montrant qu'il avait toute l'étoffe d'un évêque. A sa mort le 17 février 1935, le deuil fut général. Même les anglo-protestants unirent leurs regrets à ceux de tous les catholiques des deux nationalités pour proclamer qu'un grand évêque venait de disparaître.

---

(22) M.-F. Richard, télégramme signé le 15 août 1912.

(23) Mgr Edouard Leblanc, télégramme du 15 août 1912.

(23) Voir la substance de ce sermon dans l'Appendice du présent ouvrage.

Le 11 juin 1914, l'abbé Louis O'Leary, frère de Mgr Henry O'Leary de Charlottetown, est sacré évêque auxiliaire de Chatham. C'est très vraisemblablement une préparation prochaine à la nomination d'un successeur à Mgr Thomas Barry.

Les prêtres acadiens des deux diocèses du Nouveau-Brunswick envoient une délégation au presbytère de Rogersville. Ces délégués supplient Mgr Richard d'entrer de nouveau dans l'arène du combat afin de faire nommer un Acadien au siège épiscopal de Chatham.

Mgr Richard demande à Mgr Edouard Leblanc lumière et conseil:

> "Ayant travaillé dans l'humble mesure de mes forces pour faire reconnaître les mérites et les droits des Acadiens dans l'Eglise et dans l'Etat, j'hésite à intervenir de nouveau de crainte que mon intervention soit plutôt préjudiciable qu'avantageuse à la cause. Cependant, je ne refuse pas le travail — *non recuso laborem* —, si je puis être utile. Je ferai bien volontiers ce qu'on pourrait me demander de faire" (24).

Mgr Edouard Leblanc se montre favorable à une nouvelle intervention de l'intrépide lutteur acadien:

> "J'ai reçu votre très honorée lettre du 2 courant. Elle traite d'une question aussi délicate qu'importante. Aussi, dites-vous avec raison que tout doit se faire de la manière la plus discrète possible. Ni le public, ni même le clergé, ne sera admis dans nos confidences. Je n'ai que deux ans d'expérience, mais c'est assez pour me convaincre qu'un certain nombre de nos confrères ne savent pas ce que c'est qu'une confidence. Leur confier un secret, c'est mettre de l'eau dans un panier.
>
> "Votre détermination de faire quelque chose pour la cause qui nous est si chère me réjouit et m'encourage. Votre intervention, loin d'être préjudiciable à notre cause, lui sera, au contraire, très avantageuse, j'ose même dire indispensable. Maintenant, auprès de qui allez-vous intervenir? Allez donc voir Son Exc. Mgr le délégué apostolique et exposez

---

(24) M.-F. Richard, ptre, lettre du 2 novembre 1914 à Mgr Edouard Leblanc.

la situation telle qu'elle est. Rome ne peut pas faire autrement que de suivre ses conseils. Toute ma confiance est en lui et dans le cardinal de Lai.

"Le nouveau pape (Benoit XV) est ferme et actif... parle très bien le français et nous est sympathique. Il était près de moi au consistoire. Le cardinal Gasparri et son substitut, parlent, eux aussi, très bien le français. Tant mieux, ce sera moins gênant pour beaucoup d'entre nous" (25).

Fort de l'encouragement de Mgr Edouard Leblanc, le curé de Rogersville se met à l'oeuvre. Il prépare un dossier, accompagné d'une lettre (26), qu'il adresse respectivement à Son Exc. Mgr Francesco Stagni, délégué apostolique au Canada, à Son Em. le cardinal de Lai et une troisième à Mgr Edouard Leblanc. A ce dernier il écrivait:

"Il ne m'appartient pas de dicter à Votre Grandeur la ligne de conduite qu'Elle doit suivre dans les circonstances présentes. Je suis bien convaincu que le but de Pie X, en ordonnant l'élévation d'un enfant de l'Acadie à l'épicopat, était de donner aux Acadiens un protecteur et un défenseur. J'espère que, dans l'occasion, Votre Grandeur agira d'après le principe "noblesse oblige" et que l'Acadie aura raison de se féliciter du premier évêque acadien" (27).

La nomination d'un Irlandais, comme auxiliaire de Mgr Barry, n'avait pas été bien vue des prêtres français du diocèse de Chatham. En guise de protestation, ils s'étaient donné le mot pour ne pas assister à la cérémonie du 11 juin.

L'abbé Stanislas Doucet, curé de Grand-Anse, tenait Mgr Richard au courant des opinions:

"J'ai fait une petite promenade dans le bas du comté, la semaine dernière, et j'ai pu recueillir quelques détails intéressants... Un docteur de la loi aurait écrit à M. Sormany: Vous me demandez une preuve tangible? Pour

---

(25) Mgr Edouard Leblanc, lettre du 14 novembre 1914 à Mgr M.-F. Richard, P.D.

(26) Nous trouvons la copie de ces documents au Centre d'Etudes Acadiennes de l'Université de Moncton.

(27) M.-F. Richard, ptre, lettre non datée qui a dû probablement être adressée en décembre 1914.

vous donner cette preuve tangible de mon mécontentement, non seulement je ne donnerai rien, mais je n'assisterai pas au sacre.

"Un autre aurait dit, en recevant la mission du curé de Sainte-Thérèse [28]: Encore cinq dollars au diable! Je crois qu'il se raffinera et gardera son $5.00.

"M. le curé de Tracadie ne fera absolument rien, ni son vicaire. Le docteur de Shippagan [29] ne fera rien non plus, et c'est ce que le curé de Grand-Anse est décidé de faire lui aussi.

"D'après ce que j'ai pu savoir, tous les *Caiens* [30] du comté de Gloucester brilleront par leur absence et pareillement à la bourse. Il y aura au moins une exception: celui qui passe le chapeau, le *hat*, je devrais dire. Il pourrait y avoir d'autres exceptions, mais il y a lieu d'en douter. Tout le monde s'accorde à dire que le nouvel élu a les qualités nécessaires, mais il ne s'agit pas de cela. On proteste contre le système" [31].

Prélat domestique, Mgr Richard se trouvait dans une position délicate; son absence, à la cérémonie de l'ordination épiscopale du nouvel évêque, eût été beaucoup plus remarquée que celle d'un simple prêtre. Aussi, il ne veut pas demeurer seul. Son ami de Grand-Anse le rassure:

"Vous me disiez, sur votre dernière lettre, que si vous saviez ne pas rester seul, vous ne prendriez aucune part au sacre du nouvel élu, ni à l'offrande qu'on veut lui présenter. Vous avez pu vous convaincre, par la mienne, qu'il n'y aura aucun danger pour vous de rester seul.

"Il n'y a qu'une chose qui pourrait me faire changer de décision, et qui tout probablement vous ferait changer aussi, ce serait si nous apprenions, de source certaine, que le nouvel élu ne sera pas le successeur de Mgr Barry, mais

---

(28) Il s'agit de l'abbé Wilfred Sormany, curé de Sainte-Thérèse de Robertville; il succédera à Mgr Richard, en 1915, comme curé de Rogersville.

(29) L'abbé Thomas Albert, docteur en droit canonique.

(30) Terme diminutif et populaire pour désigner les Acadiens.

(31) Stanislas-J. Doucet, ptre lettre du 6 février 1914.

que cette succession est réservée à un Acadien, qu'il soit du diocèse de Chatham ou d'ailleurs . . . (32)

Simple observateur, Mgr Richard n'est donc que purement passif dans ce mouvement d'abstention dont l'initiative et la responsabilité retombent entièrement sur l'ensemble des prêtres du comté de Gloucester. Les lettres de l'abbé Doucet en témoignent. C'est pourtant sur le curé de Rogersville que vont pleuvoir les bombes de l'Eminentissime cardinal de Lai.

Celui-ci, le 29 mars 1915, lui adresse une lettre d'admonestation beaucoup plus aigre que douce, dont voici la traduction du texte original latin:

> "D'après les renseignements parvenus jusqu'au Saint-Siège, il paraît que, par vos écrits et vos discours, vous travaillez à faire nommer un évêque acadien au siège épiscopal de Chatham, dans l'éventualité d'une vacance de ce siège. J'ignore jusqu'à quel point ces renseignements sont fondés.
>
> "Je ne puis pas me convaincre, comme l'affirment quelques-uns, que vous auriez machiné des intrigues et ourdi des complots pour atteindre un tel but (33).
>
> A l'occasion de vos visites à Rome et des entretiens que j'ai eus avec vous, et aussi par les témoignages antérieurement reçus, j'ai eu la conviction que vous étiez un prêtre animé de l'esprit du Christ, et un très fidèle observateur de la loi chrétienne.
>
> "Si ce que l'on rapporte est vrai, je ne puis que déplorer amèrement le fait que vous vous êtes éloigné de la voie droite. Ne savez-vous pas que cette manière de vouloir imposer au Saint-Siège la nomination d'un évêque, plutôt qu'un autre, est contraire aux règles canoniques, injurieuse à la liberté de l'Eglise et irrespectueuse envers le Saint-Siège? Ne serait-ce pas introduire dans l'Eglise les mêmes intrigues que nous voyons trop souvent dans les élections politiques, au grand désavantage de la société?

---

(32) Stanislas-J. Doucet, ptre, lettre du 2 avril 1914.

(33) Allusion assez évidente au mouvement d'abstention des prêtres français, au sacre de Mgr Louis O'Leary.

"Quand le Saint-Siège a nommé l'abbé Edouard Leblanc, de nationalité acadienne, comme évêque de Saint-Jean, il a clairement démontré qu'il agissait d'après les mérites de la personne choisie et non d'après l'origine et la nationalité. Souvenez-vous du précepte du Seigneur et de la doctrine de saint Paul, à savoir que la chair, le sang ou l'extérieur de l'homme n'entrent aucunement dans les préoccupations du Saint-Siège, mais seulement le bien, la justice, l'utilité de l'Eglise et le salut des âmes.

Si ce qu'on rapporte est vrai, vous devrez désormais vous abstenir de toute démarche, de toute discussion en vue de faire nommer au siège épiscopal de Chatham celui qui vous convient le mieux. En le faisant, ce serait une irrévérence au Siège apostolique, une injure à la discipline et, ce qui est plus grave, un péché et une offense à Dieu" (34).

Mgr Richard s'empressa de communiquer la malencontreuse épître à son ami de Grand-Anse qui lui répondit:

"Je conçois que cette lettre a dû vous causer une surprise des plus pénibles, pour dire le moins. Vous aviez si peu sujet de vous attendre à une pareille lettre. Malgré les apparences, je ne puis croire qu'il y ait des traîtres parmi nous. Ce doit être quelqu'un des "mortifiés" qui a envoyé à Jérusalem (Rome) un compte-rendu du dernier sacre avec toutes les circonstances aggravantes. Courage! Vous avez conscience d'avoir travaillé pour la cause acadienne, avec une intention droite et honnête. L'Acadie restera avec vous.

Je vous aime plus que jamais, parce que je sais que vous souffrez, dans le moment, plus que jamais' '(35).

Le cardinal de Lai laisse entrevoir qu'il doute assez sérieusement de la vérité des rapports faits sur le compte du curé de Rogersville. Même ce doute blesse d'autant plus profondément son coeur, que Mgr Richard est entré dans la dernière phase de la maladie qui devait le conduire au tombeau.

Trop faible pour rédiger lui-même sa défense, il en confie la tâche au curé de Grand-Anse. Entre-temps, les événements se sont précipités. Il entre à l'hôtel-Dieu de Québec. C'est au chevet de

---

(34) Gaétan, cardinal de Lai, lettre du 29 mars 1915, protocole 400-15.
(35) Stanislas-J. Doucet, ptre, lettre du 1er mai 1915.

l'auguste malade que l'abbé Doucet rédige, sous sa dictée, la réponse au cardinal de Lai [36].

En voici le texte:

"Permettez-moi de vous dire que la lettre que Votre Eminence m'a fait l'honneur de m'écrire le 29 mars dernier . . . m'a péniblement surpris. J'étais loin de penser que j'avais agi de manière à m'attirer et à mériter la très sévère admonestation que Votre Eminence, agissant pour la gloire de Dieu, l'intérêt de l'Eglise et pour mon propre bien, a cru devoir m'adresser. Il est vrai que, comme le dit Votre Eminence, cette admonestation repose sur la supposition que les accusations faites contre moi sont bien fondées; mais la seule pensée que Votre Eminence a pu me croire capable de faire ce dont on m'accuse m'attriste beaucoup. Que Votre Eminence veuille bien me croire quand je lui assure que je suis encore tel que j'étais lorsque Elle m'a si bien accueilli, lors de ma visite à Rome, il y a quelques années. Je m'étais alors rendu à Rome pour plaider la cause de mes compatriotes acadiens. C'était pour demander au Saint-Père qu'il voulût bien nous donner un évêque de notre race, parce que, dans leurs recommandations, nos évêques ne pensaient pas à nous. Et le bon Pie X écouta ma prière. Il daigna me promettre que les Acadiens auraient un évêque acadien, et il a tenu sa promesse.

"Membre d'un clergé d'un diocèse dont la population catholiques est pour le quatre-cinquième composée de mes compatriotes, et ayant lieu de croire qu'il faudra bientôt un nouveau titulaire à ce diocèse, le temps était opportun pour demander aux autorités romaines de vouloir bien nommer, à la mort ou à la résignation de l'évêque actuel, un évêque de notre race et de notre langue comme titulaire de ce diocèse presque tout acadien, diocèse qui jusqu'ici n'a eu que des évêques de nationalité irlandaise.

"Croyant pouvoir parler au nom de mes compatriotes, et les circonstances ne me permettant pas, cette fois, de me

---

(36) "Quand, écrit Domine Vautour, M. Stanislas Doucet a fait sa visite à Mgr Richard à l'hôtel-Dieu de Québec, il s'est occupé d'une lettre très importante qu'il a fait partir, par la poste, le jour même". D'après une note écrite sur une lettre de l'abbé Doucet, datée du 28 mai 1915. Domine Vautour était la nièce de Mgr Richard.

rendre à Rome, j'exposai par écrit les raisons qui nous font désirer un évêque acadien dans ce diocèse. J'ai pris la liberté d'adresser mon exposé à Votre Eminence, à quelques autres cardinaux à Rome, au délégué apostolique au Canada et au cardinal Bégin. Voilà tout ce que j'ai fait. J'ai pu me tromper en faisant pareille demande, mais je l'ai faite dans la meilleure intention, et avec le désir de promouvoir les intérêts religieux de mes compatriotes et ceux de l'Eglise, dans cette partie du Canada. J'ai adressé mon humble prière à Rome. Si elle n'est pas exaucée, je ne murmurerai pas; je me soumettrai très humblement au jugement de l'Eglise, et je dirai à Dieu: *Fiat voluntas tua.*

"Je date ma lettre de l'hôtel-Dieu de Québec. C'est que je suis à suivre un traitement ici, pour une maladie grave. J'étais déjà gravement malade et indisposé quand je reçus la lettre dont m'a honoré Votre Eminence. Daignez agréer l'expression des sentiments de profond respect avec lesquels je suis, de Votre Eminence, le très humble et très obéissant serviteur" [37].

Ainsi fut payé, par un soufflet, le courage devant la vérité. Mgr Richard en avait reçu tant d'autres durant sa vie! Ce dernier lui paraissait plus amer, plus âpre et plus pénible, non seulement à cause de son état de grande faiblesse physique, mais surtout parce que le cardinal de Lai mettait en doute la sincérité de ses motifs et la pureté de ses intentions.

A l'instar du divin Maître, qu'il avait si fidèlement servi, il buvait l'amer calice jusqu'à la lie. En ce moment-là, il s'était rendu compte de ce que lui avait coûté tant de zèle et de dévouement au service de sa chère Acadie, en un mot, d'avoir eu une âme de vrai patriote.

---

(37) M.-F. Richard, ptre lettre du 7 juin 1915 à Son Em. le cardinal Gaétan de Lai, secrétaire de la S. Congrégation Consistoriale.

CHAPITRE XVI

L'ÂME D'UN VRAI PATRIOTE

Il est naturel à l'homme d'aimer le sol qui l'a vu naître, de parler la langue apprise sur les genoux de sa mère et de chérir les vénérables traditions issues de ses ancêtres. "Tout l'amour qu'on a pour soi-même, pour sa famille et pour ses amis, écrit Bossuet, se réunit dans l'amour que l'on a pour sa patrie" (1).

Ce sentiment était profondément enraciné dans l'âme de Mgr Richard. Tout jeune, on s'en souvient, il avait résolu de travailler au relèvement de ses compatriotes trop longtemps pressurés par l'impérialisme anglais.

Toutefois, on l'a peut-être trop souvent méconnu dans certains milieux anglophones, le patriotisme de Mgr Richard, même s'il fut ardent, même s'il constituait l'un des puissants mobiles de ses activités, s'est toujours maintenu dans les justes limites du respect de la nationalité de ses coreligionnaires de langue anglaise.

Dans son discours prononcé au premier congrès national des Acadiens, en 1881, il déclare: "Je suivrai une politique libérale en reconnaissant les droits des nationalités qui composent notre société" (2).

Qu'on se rappelle la lettre élogieuse de M. Henry O'Leary que nous avons citée intégralement au chapitre neuvième du présent ouvrage.

---

(1) Bossuet, **Politique tirée de l'Ecriture sainte,** livre 1er, art. 6.
(2) M.-F. Richard, discours prononcé au premier congrès national acadien.

Quand, le 15 août 1895, on célébra le jubilé d'argent sacerdotal du curé de Rogersville, les Irlandais de Richibouctou lui rendirent ce beau témoignage qui ne saurait être purement conventionnel:

> "Quoique fervent patriote de la nationalité acadienne, vous avez toujours prêché la tolérance et l'entente mutuelle. Vous avez toujours cherché à unir, dans un seul instrument en faveur du bien, les meilleurs éléments renfermés dans les diverses nationalités au milieu desquelles vous avez vécu.
>
> "Nous avons été les heureux témoins de votre esprit de renoncement qui vous a porté, même au sacrifice de votre bien-être et de votre confort, à entreprendre, au-delà des limites de votre ministère pastoral, une multitude de bonnes oeuvres. Nous sommes heureux d'affirmer que, dans toutes ces bonnes oeuvres, vous avez été guidé par un motif légitime: celui de venir en aide aux autres, en les assistant au point de vue des nécessités matérielles.
>
> "Nous voulons, en cette présente occasion, ajouter nos voix au concert de louanges bien méritées qui vous sont adressées. Nous formulons des voeux pour que vous puissiez continuer à demeurer le patriote zélé, l'ami généreux, l'aimable conseiller et le pasteur dévoué que vous avez toujours été" (3).

L'abbé Thomas Murray, curé irlandais de Woodstock, écrivait à l'abbé Richard:

> "Je dois affirmer que je vous ai toujours trouvé impartial et que je n'ai jamais remarqué chez vous une tendance à manifester vos sentiments nationaux au préjudice des autres nationalités. Je vous ai toujours trouvé juste et droit, et vous avez traité les autres de la même manière" (4).

Quand il fut question de soustraire la mission de Barnaby-River à la juridiction du curé de Saint-Louis, douze citoyens irlan-

---

(3) Henry O'Leary, D. McDermott, Martin Flanagan, signataires de l'adresse lue le 15 août 1895 à l'occasion des 25 années de sacerdoce de Mgr Richard. La traduction française est de nous.

(4) Thomas Murray, lettre en anglais du 1er décembre 1882 à l'abbé Richard. Ce prêtre irlandais, on s'en souvient, était à Saint-Louis au moment du renvoi des étudiants, les 21-22 novembre 1882.

dais de cette localité signèrent et envoyèrent à l'évêque une supplique en faveur du maintien de l'abbé Richard auprès d'eux [5].

Si l'ombre du chauvinisme s'était profilée derrière l'activité pastorale de l'abbé Richard, ces citoyens irlandais n'eussent probablement pas signé, ni envoyé une telle supplique. L'occasion eût été trop belle, pour eux, de se débarrasser au plus tôt de ce trop gênant patriote.

Partout où les intérêts de ses compatriotes sont en jeu, l'abbé Richard accourt. En 1884, le décès du sénateur Muirhead crée une vacance au sénat. Le curé de Saint-Louis sollicite, auprès des autorités fédérales, la nomination d'un sénateur acadien.

Sir John MacDonald, alors premier ministre du Canada, lui écrit:

> "J'accuse réception de votre lettre du 14 courant dans l'intérêt de la nomination d'un Acadien pour combler le siège laissé vacant par le décès de M. Muirhead. Vos suggestions seront sérieusement prises en considération par le gouvernement" [6].

Deux jours après, l'honorable Hector Langevin répondait à son tour:

> "Votre lettre du 14 janvier m'est parvenue. Je suis bien de votre avis qu'il serait désirable d'avoir un sénateur acadien servant les provinces Maritimes. J'en écris un mot à Sir Leonard Tittley et à l'honorable Costigan qui auront nécessairement beaucoup à dire dans le choix d'un sénateur" [7].

L'honorable John Costigan, député du Madawaska et ministre des Terres et du Revenu à Ottawa, assure l'abbé Richard qu'il "approuve chaque mot de sa lettre du 14 janvier, et qu'il est déterminé à user de toute son influence en faveur de la reconnaissance des justes réclamations des Acadiens du Nouveau-Brunswick et des provinces limitrophes".

---

(5) "We, the undersigned parishoners of Barnaby-River, having been informed that Your Lordship intended to make changes in the organisation of our parish, beg humbly to ask the favour to leave the Reverend Father Richard as our pastor for some time longer". Supplique, non datée, conservée aux archives de l'évêché de Bathurst.

(6) John McDonald, premier ministre du Canada, lettre du 17 janvier 1885.

(7) Hector Langevin, lettre du 19 janvier 1885.

Se plaçant surtout au point de vue politique, M. John Costigan s'étend longuement sur le fait que les députés irlandais doivent leur mandat à une forte majorité du vote acadien, et que les Acadiens n'en furent pas suffisamment récompensés. "Tout Irlandais qui veut être honnête, écrit-il, ne doit pas l'oublier et, pour ma part, je ne saurais me montrer ingrat pour le long et dévoué support donné par votre peuple".

Il affirme ensuite que la question d'un sénateur a été discutée avec ses collègues et ses amis, qu'une autre vacance s'annonce prochainement dans la haute Magistrature et que l'honorable Pierre-A. Landry pourrait probablement poser sa candidature. Il regrette à ce propos qu'un tel homme, aussi qualifié par son éducation, son expérience et son habileté, et encore capable de rendre d'immenses services à ses compatriotes, songe à se retirer de la politique active. "En conclusion, laissez-moi vous dire, Révérend Monsieur, que je me ferai un devoir d'obtenir, l'une ou l'autre des deux positions à un Acadien. Je ne peux rien promettre, mais je pense que le problème sera facilement réglé" (8).

Les voeux de l'abbé Richard sont exaucés. Au cours de l'année 1885, Pascal Poirier est nommé sénateur. Le premier sénateur acadien! Celui-ci écrit: "C'est à John Costigan, plus qu'à tout autre, que je dois ma nomination au sénat" (9).

Au nombre des suppliques adressées au gouvernement fédéral en faveur de la nomination du premier sénateur acadien, celle de l'abbé Richard, on ne saurait en douter, a valu son pesant d'or.

En 1880, la société Saint-Jean-Baptiste célèbre à Québec sa fête nationale avec un éclat particulier. Tous les groupes français de l'Amérique sont invités. Cet appel sonne comme un réveil. "C'est la première fois, écrit Pascal Poirier, que les Acadiens étaient convoqués ensemble, depuis le jour où Lawrence, au nom du roi d'Angleterre, les avait rassemblés dans l'église de Grand-Pré pour la suprême dispersion" (10).

Le curé de Saint-Louis, encore dans les bonnes grâces de Mgr Rogers, se joint, avec l'abbé Eugène-Raymond Biron, directeur du collège, au groupe acadien composé d'une quarantaine de per-

---

(8) John Costigan, lettre du 17 janvier 1885 à l'abbé M.-F. Richard.

(9) Pascal Poirier, Mémoires publiés par la Société Historique Acadienne, 33ième cahier, vol. IV, n 3, Moncton 1971, p. 127.

(10) Emery Leblanc, **Les Acadiens**, Montréal 1963, p. 27.

sonnes. Une commission spéciale, la septième, leur avait été consacrée. On décide qu'une convention nationale des Acadiens ait lieu l'année suivante à Memramcook.

Sous la dictée de l'abbé Richard, toujours respectueux de la hiérarchie ecclésiastique, une copie de cette résolution est envoyée aux évêques des provinces Maritimes (11).

Les 20-21 juillet 1881, environ cinq mille délégués, venus de tous les coins de l'Acadie, se réunissent au collège Saint-Joseph de Memramcook. Un des plus anciens prêtres acadiens, l'abbé Girroir, curé de Havre-au-Boucher, célèbre la messe et l'abbé Richard, curé de Saint-Louis, prononce le sermon de circonstance. Logiquement structuré, selon la coutume de l'époque, ce sermon impressionne l'auditoire (12).

Le choix d'une fête patronale figure en tête de l'ordre du jour. La Saint-Jean-Baptiste serait, d'après quelques-uns, un excellent moyen de mieux fraterniser avec les fils du Québec. D'autres, dont l'abbé Richard, sont partisans d'une fête distincte. La discussion s'engage, vive et animée. Les orateurs se succèdent, chacun faisant valoir son point de vue. Le curé de Saint-Louis se lève et, de sa voix puissante, prononce un long plaidoyer en faveur de l'Assomption.

> "Comme Acadien, dit-il, je ne saurais garder le silence en cette occasion, vu qu'il s'agit d'une question vitale pour l'Acadie. Je ne voudrais pas que l'histoire qui racontera les événements du 20 et 21 juillet 1881, époque si importante de notre existence comme peuple, ait à signaler le refus d'un enfant de l'Acadie de s'enrôler sous le drapeau national et de le défendre contre toute invasion.
>
> "Je regrette seulement d'avoir à lutter contre quelques-uns de mes compatriotes, au nombre desquels se trouvent de mes meilleurs amis personnels et contre nos frères canadiens que je respecte beaucoup et que j'admire, à cause de leur attachement à leur nationalité. Mais il ne s'agit pas ici de faire de la politique ou de servir des intérêts particuliers. Nous sommes convoqués ici, par les organisateurs de cette

---

(11) D'après une relation conservée aux archives du monastère des RR. PP. Trappistes de Rogersville, Nouveau-Brunswick.

(12) Voir le texte intégral de ce sermon à l'Appendice II.

convention acadienne, pour affirmer notre existence comme peuple, et de prendre les moyens de conserver notre nationalité.

"Veuillez croire, M. le Président, que la politique que je me propose de suivre dans cette discussion est tout à la fois libérale et conservatrice. Je suivrai une politique libérale en reconnaissant les droits des nationalités qui composent notre société et, conservatrice en défendant et en faisant respecter nos droits comme peuple distinct, ayant une histoire à part et une destinée à remplir.

"Les Acadiens ont droit à une fête nationale qui leur est propre. Les Irlandais n'ont-ils pas la Saint-Patrice, les Anglais la Saint-Georges, les Québécois la Saint-Jean-Baptiste et même les Sauvages la Sainte-Anne? Pourquoi un peuple qui, pendant plus d'un siècle d'épreuves et de persécutions, a su conserver sa religion, sa langue, ses coutumes et son autonomie, n'aurait-il pas acquis assez d'importance pour mériter les moyens d'affirmer d'une manière solennelle, son existence en se choisissant une fête nationale qui lui soit propre (13)?

Après avoir réfuté les arguments allégués en faveur de la Saint-Jean-Baptiste, l'orateur fait ressortir la haute convenance de l'Assomption comme fête patronale d'un peuple qui a toutes les raisons de croire en la puissante protection de la Reine du ciel.

Grâce à son éloquent plaidoyer, l'abbé Richard emporte le morceau.

Mis en vedette par cette victoire, le curé de Saint-Louis se révèle comme un chef avec qui désormais il faudra compter. Rien d'important ne s'accomplira, dans l'intérêt des Acadiens, sans son intervention.

Prêtre avant tout, guidé par son respect envers l'autorité ecclésiastique, il demande que le choix de l'Assomption soit approuvé par les évêques des provinces Maritimes. Ceux-ci, réunis à la paroisse de Saint-Bernard le 16 septembre 1881, apposent leur signature à la supplique rédigée par l'abbé Richard (14).

---

(13) **Les Conventions nationales des Acadiens**, Shédiac 1907, v.i., p. 58.

(14) Ibid. Ces deux documents sont reproduits dans l'Appendice III et IV du présent ouvrage.

Il fallait aux Acadiens un drapeau et un chant national, symboles de leur unité. Le choix en fut soumis, le 15 août 1884, lors de la deuxième convention tenue à Miscouche, dans l'île du Prince-Edouard.

L'abbé Richard est de nouveau sur la brèche:

"En 1881, nous nous sommes organisés en armée rangée en bataille, non pas pour faire la guerre à nos frères de même religion, mais pour nous défendre contre les ennemis de notre entité nationale. Nous prétendons avoir le droit d'existence sur le sol de l'Acadie, défriché et arrosé par les sueurs, les pleurs et le sang de nos pères. Nous voulons faire respecter les justes aspirations des enfants, martyrs de Grand-Pré et de Port-Royal, et nous sommes décidés à défendre les droits des Acadiens dans ce pays, et à les défendre contre toute tentative tendant à les méconnaître. Mais à une armée, il faut un étendard. La bannière de l'Assomption, naturellement, sera portée avec un patriotisme religieux en tête de nos processions. Mais il nous faut un drapeau national qui flotte au-dessus de nos têtes, aux jours de nos réunions ou célébrations nationales. Je ne veux pas déprécier les différentes suggestions faites à ce propos. Mais je ne puis m'accorder avec ceux qui prétendent que nous devons choisir un drapeau différent de celui de la mère patrie.

"Le drapeau tricolore est celui de la France dont nous sommes les fils, et ce drapeau a droit de flotter, par convenance internationale, dans l'univers entier. Pour nous Acadiens, ce drapeau nous dit simplement que nous sommes Français et que la France est notre mère patrie, comme le drapeau irlandais rappelle aux Irlandais leur origine et leur patrie.

"Cependant, je voudrais que l'Acadie ait un drapeau qui lui rappelle, non seulement que ses enfants sont Français, mais qu'ils sont aussi Acadiens. Je suggère donc, et je propose aux délégués de cette convention le plan suivant du drapeau national: le drapeau tricolore avec, dans la partie bleue, une étoile aux couleurs papales, l'étoile de Marie" (15).

---

(15) Les conventions nationales des Acadiens, loco cit., pp. 171-173.

Ecoutons Pascal Poirier nous décrire la scène, poignante d'émotion, qui suivit le discours de l'abbé Richard:

"Il ne m'a jamais été donné de voir une réunion d'hommes aussi profondément émus que celle qui, le 15 août dernier, se trouvait dans la grande salle du couvent de Miscouche pour décider de l'adoption d'un chant et d'un drapeau par la nation acadienne. Quand le choix fut connu et que M. l'abbé Richard s'avança, enveloppé d'un superbe drapeau tricolore, toute la salle, cinq cents délégués venus de tous les points des trois provinces Maritimes, se leva et une immense acclamation salua l'antique emblème de la patrie. Puis, les souvenirs se précipitant en foule, les luttes, les gloires, les écrasements du passé revenant à l'esprit et, l'émotion gagnant, électrisant toutes les âmes, on n'entendit bientôt plus que des soupirs comprimés, des sanglots s'échappant de toutes les poitrines, tout le monde pleurait. C'est que depuis 1713, c'était la première fois que le drapeau de la France flottait sur la terre acadienne. Pauvres exilés martyrs de Grand-Pré et de Port-Royal, vos âmes bienheureuses ont dû, en ce moment, bénir Dieu avec un élan de ferveur . . . (16)

On demande un chant national, "un chant qui soit à nous", crient plusieurs voix. Alors l'abbé Richard, en élevant au-dessus de sa tête le drapeau tricolore étoilé, entonne d'une voix grave et solennelle le chant de l'Ave Maris Stella, que tout le monde répète après lui.

"M. Pascal Poirier demande la parole pour quelques instants. Il annonce que pour lui l'air national est tout trouvé, et trouvé d'une manière merveilleuse qui montre le doigt de Dieu et l'intervention de Marie, notre patronne. Cet air que nous cherchions, c'est l'air entonné par l'abbé Richard et répété par toute l'assistance. Le président soumet la proposition à l'assemblée qui l'adopte au bruit des acclamations enthousiastes.

"On chante de nouveau l'air désormais national de l'Ave Maris Stella; jamais hymne ne fut chanté avec plus d'entrain.

---

(16) Pascal Poirier dans la **Minerve** du 18 novembre 1884.

"Le lendemain matin, comme le bateau à vapeur laissait la rade de Summerside pour Shédiac, on entendit au loin sur la mer, et du rivage, les échos de la fanfare jouant l'air de l'Ave Maris Stella. Au haut du grand mât, un pavillon inaccoutumé flottait dans la brise. Des vaisseaux en rade, en voyant passer ce pavillon aux trois couleurs: rouge, blanc, bleu, le saluaient du salut militaire, et ceux qui étaient à bord avaient le coeur gros d'émotion en voyant les vaisseaux d'Angleterre saluer le drapeau de la France, le drapeau de l'Acadie" (17).

Le 13 mai 1885, soit deux mois avant l'annonce de son transfert à Rogersville, l'abbé Richard expose à son évêque la triste situation des colons de cette mission.

"Votre honorée lettre du 8 courant m'est parvenue à Rogersville où je suis resté depuis quelques semaines pour soulager et encourager les colons qui se trouvent dans une position assez critique. Je ne sais trop comment m'y prendre pour empêcher une famine générale. Il est bien certain que, sans secours — et c'est le gouvernement qui devrait y pourvoir —, les colons de Rogersville surtout, ne pourront résister, à moins de les aider à vivre durant le temps des semences et leur fournir de quoi semer et planter. Je vous avouerai, Monseigneur, que je ne pense pas que, sur les 350 familles actuellement à Rogersville, 100 hiverneront dans cette colonie l'hiver prochain. Déjà plusieurs familles ont laissé, ne pouvant résister, après avoir quitté leurs fermes. C'est une honte pour la province d'avoir réduit une population méritoire à une telle condition et de laisser ces gens si longtemps souffrir sans secours. Quant à moi, je suis épuisé de ressources matérielles, et je ne sais comment je me tirerai des responsabilités que j'ai prises en leur faveur. Peut-être qu'à la prochaine réunion du conseil à Frédéricton, le gouvernement sentira-t-il qu'il est obligé à restitution envers ces colons qu'il a pillés et martyrisés" (18).

Ainsi, l'exode vers les Etats-Unis risque d'être catastrophique. Il importe à tout prix d'enrayer ce mouvement d'émigration. Pour réussir, il faut à l'abbé Richard, non seulement du courage, mais de l'héroïsme.

---

(17) Fr. M. Gildas, ptre, o.c.r., op. cit., pp. 102-103.
(18) M.-F. Richard, ptre, lettre du 13 mai 1885 à Mgr James Rogers.

Dans son rapport sur la colonisation, il nous trace un tableau **assez** sombre de la situation:

"Au risque de passer pour un insensé, je fis un emprunt de trois mille piastres, et distribuai ce secours aux quatre-vingts colons les plus nécessiteux. On me promettait de me rembourser dans huit mois, au plus tard. Mais au bout de huit mois, bien peu ont pu me satisfaire. De plus, la plupart des colons avaient contracté des dettes considérables chez les marchands; les marchandises étaient vendues au double prix; tout cela accroissait les dettes; on s'emparait des terres hypothéquées. Il me fallait, sous peine de voir périr la colonie, me porter caution pour des sommes considérables, afin de conserver les propriétés aux familles qui étaient menacées d'être jetées sur le chemin.

"Pour avoir agi ainsi, j'ai été l'objet de grandes insultes; on m'a accusé de spéculer sur la misère des colons, de vouloir devenir le seigneur de Rogersville, de trop m'occuper d'affaires temporelles, d'avoir fait de faux rapports sur la situation. Voilà comment on juge les actions des hommes les mieux intentionnés! Qu'importe! Il m'a été impossible de voir mes compatriotes exploités et abandonnés ensuite à leur malheur sans leur venir en aide. Je repousse l'accusation d'avoir voulu par là servir des intérêts politiques! Il me semblait criminel de laisser toute une population digne d'intérêt dans la détresse et fermer l'oreille à leurs supplications. Que l'on critique, que l'on calomnie, qu'on ajoute insultes sur insultes, c'est pénible, c'est outrageant. Mais je crois avoir accompli mon devoir de citoyen, de patriote et de pasteur: cela me suffit . . ." (19)

Cette sombre peinture serait-elle exagérée? Qu'on se rappelle les harcèlements de Mgr Rogers à l'endroit des activités commerciales du curé de Rogersville (20)! Qu'on lise la lettre suivante écrite par un citoyen de langue anglaise qui, au nom d'un certain décorum clérical, proteste énergiquement contre les initiatives du valeureux missionnaire:

"Le Révérend M.-F. Richard vient de déclarer la guerre aux officiers du gouvernement et aux marchands de Rogers-

---

(19) Cité par Fr. Gildas, ptre, o.c.r., op. cit., pp. 81-82.
(20) Voir le chapitre XI.

ville. Un ministre de l'Evangile doit être, avant tout, un homme spirituel inspiré par la paix, et non un homme belliqueux, ni un commerçant. Etes-vous au courant de ses spéculations commerciales? Certainement non! Si vous l'étiez, vous ne tarderiez pas à y mettre fin.

"Il prétend être le sauveur de Rogersville et d'Acadieville, mais ses manières d'agir démontrent trop ostensiblement qu'il travaille beaucoup plus en faveur de son porte-monnaie que pour le bien de ses colons. En d'autres termes, il agit plus comme un spéculateur que comme un prêtre. On pourrait l'appeler le seigneur-propriétaire de Rogersville et d'Acadieville. Si les protestants font de telles remarques, que diront les catholiques? Les colons de Rogersville et d'Acadieville ont perdu confiance en lui. Pourquoi? Parce qu'ils sont d'avis qu'un bon prêtre ne doit pas spéculer sur des moulins, des magasins, des maisons de pension, des fermes, etc., comme il le fait" (21).

Cette lettre est trop teintée de particularisme pour être conforme à la vérité. Les Acadiens des deux colonies concernées n'avaient pas perdu confiance en leur zélé pasteur. Au contraire, ils surent reconnaître ses mérites si l'on en juge par ce qu'écrivit, en 1893, M. Mathias Savoie, un des premiers colons de Rogersville:

> "La colonie de Rogersville doit, non seulement sa fondation, mais encore sa conservation et sa prospérité actuelle à l'apôtre par excellence de la colonisation. Aux jours les plus sombres et les plus critiques de son histoire, la colonie naissante menacée de ruines et de destruction par des revers successifs et la disette, trouva dans son vaillant directeur spirituel un ami dévoué, un protecteur qui, portant le dévouement et le désintéressement jusqu'aux sublimes hauteurs de l'héroïsme, se dépouilla lui-même de tout pour porter secours à ses paroissiens en détresse. Grâce à son intervention, la colonie, rendue à deux doigts de sa perte, fut préservée, et aujourd'hui elle est devenue une des plus souriantes paroisses du nord de la province" (22).

Ce dernier témoignage fait entendre un son de cloche différent du précédent. Inspiré par un profond sentiment de gratitu-

---

(21) Un marchand de Rogersville, lettre du 3 mai 1883 à Mgr James Rogers. La traduction française est de nous.
(22) Extrait du **Moniteur Acadien**, éd. de janvier 1893.

de, il est plus véridique. En janvier 1893, à l'occasion de la fête patronale de leur curé, 265 paroissiens signent l'adresse qui lui fut présentée.

Dans sa réponse, l'abbé Richard disait: "J'ai recu 265 votes sur 275; c'est une preuve que votre vieux représentant n'est pas aussi indigne et méprisable que quelques-uns ont voulu le prétendre". Allusion évidente aux ennemis de la cause qu'il défendait et qui se trouvaient dans la place. Il ajoutait: "J'ai encore d'autres brebis qui ne sont pas du bercail, celles-là aussi, il me faut les chercher et les faire entrer dans la bergerie, par la charité, la patience et de dévouement" (23).

Le coeur de l'éminent patriote s'apitoyait sur un autre genre de misère: la déréliction systématique de la jeunesse acadienne désireuse de poursuivre des études théologiques en vue du sacerdoce.

Des sommes versées au siège de la Propagation de la foi à Paris, les Acadiens, qui pourtant payaient leur part à cette association de bienfaisance, n'en retiraient aucun fruit. L'abbé Richard ne s'était pas gêné pour le dire à Mgr Rogers:

> "L'argent de nos missions acadiennes n'a jamais servi à notre avancement pour la raison que le clergé avait des sympathies plus prononcées pour les leurs" (24).

Plus tard, en 1889, il revint sur le même sujet, avec encore plus de force:

> "Il n'y a que ceux qui entassent leurs argents aux banques, qui enrichissent et établissent leurs parents et leurs nationaux, qui lèguent à l'étranger les revenus ecclésiastiques perçus dans ce diocèse qui sont en sûreté. Ils jubilent de pouvoir s'enrichir et enrichir leurs favoris aux dépens de nos pauvres paroisses, et ne s'occupent que fort peu de nos institutions diocésaines" (25).

Exagérait-il? Pascal Poirier rapporte, dans ses Mémoires, un cas typique d'un détournement d'argent offert par les Acadiens de Grand-Digue dans le but exprès de faire instruire un séminariste de langue française. Cette somme d'argent, paraît-il, aurait dormi dans la caisse épiscopale durant plusieurs années. A un jeune

---

(23) Ibid.
(24) M.-F. Richard, ptre, lettre du 4 mars 1886 à Mgr James Rogers.
(25) Idem, lettre du 19 mars 1889 au même.

Acadien désireux d'accéder au sacerdoce, mais trop pauvre pour payer sa pension et ses études, l'évêque irlandais, administrateur du don des citoyens de Grand-Digue, aurait dit, en le congédiant:

"Je n'ai pas d'argent". Il en avait pourtant pour défrayer, chez les Sulpiciens de Montréal, le cours de deux ou trois séminaristes irlandais avec le casuel diocésain [26].

Telle était la situation à la fin du siècle dernier. Elle devait graduellement s'améliorer, dans les années suivantes, grâce aux efforts déployés par quelques leaders acadiens, tels un Pascal Poirier, un Pierre-A. Landry et un Marcel-François Richard qui payèrent souvent de leur personne leurs hardies et courageuses interventions en vue de faire cesser ces criantes injustices.

Rome fut saisi de la question si l'on en juge par la lettre suivante de Mgr Thomas Barry adressée à Mgr Richard:

> "Lors de votre visite à Chatham, vous m'aviez parlé de M. Daigle qui étudie présentement au grand séminaire de Montréal. Il serait, dites-vous, qualifié pour suivre des cours de théologie au collège de la Propagande.
>
> "A ma demande, l'abbé Thomas Albert a écrit à un étudiant du collège Sainte-Anne, le même qui, l'an dernier, était à Caraquet, pour lui demander s'il serait prêt à partir pour Rome dans le cas d'une ouverture au collège de la Propagande. Et quand j'étais à Rome, j'ai écrit également à l'abbé Eloi Martin et à Pierre-J. Veniot. Ils m'ont répondu qu'ils ne connaissaient personne ayant les qualifications indispensables. Je suis très anxieux de connaître les intentions de M. Daigle. Veuillez m'en informer le plus tôt possible, dans le cas d'une réponse affirmative, afin que je puisse rédiger mon rapport en conséquence" [27].

L'empressement de Mgr Barry, sitôt après son retour de Rome au printemps de 1906, est lourd de signification. Aurait-il été incité par le Saint-Siège à se montrer plus juste envers l'élément acadien de son diocèse?

La brillante intelligence de l'abbé Thomas Albert aurait-elle convaincu les autorités romaines que les Acadiens pouvaient rivaliser avec celle des Irlandais? Quoiqu'il en soit, la lettre suivante

---

(26) Pascal Poirier, Mémoires, loco cit., pp. 130-131.
(27) Mgr Thomas-F. Barry, lettre du 27 avril 1906 à Mgr M.-F. Richard, P.D.

adressée par Mgr Richard au supérieur du grand séminaire de Montréal, projette un peu de lumière sur le problème:

> "Je voudrais vous faire part d'un projet qui me préoccupe et que les autorités romaines me recommandent. Il s'agit de fournir à des étudiants d'origine acadienne les moyens de faire de fortes études pour les préparer à servir l'Eglise en Acadie.
>
> "Par des efforts particuliers, nous n'avons envoyé à Rome que trois étudiants d'origine acadienne et on nous en fait le reproche. Pourtant, ce n'est pas de notre faute. Jusqu'ici, nos évêques n'ont pas songé à faire des sacrifices en faveur du clergé acadien sous ce rapport. Sur ma recommandation, la société l'Assomption entretient trente élèves dans nos collèges. Il est certain que des vocations à l'état ecclésiastique vont se développer sous la direction des bons Pères Eudistes. Or, il est désirable que quelques-uns de ces ecclésiastiques les plus recommandables soient envoyés au collège canadien à Rome, en vue de leur perfectionnement. Pour cela, il nous faut la coopération bienveillante des bons Sulpiciens dont la sympathie envers les Acadiens date du début de la colonie" [28].

Puisque les faits sont plus éloquents que les paroles, l'éminent patriote, un peu avant sa mort en 1915, a légué aux cinq diocèses des provinces Maritimes la somme de douze mille dollars, ainsi répartie: $3,000 à Chatham; $3,000 à Saint-Jean; $2,000 à Charlottetown; $2,000 à Antigonish; $2,000 à Halifax. Dans son testament, le généreux donateur stipule que l'intérêt de cet argent doit servir annuellement aux frais de scolarité et de pension aux séminaristes acadiens qui étudient ou étudieront dans les séminaires de Montréal ou de Rome [29].

L'envoi de cette somme d'argent lui valut, de la part de Mgr Edouard Leblanc, une lettre de remerciement dont voici le texte:

> "J'ai le très grand honneur d'accuser réception de votre lettre du 3 courant, contenant votre chèque au montant de trois mille dollars que vous confiez à la corporation du diocèse de Saint-Jean, et dont les intérêts sont destinés à

---

(28) M.-F. Richard, ptre, lettre du 29 juin 1910, lors de son séjour à Rome.
(29) Fr. M. Gildas, ptre, o.c.r., op. cit., p. 57.

l'éducation des séminaristes de nationalité acadienne aux grands séminaires de Rome et du Canada. Permettez-moi, Monseigneur, de vous exprimer toute ma reconnaissance pour cet acte de générosité en faveur de l'éducation ecclésiastique. Votre long ministère de 45 ans a été, on peut le dire sans exagération, une suite ininterrompue de sacrifices et de dévouement pour les intérêts religieux et patriotiques de notre chère Acadie.

"Votre généreuse offrande est comme le couronnement d'une belle vie sacerdotale, et arrive à une époque où le besoin d'une offrande semblable se faisait grandement sentir. Cette année, je dois payer au séminaire d'Halifax la somme de $600.00 pour les séminaristes. En 1913, j'ai pu envoyer un jeune prêtre acadien à Rome pour une année, mais il m'a coûté $500.00 pour la pension et le passage. Ceci vous fera comprendre combien j'apprécie votre don, et combien je me sens encouragé pour l'avenir.

"Le bon Dieu, qui récompense un verre d'eau donné en son nom, répandra sur vous ses plus abondantes bénédictions et, de nombreux jeunes ouvriers du Seigneur qui jouiront de votre don, feront monter au ciel de ferventes prières pour vous.

"J'ai été peiné d'apprendre par les journaux que vous étiez à l'hôpital de Chatham. Comme vous m'écrivez de Rogersville, je me réjouis d'apprendre que vous devez être beaucoup mieux" [30].

Avant l'annonce officielle de la démission de Mgr Rogers [31], le curé de Rogersville avait offert l'hospitalité de sa paroisse aux Trappistes français qui cherchaient un refuge au Canada.

Ecrivant au T.R.P. Dom Antoine Oger, supérieur de l'abbaye cistercienne de Notre-Dame du Lac, communément appelée la Trappe d'Oka, l'abbé Richard exprimait ainsi sa pensée au sujet des moines cisterciens:

---

(30) Mgr Edouard Leblanc, évêque de Saint-Jean, lettre du 9 mars 1915.

(31) Le 10 décembre 1901, Mgr James Rogers avait demandé au Saint-Siège de le décharger de l'administration du diocèse de Chatham. Ratifiée, le 17 juillet 1902, sa démission devint effective le 14 août suivant.

"L'Ordre des Trappistes étant très ancien dans le monde et, ayant rendu de très grands services à la religion et à la classe ouvrière, en France et ailleurs, je considère que c'est un acte de reconnaissance de montrer à de si bons religieux, ouvriers et agriculteurs de profession, notre sympathie et notre concours. Vu le malheur des temps, il devient impérieux de secourir les exilés qui demandent un refuge dans un pays que leurs ancêtres ont civilisé. Le but de votre oeuvre me plait et me touche en même temps. J'ai une profonde affection pour les ouvriers de la classe agricole qui sont les meilleurs soutiens de l'Eglise et de l'Etat mais qui, malheureusement, sont peu appréciés. Les Trappistes ont toujours été reconnus comme des modèles pour les cultivateurs et ont toujours été leurs protecteurs" [32].

Ce projet se trouvait paralysé par l'opposition persistante de Mgr Rogers à l'endroit des initiatives prises par l'entreprenant curé de Rogersville.

Aussi, le délégué apostolique conseillait-il prudemment d'attendre que "le Saint-Siège ait accepté la résignation de Mgr Rogers" [33].

En évoquant le "malheur des temps", l'abbé Richard fait allusion aux lois persécutrices par lesquelles tous les religieux de France, menacés d'expulsion, étaient contraints de chercher un asile en des pays plus hospitaliers.

En plus de celui de la bienfaisance, un autre motif entrait dans les préoccupations du curé de Rogersville. Il songeait à établir une école d'agriculture dans sa paroisse. Le titre d'incorporation civile du monastère des Trappistes est très révélateur: "*The Model Farm and Agricultural School of Rogersville*" [34]. Nul doute que les Trappistes, ces professionnels de la culture du sol, eussent été d'excellents professeurs. Mais pour des raisons indépendantes de sa volonté, l'abbé Richard n'a pas réussi à mettre son projet à exécution.

---

(32) M.-F. Richard, ptre, lettre du 13 avril 1902.

(33) Diomède Falconio, archevêque de Larisse, délégué apostolique au Canada, lettre du 12 avril 1902 au T.R.P. Dom Antoine Oger, abbé de Notre-Dame du Lac à Oka.

(34) Durant l'année 1914, il y eut échange de lettres entre Mgr M.-F. Richard et le ministre de l'Agriculture du Nouveau-Brunswick à propos de la fondation d'une école d'agriculture à Rogersville.

Le zélé pasteur d'âmes n'oublie pas toutefois l'oeuvre principale des religieux Trappistes: la prière. "Le travail, sanctifié par la prière et par l'amour de Dieu, c'est ce qui doit être l'idéal du cultivateur chrétien. Or, comme l'exemple est très efficace pour produire cet effet, les Trappistes deviennent dans un pays des agents fort désirables et exemplaires" (35).

Le 31 octobre 1902, six religieux de l'abbaye de Notre-Dame de Bonnecombe arrivent à la gare de Rogersville. Une foule de paroissiens, le curé en tête, les acclament. Une procession s'organise et les conduit au presbytère. Après quelques heures de repos, les moines se rendent très tôt, le lendemain matin, à la lumière d'un fanal vers leur modeste chaumière qui devait leur servir de monastère provisoire. Ils récitent les Matines en l'honneur de tous les saints. C'était le 1er novembre 1902.

Depuis cette date mémorable, jamais la récitation chorale de l'Office n'a cessé, et la sollicitude de l'abbé Richard envers ses religieux de prédilection ne connut aucun déclin.

Même chaleureux accueil quand, deux ans plus tard, les Trappistines, après avoir quitté, le 5 mai 1904, leur cher monastère de Vaise, en France, arrivèrent à Rogersville.

Les paroissiens rivalisèrent de générosité en leur fournissant des aliments, des ustensiles de cuisine, de la literie, enfin tout l'indispensable afin d'atténuer un peu l'aspérité de leur dénuement et d'adoucir les peines de leur exil. Elles se sentirent bientôt chez elles au Nouveau-Brunswick. Dès le premier soir de leur arrivée, une visite de M. le curé, qui leur parla de l'avenir avec beaucoup d'optimisme, eut raison de leurs inquiétudes. La ménagère, Mlle Esther, eut le dernier mot: "Mais elles ne sont pas sauvages ces Trappistines" (36)!

En établissant, dans sa paroisse, ces deux centres de prières que sont les monastères cisterciens, l'abbé Richard démontrait que sa foi religieuse vibrait à l'unisson de son patriotisme. Telles ces centrales électriques qui dispensent la lumière et la chaleur à toute une région, les moines et les moniales de l'Ordre cistercien allaient, par leurs prières et leurs sacrifices, attirer sur toute l'Acadie, les bénédictions célestes.

---

(35) M.-F. Richard, ptre, lettre du 13 avril 1902 au T.R.P. Dom Antoine Oger, abbé de la Trappe d'Oka.

(36) D'après une relation conservée à l'abbaye de Notre-Dame de l'Assomption de Rogersville.

L'abbé Richard avait aussi engagé des pourparlers avec les Pères Eudistes, dans l'intention d'établir une maison de leur congrégation à Rogersville. Les fils de saint Jean Eudes avaient déjà fondé, en 1890, le collège Sainte-Anne de Church-Point; en 1895, le séminaire du Saint-Coeur de Marie à Halifax et, en 1899, le collège Sacré-Coeur de Caraquet.

Dans son ouvrage consacré à l'oeuvre des Pères Eudistes en Acadie, le R.P. Marcel Tremblay raconte comment l'abbé Richard avait indirectement contribué à la fondation de Caraquet.

> "Un témoin nous raconte dans quelles circonstances les Eudistes allaient rendre visite à Mgr l'évêque de Chatham. Je me rappelle, écrit-il, que vers février 1896, Monsieur Marcel Richard, plus tard Mgr Richard, vint au séminaire d'Halifax chercher le P. Blanche et le P. Cochet; il les conduisit chez lui, à Rogersville et de là, les dirigea sur Chatham, pour qu'ils entrassent en relation avec Mgr Rogers. Je ne vous accompagnerai pas moi-même auprès de l'évêque, leur aurait-il dit, ma présence vous nuirait plus qu'elle ne vous servirait. M. Richard et son évêque, en effet, avaient eu de très grandes difficultés, dont le souvenir n'était pas effacé" [37].

Utile précaution, car si Mgr Rogers accueillit cordialement les deux visiteurs et qu'il se montra "très aimable et très content", il changea subitement d'attitude quand l'un des deux eut la maladresse de prononcer le nom du curé de Rogersville; il entra en colère et leur dit: "Ne me parlez pas de cet homme, ni de ses affaires! Je ne veux pas m'en occuper"!

Au récit du R.P. Cochet, le R.P. Blanche ajoute cette variante: "J'en profitai pour parler de M. Richard. Il sauta presqu'au plafond, se fâcha, nous dit de ne point lui en parler, que ce prêtre avait contrarié toutes ses entreprises, qu'il lui avait reproché de ne point s'occuper des Acadiens, etc. . . .

"Il nous parla longuement de ses démêlés; on avait voulu le faire passer pour l'ennemi de la langue francaise et des Francais...

"Ce n'est pas à Saint-Louis qu'il faut vous établir, mais à Caraquet. C'est la plus belle paroisse de mon diocèse. Il vous sera

---

(37) Marcel Tremblay, eudiste, **50 ans d'éducation 1899-1949**, Bathurst 1949, p. 33.

facile d'avoir un petit collège francais. Mais Chatham est la ville épiscopale; je voudrais que mon collège marchât..." (38)

Les deux Pères Eudistes comprirent. Ils ne devront pas "paraitre trop les amis" de l'abbé Richard, s'ils veulent réussir à établir une maison de leur Congrégation dans le diocèse de Chatham.

Quand les deux Eudistes lui rendirent compte de leur mission à Chatham, l'abbé Richard "ne sauta pas jusqu'au plafond". Ses réactions furent celles qui conviennent à la noblesse d'âme. "Si les Pères Eudistes veulent entreprendre de réorganiser le collège Saint-Michel, ils feront une bonne oeuvre; je me réjouirai, si mon vieil évêque, avant sa mort, peut arriver à la réalisation de ses plans, d'ailleurs fort légitimes. Je l'aiderai, si je le peux, à réaliser son projet" (39).

Il s'attriste néanmoins quand il apprend que ses deux bons cyrénéens ne devront pas paraitre trop ses amis. "Me faudra-t-il porter seul ma croix jusqu'à ce qu'elle m'écrase" (40)?

Toujours inspiré par son ardent patriotisme, il va s'intéresser à la fondation de Caraquet. Le R.P. Tremblay écrit de nouveau:

> "Le grand patriote de l'Acadie, le futur Mgr Richard, dont une issue malheureuse de sa propre fondation à Saint-Louis de Kent n'avait abattu ni le courage, ni la détermination, a reporté tout son intérêt sur la fondation de son confrère, M. Allard. Une seconde fois, il joue le rôle d'intermédiaire et met notre Congrégation en rapport avec le curé de Caraquet" (41).

Magnanime désintéressement personnel, digne du grand patriote qu'était Mgr Richard! A la pressante invitation de ce dernier, les Pères Eudistes arrivèrent à Rogersville en vue d'établir une maison de missionnaires (42).

Le R.P. Blanche est loin d'être optimiste au sujet de cette fondation. Il écrit:

---

(38) R.P. Cochet, lettre du 4 mars 1896 publiée dans le coin des archives des RR. PP. Eudistes, vol. 11, no 3, p. 9.

(39) M.-F. Richard, ptre, lettre du 20 mars 1896 au R.P. Blanche, eudiste.

(40) Idem, lettre du 6 avril 1896 au R.P. Cochet, eudiste.

(41) Marcel Tremblay, eudiste, **50 ans d'éducation**, op. cit., p. 38.

(42) M.-F. Richard, ptre, lettre du 15 octobre 1902 à Mgr Thomas-F. Barry.

Le premier monastère des RR. PP. Trappistes de Rogersville.
On aperçoit sur le pont la voiture et le cheval
de Mgr Richard.

"Cette fondation débute dans de mauvaises conditions et n'aboutira, je le crains, à rien. D'abord nos confrères sont arrivés au moment où a éclaté dans le pays une épidémie de picote. On s'en est beaucoup effrayé, et les mesures les plus énergiques ont été prises par le conseil de santé. Rogersville a été mis en quarantaine, l'église fermée, et défense absolue aux habitants d'en sortir. C'est au point que, pour m'en aller, j'ai été obligé de demander un certificat au médecin de l'épidémie pour pouvoir prendre le train. Ainsi, le village est devenu une prison pour nos Pères qui se sont fort ennuyés" (43).

L'épidémie de la picote ne fut heureusement que temporaire, mais l'ennui persista chez les Pères qui auraient "voulu une cathédrale pour prêcher et des pénitents à confesser toute la journée. Ce n'est pas possible" (44).

En effet, Rogersville ne pouvait être le centre de rayonnement qu'eussent désiré les bons Pères Eudistes. De 1902 à 1914,

---

(43) R.P. Gustave Blanche, lettre du 6 février 1903 au T.R.P. Ange Ledoré, supérieur général des Eudistes.
(44) Idem, lettre du 17 février 1903.

alors que leur maison fut transférée à Bathurst, ils ont néanmoins exercé un apostolat efficace, apprécié non seulement des gens de la région, mais des deux diocèses de Chatham et de Saint-Jean [45].

L'abbé Richard aurait voulu confier aux Pères Eudistes son école de Rogersville, si l'on en juge par la lettre suivante du R.P. Blanche:

> "J'ai vu M. Richard et lui ai demandé clairement ses intentions. Il voudrait à Rogersville un *High School*, c'est-à-dire une école supérieure, capable de donner une éducation commerciale aux enfants du pays, et il désirerait, comme professeurs, le P. Chiasson et le P. Pelletier. Je lui ai répondu que son projet n'était pas possible. D'abord, parce que nous ne pouvions pas établir une école qui viendrait nuire aux collèges de Caraquet et de Church-Point; qu'en second lieu, notre société ne s'occupait pas de l'enseignement primaire et qu'il était impossible de lui donner le P. Chiasson qui exerce, en ce moment, une très heureuse influence à Church-Point, et que je n'avais personne pour le remplacer. Il a très bien compris ces raisons et il m'a dit: je n'insiste pas, et je tâcherai de m'arranger autrement" [46].

Une lettre du R.P. Prosper Lebastard nous laisse à entendre que l'abbé Richard avait pensé à une communauté de frères enseignants:

> "J'ai vu Monsieur Richard à l'enterrement de Mgr Rogers. Il faisait diacre à la messe pontificale célébrée par Mgr Barry. On dit qu'il songe à établir des Frères chez lui maintenant. C'est l'homme des grandes entreprises qui ne peuvent toutes aboutir, parce qu'elles ne sont pas assez réfléchies et sont trop multipliées" [47].

A défaut d'une communautés d'hommes, des religieuses prendront, en 1904, la direction de l'école paroissiale.

S'étant d'abord adressé, sans succès, aux soeurs de la congrégation de Notre-Dame de Montréal [48], le curé alla frapper

---

(45) D'après une liste conservée aux archives des Pères Eudistes de Charlesbourg.
(46) R.P. Gustave Blanche, lettre du 6 février 1903 au T.R.P. Ange Ledoré.
(47) R.P. Prosper Lebastard, lettre du 2 mai 1903 au T.R.P. Ange Ledoré.
(48) Soeur de l'Immaculée-Conception, lettre du 10 juin 1904.

à la porte de la maison provinciale des Filles de Jésus de Trois-Rivières.

La supérieure lui écrivait: "Vos ardents désirs ont été pris en considérations; vous aurez au mois de septembre prochain, deux soeurs pouvant enseigner le français et l'anglais. Sa Grandeur Mgr Barry approuve-t-il le projet? Il importe que nous le sachions" (49).

Mgr Barry se montre très favorable. Il écrit à l'abbé Richard:

> "En réponse à votre lettre du 1er juillet, que j'ai reçue durant ma tournée de confirmation dans le comté de Restigouche, je dois vous dire que je fus très heureux d'apprendre que vous avez pu réussir à obtenir les Filles de Jésus pour prendre charge de l'école de votre mission cet automne. Je vous demande seulement de vous conformer à la condition suivante. Toute propriété acquise ou construite en faveur de l'établissement des religieuses dans votre mission doit l'être au nom de la corporation intitulée: l'évêque catholique romain de Chatham" (50).

L'atmosphère s'était donc sensiblement purifiée sous l'administration de Mgr Barry, et le curé de Rogersville connut des jours plus ensoleillés. Ainsi, il obtint en 1906 la permission d'aller célébrer la messe à New-Bedford, aux Etats-Unis, lors du Congrès national de la Société l'Assomption.

Habitué à se voir refuser de semblables permissions, il jugea toutefois nécessaires certaines précautions oratoires: "Ils ont entendu dire que le pape avait nommé un prélat acadien; ils sont curieux à propos de cette nouveauté. Je préférerais ne pas y aller. Mais si vous croyez qu'il est mieux de ne pas refuser l'invitation, je m'y rendrai" (51).

A cette convention, on avait nommé Mgr Richard aumônier général de la Société l'Assomption. Il craint que cette nomination soit contraire aux règles disciplinaires de l'Eglise et aux décrets du concile d'Halifax. Il assure prudemment son évêque qu'il s'agit seulement d'un titre honorifique, et que cette nomination eut lieu

---

(49) Soeur Marie Sainte-Bathilde, lettre du 26 juin 1904.

(50) Mgr Thomas-F. Barry, évêque de Chatham, lettre du 6 juillet 1904.

(51) M.-F. Richard, ptre, lettre du 24 juillet 1906.

à son insu, au cours de la convention à laquelle il n'a assisté qu'à la séance d'ouverture [52].

Des nuages assombriront le firmament à la suite des deux célèbres voyages que fit à Rome le curé de Rogersville, pour plaider la cause des Acadiens [53].

Par exemple, après son retour en 1908, il sollicite l'autorisation d'organiser un pique-nique à l'occasion de la fête du 15 août.

Mgr Barry garde le silence; silence éloquent quand on sait que les interventions de Mgr Richard à Rome furent très mal vues des évêques irlandais.

> "N'ayant pas eu de réponse à ma lettre adressée à Votre Grandeur, il y a un mois passé, je n'ai pas autorisé de fête pour le 15 août, à part la fête religieuse. Il en sera de même pour Saint-Joseph de Kent (Kent-Junction). Les dépenses jusqu'ici sont à mes frais et, lorsque je serai trop accablé, je ferai cesser les travaux" [54].

Le 7 août 1910, il demande l'autorisation d'aller chanter la grand-messe à Church-Point à l'occasion du congrès de la Société l'Assomption.

> "Cette invitation vient du Père Chiasson. Comme mon celebret me donnait quatre mois d'absence, j'ai encore un mois et demi à mon crédit. A moins que Votre Grandeur s'y oppose, je me propose d'accepter cette invitation, et aussi d'assister au congrès eucharistique de Montréal" [55].

La réponse de Mgr Barry est ainsi brièvement rédigée:

> *"Your leave of absence ceased on your return from Rome. You have permission to go to the Eucharistic Congress, but I decline giving permission to go to Church-Point for the purpose mentioned"* [56].

Mgr Richard a vivement ressenti cette restriction qui le blessait dans son patriotisme. Il écrit au vicaire général, Mgr L.-N. Dugal:

---

(52) "I did not like the appointment. It was done by the Convention which I did not attend, except at its opening. I will explain further the matter". M.-F. Richard, ptre, lettre du 18 août 1906.
(53) Voir les chapitres XIV-XV.
(54) M.-F. Richard, ptre, lettre du 11 août 1908 à Mgr Thomas-F. Barry.
(55) M.-F. Richard, ptre, lettre du 7 août 1910 à Mgr Thomas-F. Barry.
(56) Mgr Thomas-F. Barry, évêque de Chatham, lettre du 9 août 1910.

"Si je décide d'aller au congrès eucharistique, ce sera, comme vous pouvez le concevoir, en ma qualité individuelle, mais pas autrement. J'aurais aimé assister aux célébrations de Church-Point, pour plusieurs raisons que je crois légitimes, mais je me résigne à l'humiliation imposée" [57].

Plus tard, en 1912, il fut question de nommer un officier de rapatriement dans l'intérêt de la colonisation. Les autorités civiles pensèrent au curé de Rogersville. Ce dernier hésite, ce poste conviendrait mieux à un laïc, à un "*intelligent and interested layman of true catholic spirit and principle*". Un tel homme, écrit le juge Landry, n'est pas facile à trouver et, dans l'intérêt de l'Eglise catholique, il serait préférable de nommer un prêtre à cette fonction. Qui choisir?

"Dans la présente situation, écrit Mgr Barry, je ne connais personne d'aussi qualifié que vous l'êtes. Vous connaissez les exigences de la fonction et dans quelle mesure vous pourrez la remplir conformément à vos devoirs et à votre dignité de prêtre.

"La présence des Pères Eudistes et des Pères Trappistes vous permettra de vous absenter souvent de votre paroisse sans trop d'inconvénients. Je consens très volontiers à votre nomination au poste de commissaire de la colonisation, et je me réjouis de savoir que le juge Landry veut ainsi accorder une telle faveur à notre diocèse" [58].

Le climat avait donc changé sous le règne de Mgr Thomas-F. Barry. On était loin du jour où Mgr Rogers ironisait le choix de l'abbé Richard au poste de président d'une société de colonisation que les Acadiens avaient fondée, et taxait les activités patriotiques de ce dernier de "*self assumption and selfishness as bondering on hallucination*" [59].

Mgr Barry s'était rendu compte que le mobile inspirateur du patriotisme du curé de Rogersville avait des racines plus profondes que celui d'une simple présomption (self assumption), mais qu'il prenait sa source dans la noblesse de son âme et dans son amour de ses compatriotes qu'il voulait maintenir sur le sol qui les

---

(57) M.-F. Richard, ptre, lettre du 12 août 1910.
(58) Mgr Thomas-F. Barry, lettre du 17 avril 1912 à Mgr M.-F. Richard, P.D.
(59) Mgr James Rogers, Mémoire, loco. cit.

avait vu naître afin de les préserver contre le danger de perdre leur foi.

Le digne prélat acadien consacra à ses nouvelles fonctions toutes ses énergies durant le peu d'années qui lui restaient à vivre. Car il touchait au terme de son voyage sur cette terre. Bientôt il dut se résigner à envisager la sombre réalité. Mais le sacrifice de sa vie lui fut d'autant moins pénible qu'il marquait le terme d'un beau pèlerinage marial.

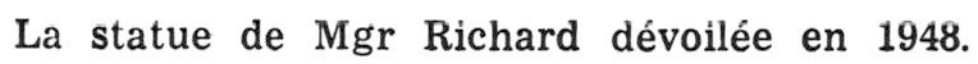

La statue de Mgr Richard dévoilée en 1948.

CHAPITRE XVII

LE TERME D'UN BEAU PÈLERINAGE MARIAL

Vers le milieu du siècle dernier, la dévotion mariale est en pleine effervescence. En Europe, des milliers de pèlerins accourent vers le sanctuaire de Notre-Dame de Lourdes, rendu célèbre par les apparitions de la Vierge à une humble bergère, Bernadette Soubirous.

En 1854, le pape Pie IX proclame solennellement le dogme de l'Immaculée-Conception. De saints personnages que l'Eglise devait élever sur les autels, tels un Dom Bosco, prêtre et apôtre, un Contardo Ferrini, avocat et professeur de droit à l'Université de Milan, brillent par leur tendre piété envers la Reine du ciel. Léon XIII consacre plusieurs de ses encycliques à la dévotion mariale.

Celle-ci inspirera leurs plus belles pages à maints écrivains, tels un Claudel, un Péguy, un Psychari. "Ce dernier tombera plus tard sous les balles de l'ennemi, son chapelet enroulé au poignet" (1).

L'unanimité des congressistes, qui en 1881 et 1884 se rallièrent si facilement aux choix de l'abbé Richard, protagoniste de l'Assomption, de l'Ave Maris Stella et du drapeau tricolore étoilé, répondait à une mentalité: celle d'une époque où la foi religieuse constituait une partie intégrante du patrimoine acadien.

---

(1) Daniel Rops, **Un combat pour Dieu**, Fayard, Paris 1963, p. 808.

La Grotte de N.-D. de Lourdes à Saint-Louis de Kent,
telle qu'érigée par l'abbé Richard.

Rares étaient les foyers où l'image de Marie n'occupait pas une place d'honneur. L'abbé Richard n'a donc pas projeté sur le peuple acadien les élans de sa piété personnelle envers la Reine du ciel quand il s'est fait le promoteur des symboles de notre unité nationale.

Dès sa tendre enfance, le jeune Marcel-François Richard avait puisé sa dévotion mariale dans le trésor des traditions religieuses ancestrales. Une fois prêtre, elle sera son plus ferme appui dans ses luttes et ses déboires.

Lors de son premier voyage en Europe en 1877, il s'arrête à Lourdes. La piété des pèlerins à la grotte de Massabielle l'impressionne et le ravit. Il prend la résolution d'ériger à Saint-Louis une réplique de ce vénéré sanctuaire. A Paris, il soumet son projet à Mgr de Ségur qui l'approuve et lui fait don d'une statue de la Vierge.

De retour dans sa paroisse, il se met à l'oeuvre. L'année suivante, Mgr Rogers préside, le 2 juillet, la cérémonie de la bénédiction de la statue et de la grotte. L'abbé Thomas-G. Rouleau, assistant directeur de l'école normale de Laval, prononce le sermon de circonstance [2].

---

(2) Thomas-G. Rouleau, ptre, lettre du 22 décembre 1917 au R.P. Gildas, o.c.r.

Au cours des travaux préparatoires, on avait fait remarquer au curé qu'il manquait une source miraculeuse pour donner un visage complet de la grotte de Notre-Dame de Lourdes. "J'ai fait ma part, répondit le prêtre, si la Sainte Vierge veut une source, c'est à Elle d'y voir".

Après le dîner, Ange Barriau et Honoré Chiasson vont mettre la dernière main au nivellement du terrain conduisant à la grotte. Chose extraordinaire, au premier coup de pioche, Ange Barriau mit à découvert le bouillonnement d'une magnifique source (3).

Désormais, aucune cérémonie importante n'aura lieu à Saint-Louis sans le pèlerinage traditionnel à la grotte (4).

A Rogersville où il arriva en septembre 1885, l'abbé Richard emporta dans son coeur sa tendre dévotion envers Marie. Ce n'est plus une simple grotte qu'il veut édifier en l'honneur de la céleste patronne des Acadiens, mais un imposant monument, centre de pèlerinage national.

L'occasion lui en fut offerte en 1910 lors du congrès eucharistique de Montréal. On avait alors érigé un arc de triomphe encadrant une magnifique statue de la Sainte Vierge. Au lendemain du congrès, le comité central donna la statue à Mgr Richard, en témoignage d'estime envers le peuple acadien.

Le 20 février 1912, Mgr Richard écrit à son évêque:

> "Le respect et la soumission que je dois à mon évêque me portent à lui soumettre un projet que j'ai à coeur.
>
> "L'automne dernier, j'ai reçu une magnifique statue en cadeau du comité général du congrès eucharistique de Montréal. C'est une statue de huit pieds de hauteur et artistiquement décorée. Les donateurs désirent qu'un petit monument commémoratif du congrès soit érigé en l'honneur de la patronne des Acadiens. Mon intention est d'ériger ce monument dans le parterre du presbytère de Rogersville à moins que Votre Grandeur s'y oppose, dans ce cas, il faudrait ou abandonner l'idée ou ériger le monument sur un terrain privé. J'espère que Votre Grandeur ne refusera pas de bénir cette entreprise . . . puisqu'il s'agit d'honorer la

---

(3) Voir L.-Cyriaque Daigle, **Histoire de Saint-Louis de Kent**, op. cit., pp. 122-123.

(4) On a même parlé de guérisons miraculeuses obtenues avec l'eau de la source découverte par Ange Barriau.

Sainte Vierge et la patronne des Acadiens qui forment la majeure partie de votre diocèse, et je pense qu'ils ont mérité cette marque de bienveillance de votre part . . .

"Je demande donc humblement pour le curé de Rogersville ou ses délégués la permission de célébrer la sainte messe aux pieds de ce monument, d'y faire des processions et des petits pèlerinages. J'ai toujours fait connaître mes intentions et mes démarches aux autorités religieuses et, malgré les contretemps du passé, j'adopte la même ligne de conduite dans le cas présent. A moins d'obstacles inattendus, je pense ériger ce monument au printemps et en faire la dédicace le 15 août prochain" (5).

Mgr Barry approuve le projet. Il écrit le même jour:

"Je vous accorde la permission d'ériger une statue en l'honneur de la Sainte Vierge Marie sur le terrain de l'église qui vous paraîtra le plus convenable. Le lieu que vous proposez est en soi très approprié, si les processions et les pèlerinages que j'approuve entièrement ne sont pas troublés par la proximité de la voie ferrée et, conséquemment par le sifflement fréquent des locomotives et le bruit des trains qui passent.

"Concernant la célébration de la messe en dehors de l'église et près de cette statue, je ne puis rien vous faire connaître de définitif avant d'avoir eu une entrevue avec vous sur le sujet" (6).

Se conformant à la discrète suggestion de son évêque, Mgr Richard choisit un endroit assez éloigné de la voie ferrée, à proximité d'un bocage, "véritable oasis de paix" où il bâtit, sur un vaste terrain, la chapelle dont les plans avaient été tracés par R.-A. Fréchette, professeur d'architecture à l'école normale de Québec.

Ce bâtiment de forme hexagonale était surmonté d'une coupole de style byzantin. Ses hautes et larges verrières permettaient à la lumière solaire d'iriser les magnifiques dorures de l'autel au-dessus duquel s'élevait l'imposante statue de la Vierge de l'Assomption.

---

(5) M.-F. Richard, ptre, lettre du 20 février 1912 à Mgr Thomas-F. Barry.
(6) Mgr Thomas-F. Barry, lettre du 20 février 1912. La traduction est de nous.

Plus tard, en 1947, la façade de la chapelle fut ornée d'un ample chapelet de verre coloré, don des Acadiens franco-américains [7].

Hélas! le tout fut détruit dans l'incendie du 17 mai 1969. Seul le tombeau de Mgr Richard, au sous-sol de l'édifice, ne fut pas touché par l'élément destructeur. Les paroissiens de Rogersville ont très vivement ressenti la perte totale de leur cher monument de Notre-Dame de l'Assomption.

Sous la direction de leur curé, l'abbé Alban Albert, ils ont reconstruit la chapelle, dans un style différent, plus apparenté à celui d'un monument, sans toutefois trahir l'idée première de son vénéré fondateur, dont les restes mortels reposeront désormais, non plus au sous-sol, mais dans l'enceinte, au-dessous d'une large mosaïque de la Vierge de l'Assomption.

Eloquent symbolisme quand on connaît l'intense dévotion mariale de Mgr Richard qui, dans la mort, ne devait pas être séparé de l'image de Celle qu'il avait tant aimée et priée.

Le mardi 2 septembre 1912, Mgr Richard est à Gardner, Mass., aux Etats-Unis, où il célèbre la messe en présence des membres de la succursale numéro 4 de la Société l'Assomption qui porte son nom. En prenant congé des Acadiens franco-américains, il leur dit: "Je m'en retourne dans mon pays pour mourir. Mon âge et ma santé s'en vont; mais vous, mes chers Acadiens, vous viendrez prier sur ma tombe au monument l'Assomption de Rogersville" [8].

Ces paroles d'adieu sonnent comme le chant du cygne. Déjà, Mgr Richard perçoit les premiers indices de la maladie qui devait l'emporter. Ses indispositions se révèlent de plus en plus fréquentes.

En février 1915, il est hospitalisé à l'Hôtel-Dieu de Chatham. Une carte adressée à son vicaire, l'abbé Auguste Allard, est ainsi rédigée: "L'estomac est un peu mieux, mais pas bien; je suis bien

---

(7) En 1943, grâce à la générosité de Mlle Lily Richard, fut érigé dans le bocage contigu ou avoisinant, un chemin de croix, avec personnages en relief sous verre.
En 1948, on dévoila la statue en bronze de Mgr Richard.

(8) Raymond Léger, témoignage signé le 4 février 1952.
Notons que les Acadiens des Etats-Unis furent fidèles à la consigne exprimée à Gardner, Mass., par l'illustre apôtre de l'Acadie.

traité. Mgr Barry et Mgr Louis O'Leary sont venus me voir; ils ont été aimables. A la Providence" (9).

Au mois de mai suivant, la maladie s'aggrave. Il entre à l'Hôtel-Dieu de Québec. Le 31 mai, l'aumônier lui confère le sacrement des malades. Trois visites de Son Eminence le cardinal Bégin, archevêque de Québec, le réconfortent.

Le 2 juin, il adresse à son évêque une lettre d'adieu où sont exprimés les plus nobles sentiments de piété filiale envers son chef hiérarchique.

> "Je désire adresser un mot à mon évêque avant de mourir, J'ai été administré lundi dernier. Deo Gratias! Si j'ai pu vous causer de la peine, ce n'était pas par malice. Je vous en fais mes excuses et je vous en demande pardon. Je crois avoir toujours agi avec franchise et sincérité dans mes relations avec mes supérieurs, et je crois n'avoir eu recours à aucun moyen indigne dans mes démarches. Pardonnez-nous nos offenses comme nous pardonnons à ceux qui nous ont offensés!
>
> "Il n'est guère possible que je puisse retourner en vie à Rogersville. Ayant déjà votre permission, je désire être enterré au monument de Notre-Dame l'Assomption, sous la protection de la Reine du ciel. J'ai tâché de l'aimer et de la faire aimer. C'est la raison d'être de l'existence de cet oratoire. Je désire que mes funérailles soient simples; je préfère ne pas avoir d'oraison funèbre. Je demande les suffrages de Votre Grandeur, de mes chers confrères et des amis charitables; je ne les oublierai pas. Mon testament est court. A part des donations pour l'éducation des ecclésiastiques à l'évêque de Chatham et de Saint-Jean, j'ai fait des donations dans le même but à l'archevêque d'Halifax et aux évêques d'Antigonish et de Charlottetown. Ce que je possède en argent et propriétés, je le donne par testament pour être administré par mes exécuteurs testamentaires à des fins déterminées. Je vous fais mes adieux. Au revoir au ciel" (10).

Accouru à son chevet, l'abbé Stanislas Doucet écrivit de Québec:

---

(9) M.-F. Richard, ptre, lettre du 15 février 1915 à l'abbé Auguste Allard.
(10) M.-F. Richard, ptre, lettre écrite à l'Hôtel-Dieu de Québec le 2 juin 1915.

"Je suis arrivé à midi. Mgr Richard est bien bas. Il a cependant toute sa connaissance. Il peut mourir d'une heure à l'autre. Il pourrait aussi prendre un peu de mieux, et durer quelques temps encore. Mlle Domine Vautour (sa nièce) a mis par écrit la forme et les dimensions du caveau tel que Mgr Richard le veut pour son inhumation. Il n'a aucun espoir lui-même d'aller mieux. Il a chargé la soeur Sainte-Gaudence de s'occuper des ornements qu'il faudra pour ses funérailles et qui resteront en possession de l'église de Rogersville" (11).

En dépit de son extrême faiblesse, Mgr Richard conservait toujours l'espoir d'aller mourir en Acadie. Une légère amélioration de son état de santé permit aux médecins d'obtempérer à ce désir.

A la demande du malade, le docteur Fred-A. Richard de Moncton vint l'accompagner, ainsi que l'abbé François Daïgle, alors curé de Jacquet-River. Ce dernier racontera plus tard:

"En partant de Québec pour revenir à Rogersville, Mgr Richard était excessivement faible. De plus, ses souffrances étaient telles qu'il ne pouvait à peine parler; il était à craindre qu'il ne pût supporter les fatigues d'un si long voyage en chemin de fer.

"Les bonnes religieuses de l'hôtel-Dieu, voulant le mettre sous la garde de la Sainte Vierge, eurent l'heureuse idée de confier à son compagnon une statuette de la Vierge. Après que le train eut franchi une certaine distance, on fit connaître au malade la délicate attention des religieuses de l'hôtel-Dieu. Mgr Richard demande aussitôt la statue et la baise affectueusement.

"Oh! Oui, dit-il, la patronne de l'Acadie me protégera durant le trajet et m'obtiendra le privilège de mourir en Acadie! Car, c'est un grand privilège de mourir en Acadie! Durant ces paroles, ses yeux reprirent leur éclat accoutumé.

---

(11) Stanislas-J. Doucet, ptre, lettre du 4 juin 1915 à l'abbé Auguste Allard. Voici la description du caveau: "Dimension de 10 x 12 pieds de haut, sur une fondation de 2 pieds et demi de hauteur et de 8 pieds de haut en forme de voûte, avec une porte placée de manière à ce que l'on puisse mettre les pieds vers la direction de l'église. Fait en pierres, en briques ou en ciment, ce caveau doit être placé en-dessous de l'autel du monument de Notre-Dame de l'Assomption". D'après une note écrite par Domine Vautour sur la lettre de l'abbé Stanislas-J. Doucet.

Tout dans son extérieur dénotait la conviction et montrait que ce n'était pas là un patriotisme de parade, mais que ses sentiments venaient du coeur" [12].

Le mercredi 9 juin, une foule immense se presse autour de la gare de Rogersville. Le train arrive et s'arrête. Une civière en descend. Chacun retient sa respiration. On se demande si Mgr Richard est encore vivant. Tous ont les larmes aux yeux à la vue de son extrême faiblesse.

Obéissant à la requête du malade, quatre hommes portent la civière sur leurs épaules jusqu'au monument de Notre-Dame de l'Assomption.

En passant près de l'église qu'il avait construite au prix de tant de sacrifices, il se signe en disant: "Marie, ma bonne Mère"!

"Je marchais à ses côtés, écrit l'abbé Auguste Allard. Son visage trahissait la plus vive émotion. Les sanglots qui m'étreignaient, en ce moment-là, m'empêchèrent de saisir ses paroles à son arrivée au monument".

Les porteurs, fatigués de tenir leur lourd fardeau, n'attendent pas le signal du retour. Mgr Richard serait demeuré là, durant de longues heures, abimé dans une silencieuse contemplation.

On le conduit au presbytère où on l'étend sur son lit. Il dit alors à son vicaire: "Faites venir Laurent Guimont, comme infirmier. Aucune femme ne doit entrer dans ma chambre, pas même le Dr Olloqui" [13].

Jamais une plainte n'est sortie de ses lèvres. Il ne demandait rien et ne refusait rien. Comme une soif ardente le dévorait, on lui versait de l'eau à l'aide d'une cuillère.

"Le vendredi 18 juin, vers trois heures de l'après-midi, l'infirmier m'appelle. J'accours: j'aperçois le moribond, dans un suprême effort, les bras tendus, comme pour recevoir quelqu'un. Le visage tout illuminé, il dit: "La voici, Marie ma bonne Mère! Et il expira" [14].

---

(12) Le **Moniteur Acadien**, du 6 janvier 1916.

(13) Le docteur Olloqui était une femme célibataire qui exerçait la profession de médecin dans la région.

(14) L'abbé Auguste Allard, ptre, témoin des derniers moments de Mgr Richard.

De nombreux témoignages de condoléances affluèrent au presbytère de Rogersville. Celui de Son Eminence le cardinal Nazaire Bégin, archevêque de Québec, semble les résumer tous:

> "Joins mes regrets à ceux de l'Acadie pleurant la mort de son fils illustre, le vénéré Mgr Richard. Coeur généreux, bienfaiteur de sa race, pasteur pieux, colonisateur zélé, patriote ardent, digne de vivre au ciel et dans le coeur des siens" (15).

Les funérailles, présidées par l'évêque auxiliaire de Chatham, Mgr Louis O'Leary, eurent lieu le 23 suivant, en l'église de Rogersville, en présence d'une soixantaine de prêtres et d'une foule immense de fidèles.

On conduisit la dépouille mortelle au monument où elle repose depuis, sous la garde de Notre-Dame de l'Assomption, la patronne de l'Acadie.

Le monument de Notre-Dame de l'Assomption tel qu'il était quand il fut inauguré le 15 août 1912.

---

(15) Son Em. le cardinal Nazaire Bégin, télégramme du 19 juin 1915.

La statue de Notre-Dame de l'Assomption placée au-dessus de l'autel dans l'enceinte du monument. Le tout disparut dans les décombres à la suite de l'incendie du 17 mai 1969.

Le tombeau de Mgr Richard tel qu'on le voyait avant l'incendie du 17 mai 1969.

APPENDICE

L'intérieur de l'église de Saint-Louis de Kent.

— I —

GENEALOGIE DE MGR MARCEL-FRANCOIS RICHARD, P.D.

A — Souche paternelle.

1 — Michel Richard, né en France, en 1630, arriva en Acadie vers 1649 où il épousa, en 1657, Madeleine Blanchard, fille de Jean Blanchard et de Radegonde Lambert.

2 — Martin Richard, fils du précédent, né en 1665, épousa vers 1687, Marguerite Bourg, fille d'Antoine Bourg et d'Antoinette Landry de Port-Royal. Il alla résider à Beaubassin en 1694.

3 — Michel Richard, un des sept enfants de Martin Richard, naquit vers 1697 et épousa plus tard Madeleine Doucet à Beaubassin.

4 — François Richard, un des onze enfants de Michel Richard, naquit à Napanne en 1754, épousa en 1774 Marie Daigle à la baie des Chaleurs.

5 — Joseph Richard, né à Bonaventure, le 2 décembre 1778, épousa le 16 novembre 1801, au vilage Saint-Antoine de Richibouctou, Marguerite Babineau, fille de Jean Babineau et d'Anne Bastarache.

6 — Pierre-Luc Richard, né le 19 septembre 1802, épousa à Saint-Louis de Kent, Marie-Tharsile Bario, fille de Charles-Olivier Bario et de Marie-Anne Henri, fille de Simon Henri et de Marguerite Bro.

7 — Marcel-François Richard, né le 9 avril 1847 à Saint-Louis de Kent, au Nouveau-Brunswick, Canada.

B — Souche maternelle.

1 — Nicolas Bario, né en France, en 1646. Son nom figure au recensement des Mines (1714) avec son épouse, Martine Hébert et ses quatre garçons.

2 — Pierre Bario, né à Piziguit, en 1707, épousa Véronique Girouard. En 1750, ils émigrent à l'île Saint-Jean et se fixèrent à la Rivière-du-moulin-à-scie. En 1758, ils furent transportés, avec leurs enfants, à Saint-Malo, en Bretagne, France.

3 — Olivier Bario, fils de Pierre Bario, épousa Anastasie Boudrot,, dont il n'eut qu'un fille. Veuf de sa première épouse, il se maria avec Elisabeth Landry, fille de Pierre Landry et d'Anne Terriot, le 10 mai 1768.

4 — Charles-Olivier Bario, fils du précédent, épousa Marie-Anne Henri, fille de Simon Henri et de Marguerite Bro.

5 — Marie-Tharsile Bario, fille de Charles-Olivier Bario et de Marie-Anne Henri. Elle épousa Pierre-Luc Richard.

6 — Marcel-François Richard, né le 9 avril 1847, ordonné prêtre le 31 juillet 1870, curé de Saint-Louis de Kent, sa paroisse natale, de 1871 à 1885, et de Rogersville de 1885 à 1915 où il décéda le 18 juin 1915.

— II —

Sermon prononcé à l'ouverture de la première convention nationale des Acadiens à Memramcook, par l'abbé M.-F. Richard, curé de Saint-Louis.

Beatus populus cujus Dominus Deus ejus.
Heureux le peuple qui a le Seigneur pour son Dieu.
(Ps. 143, 15.)

Mes Chers Frères et compatriotes,

Les nations comme les individus sont avides de bonheur. Tous les peuples ont voulu être heureux; mais combien de fois ne se sont-ils pas trompés et sur la nature du bonheur et sur les moyens d'y parvenir? Les uns ont fait consister le bonheur national dans la puissance et les conquêtes. Ceux-ci dans les richesses, les plaisirs et les aménités de la vie. Ceux-là dans l'affranchissement des lois et de tout ce qui peut gêner la liberté. Quelques-uns dans le développement intellectuel et le progrès purement matériel. D'autres enfin ne voient le vrai bonheur que dans la possession de toutes ces choses. Erreur, aveuglement, folie, vanité des vanités! Toutes ces choses ne sont tout au plus que les apparences du bonheur et ne sauraient au moins par elles-mêmes rendre un peuple véritablement heureux. Non, ce n'est pas là qu'il faut chercher les suprêmes consolations du bonheur des nations.

---

(1) Extrait des "Conventions Nationales des Acadiens" par Ferd. Robidoux.

Ce qui est capable de faire le bonheur des individus fera aussi, mes frères, le bonheur des peuples. Où les individus trouvent-ils le bonheur? Dans la crainte de Dieu et la fidèle observation de ses lois: "Beatus vir qui timet Dominum. Beati ... qui ambulant in viis ejus." Heureux l'homme qui craint le Seigneur et qui marche dans la voie de ses commandements. Heureux aussi sera le peuple qui reconnaîtra le Dominateur des nations comme son souverain maître et demeurera fidèle à sa loi. "Beatus populus cujus Dominus Deus ejus."

C'est donc dans la religion que les peuples doivent chercher le secret du bonheur. Mes Frères, le spectacle qui s'offre à mes regards dans cette circonstance est bien propre à nous remplir de joie et nous inspire les plus belles espérances. Nous voyons un peuple réuni pour délibérer sur ses intérêts les plus chers et travailler dans l'union la plus infinie et la plus touchante à rendre heureux tous les membres dispersés de la grande famille. Son premier acte, c'est une protestation solennelle de son inviolable attachement à la religion de ses pères. Il se prosterne avec respect devant l'autel du Sacrifice et adore la Victime immolée pour le salut des peuples. Au début de ses délibérations il invoque sur lui la bénédiction du Très-Haut. Puisse sa prière être exaucée. Que la sagesse divine dirige ses pas, et fasse le ciel qu'il ne s'écarte jamais de la voie qui conduit sûrement au bonheur. Puisque c'est dans la religion que nous devons trouver le bonheur, pénétrons-nous bien de sa souveraine importance pour les peuples. Nous verrons ce qu'elle a fait pour les Acadiens en particulier, et nous rechercherons quels sont les moyens les plus propres à nous conserver dans la foi l'esprit religieux que nous ont légués nos pères. De là trois considérations:

1. La religion est seule capable de rendre un peuple véritablement heureux.

2. Influence de la religion sur le peuple acadien.

3. Moyens de nous maintenir dans l'esprit religieux de nos pères.

J'affirme donc en premier lieu que la religion est seule capable de rendre un peuple heureux. Ne nous méprenons pas, M. F. sur le caractère de la religion dont il est ici question. Je n'entends parler que de la vraie religion, celle que le Fils de l'Homme est venu enseigner aux hommes, et qui fait le caractère et la forme de l'Eglise catholique, apostolique et romaine. C'est la seule qui soit digne du nom de religion. C'est elle seulement qui, au moyen des liens sacrés de la vraie foi, dont le précieux dépôt lui est exclusivement confié, et de la charité divine, qu'elle seule peut alimenter, est capable de lier les âmes à Dieu et les peuples au Souverain Arbitre de leurs destinées.

Pour le peuple acadien, d'ailleurs, il ne peut être question que de la foi catholique. Il ne reconnaît pour l'épouse de Jésus-Christ que la sainte Eglise romaine, et à moins de fausser complètement son caractère, ce qu'à Dieu ne plaise, il ne professera jamais d'autre religion que la religion qui a fait la gloire de ses ancêtres. Pour nous convaincre que le bonheur des peuples ne se trouve que dans la religion, consultons l'Ecriture, l'histoire et la raison.

L'homme avait été créé pour jouir d'un bonheur parfait. Sa vie sur la terre devait être exempte de misère et de peine et après son court passage ici-bas, il devait passer dans la bienheureuse éternité. D'où vient donc ce changement dans la conditions de l'homme? Pourquoi cherche-t-il encore vainement le bonheur sur la terre? C'est que les premiers représentants de tous les peuples, Adam et Eve, ont été infidèles à la loi du Seigneur. Ils ont été heureux jusqu'au moment où ils ont désobéi à Dieu, et après cette désobéissance le malheur est entré dans le monde, et tous les peuples ont dû subir le châtiment de cette prévarication. Ainsi le genre humain, disons toutes les nations, sont devenues malheureuses, parce que nos premiers parents, en se laissant tromper par une fausse apparence de bonheur, se sont écartés de la loi du Seigneur. Ecoutez le langage du Seigneur à Salomon? Lorsque ce prince succéda à David, son père, le Seigneur lui apparut et lui dit: "Maintenant que vous êtes sur le trône, demandez-moi ce que vous voudrez." Salomon demanda la sagesse et la crainte de Dieu. "Vous avez bien fait, dit le Seigneur, en ne me demandant pas les biens terrestres, les honneurs et les richesses. Je vous accorde ce que vous désirez, la sagesse et l'intelligence, un coeur droit qui marche dans la voie de mes commandements." De plus, le Seigneur l'enrichit de tous les biens, et on a pu dire: Heureux comme Salomon. Mais ce prince, devenu infidèle, s'abreuva aussi à la coupe de l'infortune.

N'est-il pas dit dans l'Evangile en mille endroits et en tant de manières différentes, que le bonheur consiste à craindre Dieu et à observer sa loi. "Beati omnes qui timent Dominum", dit le psalmiste. Quels sont ceux que Jésus-Christ déclare bienheureux? Il nous dit: "Beati mites, beati misericordes, beati qui persecutionem patiuntur". Ce sont ceux qui pratiquent la douceur, la miséricorde, la patience et les autres vertus évangéliques. Il dit encore: "Beati qui audiunt verbum Dei et custodiunt illud". Heureux ceux qui écoutent la parole de Dieu et la mettent en pratique.

L'Histoire profane est remplie de faits éclatants confirmant cet avancé. Les peuples anciens qui avaient fait consister leur bonheur dans les triomphes de leurs armes, l'étendue de leurs conquêtes, la satisfaction de leurs plaisirs, la grandeur de leurs richesses et les variétés d'une science menteuse, ont disparu entièrement de la face de la terre, sans avoir jamais connu le bonheur. Les plus puissantes et les plus célèbres des nations modernes, l'Angleterre, la France, l'Italie, l'Espagne, le Portugal et l'Allemagne, ont connu d'heureux jours quand les souverains et les sujets étaient les enfants soumis de l'Eglise et n'avaient rien de plus à coeur que d'obéir aux préceptes divins. Les hérésies, les apostasies, l'orgueil, les voluptés, la soif des richesses, ont saisi à leur tour ces peuples, autrefois si chrétiens, et le bonheur n'est plus pour eux qu'un souvenir des âges lointains.

Après l'Ecriture et l'Histoire, la raison vient à son tour nous montrer que, sans la religion, il est impossible pour un peuple d'arriver au bonheur. Trois choses sont indispensables pour arriver au bonheur: la modération dans les désirs et dans le jouissances des biens terrestres, la résignation dans les épreuves et la confiance dans la Providence. Or, la religion seule peut inspirer ces vertus. La modération dans les désirs ne trouve sa raison d'être que dans le sentiment religieux. C'est la religion seule qui nous apprend à mettre une borne à cette ambition effrénée qui nous tourmente, à ces désirs insatiables qui nous dévorent. C'est elle qui nous rappelle à chaque instant que notre coeur ne trouvera jamais de repos ici-bas s'il se laisse gagner par la cupidité et ne sait se contenter des modestes avantages que la Providence a bien voulu lui accorder. L'Evangile nous dit d'ailleurs: "Beati pauperes". Il y a donc plus de bonheur dans l'humble demeure de l'indigent que dans les fastueux palais des riches.

La vie de l'homme sur la terre est un combat continuel, dit le sage. En effet, dès son entrée dans la vie jusqu'au moment du départ fatal, depuis le berceau jusqu'à la tombe, tout mortel doit rencontrer sans cesse sur ses pas des contrariétés et des épreuves. Sa vie est composée de chagrins et de douleurs — les passions, les misères, l'ambition, les jalousies, les maladies, les souffrances, la mort, l'incertitude de l'avenir, les regrets du passé, les peines du présent, tout contribue à le pousser vers le malheur. Sa vie même lui devient un fardeau. Si, au milieu de ces difficultés, la religion ne se présente à l'homme pour faire entendre ses divines consolations, et lui rappeler que l'adversité est le véritable chemin qui conduit au bonheur durable, il tombera fatalement dans le désespoir et mettra le comble à ses maux. Qu'il serait à plaindre l'homme qui, dans son isolement et sa faiblesse, ne se sentirait pas soutenu au milieu de ses misères, par la pensée qu'il y a un Dieu qui veille à tous ses besoins, qui prend part à toutes ses afflictions et ne l'abandonnera jamais. N'est-ce pas cette confiance en la divine Providence qui diminuera pour lui le fardeau de la vie et lui rendra légères les plus fortes épreuves en lui rappelant qu'elles sont mesurées à son courage, et que son Dieu le soutient au milieu de tous les périls. Ainsi les véritables chrétiens qui donnent à Dieu le nom de père, le bénissent dans la maladie comme en santé, dans l'adversité comme dans la prospérité, au sein de la pauvreté comme au faîte des richesses, et aiment à placer en lui tout leur espoir.

De plus, pour qu'un peuple soit heureux, il faut que les éléments divers qui le composent soient liés et agissent de telle sorte qu'il résulte de leur union et de leur action une commune jouissance, un commun bonheur. Les individus qui forment ces éléments divers ont des intérêts communs et particuliers à faire avancer et sauvegarder. Si la religon n'intervient pour établir l'harmonie dans toutes les parties, il n'y régnera que confusion et désordre. Les souverains et les guides du peuple ne peuvent maintenir leur autorité à moins que les lois qu'ils établissent ne soient basées sur les principes de la religion et de l'équité.

Considérons maintenant l'influence de la religion sur le peuple acadien. C'est un fait indiscutable que l'Acadie a été fondée par des colons venus de la vieille France, alors si catholique, dans l'unique but d'étendre le règne de Dieu aussi bien que le domaine de la patrie. Le choix exceptionnel qu'on a fait des premiers colons français envoyés pour s'emparer du sol de l'Acadie, parle hautement en faveur du grand roi qui siégeait alors sur le trône de saint Louis, et de ses ministres. Louis XIII venait de faire voeu de consacrer sa personne, ses sujets et son royaume à Marie, à la Reine de l'Assomption — la France était à une époque de grande ferveur religieuse. Nos premiers ancêtres, animés des sentiments les plus chrétiens, jettent les fondements de Port-Royal, berceau des Acadiens. C'est sous l'inspiration de la religion et sous la protection de Marie, que nos pères ont passé l'océan et se sont emparés du sol, et l'histoire de cette colonie naissante sera la plus belle démonstration de l'influence de la religion sur les peuples. A peine ce noyau de peuple eût-il oublié les douleurs de la séparation d'avec la mère patrie et commencé à recueillir les fruits de ses rudes labeurs, que la persécution vint fondre sur lui; mais le peuple acadien, qui avait appris de ses pieux missionnaires à se résigner dans l'adversité et les épreuves, se contenta d'aller prier au pied de l'autel Celui en qui il avait mis toute sa confiance. Mais que les desseins de Dieu sont impénétrables! Ce temple qui avait été érigé à sa gloire aux prix de grands sacrifices, ce temple où les colons, dans leurs tristesses, allaient chercher la consolation, ce temple devient tout à coup, le dirais-je? il devient une prison et toute la population devient captive. Vous ferai-je la description d'une scène dont le récit est un des plus touchants dans l'histoire des peuples. Je regrette d'avoir à constater que le drapeau britannique, qui nous abrite si heureusement, ait flotté sur l'église de Grand-Pré en ce jour néfaste. Cependant, c'était un événement providentiel. Ces pauvres habitants de Grand-Pré sont dans les fers et on les entasse comme de vils esclaves sur des vaisseaux anglais. Oh! quelle déchirante séparation! L'époux est forcé de se séparer de son épouse et de ses enfants. On ne tient aucun compte des pleurs de tous ces infortunés, et ces vaisseaux s'éloignant de ces rivages autrefois si heureux, sont dirigés vers les différentes colonies anglaises. L'Acadie sera-t-elle anéantie? Ce petit peuple est donc destiné à périr! Non, elle survivra encore et elle prendra son rang au nombre des peuples les plus heureux et les plus prospères. Ni Boston, ni Philadelphie, ni la Virginie, ni les Carolines, ne peuvent faire fléchir la fière vertu, la noble indépendance de ces proscrits. Au milieu de leurs plus cruels ennemis, il conservent toute la dignité que donne une conscience maîtresse d'elle-même; et dans les fers mêmes glorifient le Dieu qu'ils adoraient et honorent la religion qui les rendait encore plus grands que leurs malheurs. Les Etats-Unis ne purent les garder longtemps. Le Canada et la Louisiane, ces terres lointaines habitées encore par des Français, virent arriver un grand nombre de ces exilés et les accueillirent comme des frères, qui avaient droit à toutes les sympathies. Quelques années après, lorsque la France et l'Angleterre déposèrent les armes, presque tous ceux qui restaient dans les Etats de la Nouvelle-Angleterre entreprirent de regagner par terre la patrie que rien ne pouvait remplacer. Cette vieille paroisse de Memramcook les vit passer sur son territoire et leur offrit cette généreuse hospitalité toute acadienne que nous nous faisons gloire de pratiquer encore. Sur cent-cinquante familles parties de Boston, cent-trente arrivèrent jusqu'ici, soixante acceptèrent les offres d'établissement que leur firent leurs dons compatriotes, et les soixante-dix autres regagnèrent l'antique Acadie, cette terre chérie où ils avaient connu le bonheur. D'avides ennemis gardaient ces champs, ces foyers tant regrettés. La spoliation était définitive, mais la Providence leur réservait, sur la baie qui porte le beau nom de Marie, une nouvelle patrie où ces nobles débris d'un peuple héroïque, toujours animé de la même confiance envers la Divine Providence, se remirent courageusement à l'oeuvre et assurèrent à leurs descendants un domaine qui forme encore aujourd'hui la plus belle partie de l'Acadie. Sur nos rivages, les clameurs de la guerre ne retentissent plus depuis longtemps. Un long siècle de paix nous a permis de réparer les déplorables résultats d'une ruine qui a failli être complète. Le bonheur est revenu dans nos humbles demeures. Les vertus de nos pères, que nous conservons comme nos traditions nationales avec un zèle si constant, continuent, grâce à notre attachement sans borne à la foi de nos pères, à nous rendre aussi heureux qu'on peut l'être ici-bas. L'influence que la religion exerce encore sur nous ne peut que nous donner à cet égard d'heureuses espérances. Mais cela ne doit pas nous faire négliger les moyens de nous conserver le caractère religieux de nos pères. Parmi ces moyens, trois surtout me paraissent dignes de toute notre attention. Ce sont la colonisation, l'agriculture et l'éducation.

Coloniser à été l'oeuvre par excellence du peuple acadien, et la colonisation de toutes ces provinces est un de ses plus grands titres de gloire. Sur les bords de la baie de Fundy comme sur les rivages du golfe, du Bras d'Or, du Miramichi, du Saint-Jean et de la Baie des Chaleurs, à l'Ile Saint-Jean comme au Cap-Breton et au Madawaska, partout les forêts ont été abattues par les bras des Acadiens, et sur ce sol si vaillam ment défriché, nous avons imprimé avec nos sueurs le souvenir ineffaçable de notre génie colonisateur. Restons dans ces nobles traditions, étendons encore le domaine de la patrie. Nous devons faire pour nos descendants ce que nos pères ont fait pour nous, nous emparer de tous ces territoires encore inoccupés qui doivent appartenir aux plus vaillants. Montrons que ce n'est point un sang appauvri qui coule dans nos veines, et que nous sommes réellement les descendants non dégénérés de ces valeureux colons du 17ième siècle qui ont si bien rempli la mission que la Providence leur avait confiée sur ce continent. Allons dans la forêt, Acadiens, les dangers qui nous y attendent sont moins à craindre que ceux que nous trouvons sur des terres appauvries, dans les séductions des cités, ou sous un ciel étranger. Etablissons encore de nouvelles colonies, elles augmenteront notre force, multiplieront notre nombre, rendront de plus en plus sensible aux yeux des autres peuples la nécessité de notre existence, et nous aideront merveilleusement à nous conserver aussi religieux que l'étaient nos pères.

Les Acadiens ont été avant tout agriculteurs. Sans l'agriculture, pas de colonisation vraiment digne de ce nom. Nos pères ont été les premiers Européens qui apprirent au nouveau monde l'art de travailler la terre, et leur réputation comme agriculteurs a survécu à leurs désastres. Nous, descendants du premier peuple agricole de ce continent, serons-nous incapables aujourd'hui de comprendre les avantages de l'agriculture? Ah! souvenons-nous toujours que le malheur seul a pu obliger nos pères, au siècle dernier, à rompre pour un temps avec cette noble tradition, et que des jours plus heureux doivent nous encourager dans la poursuite de cette noble carrière. La charrue, voilà ce qu'il faut à un Acadien, aujourd'hui comme autrefois. La culture de la terre fera notre force, contribuera puissamment à notre bonheur et montrera au monde que les Acadiens du 19ième siècle aiment toujours à conserver les meilleures traditions des Acadiens des deux siècles précédents.

L'éducation, à notre époque, est une arme plus puissante que jamais, et tous les peuple la regardent, à bon droit, comme indispensable à leur existence. Les Acadiens aussi doivent être animés de ce sentiment; ils l'ont toujours été, d'ailleurs, et il ne sera jamais permis de le considérer comme un peuple sans éducation. N'ont-ils pas eu, pendant toute l'époque de leur histoire, à se tourmenter pour se procurer la meilleure de toutes les éducations — l'éducation religieuse? Que de sacrifices ne se sont-ils pas continuellement imposés pour avoir des prêtres au milieu d'eux, afin de n'être jamais privé de l'enseignement de la science divine sans laquelle toutes les autres ne sont rien! Au point de vue de l'instruction religieuse, il nous sera toujours permis de dire avec fierté que les Acadiens peuvent soutenir avantageusement la comparaison avec les peuples les plus favorisés sous ce rapport. Conservons ce précieux avantage, mais ajoutons-y de plus la connaissance de toutes les sciences qui, à notre époque, constituent l'instruction proprement dite; et à l'éducation religieuse, qui affermit si bien la volonté, dirige si sagement le coeur, conduit si sûrement au vrai but de la vie, ajoutons cette éducation profane qui éclaire l'esprit et rend un peuple capable de prétendre à tous les avantages de la société. Réjouissons-nous, d'ailleurs, Acadiens; ce qui était impossible à d'autres époques, en devient extrêmement facile dans la nôtre. Vous voyez ici un établissement, le collège St-Joseph, qui a rendu déjà d'immenses services à notre nationalité. Il continuera encore sa mission, encourageons-le de plus en plus et montrons que nous apprécions pleinement le bien qu'il nous fait, et la nécessité de l'instruction. Il y a encore d'autres établissements dans les différentes provinces; soutenons-les, et nous assurerons partout un de nos plus précieux intérêts.

Voilà, chers frères, les considérations qui se présentent à mon esprit en ce grand jour. Elles partent d'un coeur acadien, et je le sais, elle trouveront un généreux écho dans le coeur de tous mes compatriotes. Nous continuerons de chercher le vrai bonheur dans la religion, qui a eu sur notre caractère national une si heureuse et si puissante influence. Nous serons toujours fidèlement attachés à nos nobles traditions religieuses et nationales. Nous aurons pour notre sainte religion le grand amour que lui ont toujours porté nos pères, et nous conserverons avec un soin jaloux toutes leurs traditions — leur belle langue comme toutes les touchantes coutumes qu'ils nous ont laissées, et puisque la colonisation, l'agriculture et l'éducation sont les trois plus puissants moyens d'atteindre ce but, nous fonderons partout des colonies, nous encouragerons leurs fondateurs et nous les soutiendrons généreusement. Nous cultiverons nos terres avec un plus grand soin, nous perfectionnerons notre culture, et cette occupation, qui a été celle de nos pères, sera toujours en honneur parmi nous. Enfin, nous ferons donner à nos enfants une grande et forte éducation, et, plus heureux que nous, ils seront dans l'avenir capables d'assurer le triomphe pacifique et complet de la cause acadienne, désormais sauvée du naufrage. Daigne le Seigneur protéger son peuple, et Marie protéger ses enfants.

— III —

Discours prononcé par l'abbé M.-F. Richard, curé de Saint-Louis, lors de la première convention nationale des Acadiens, les 21-22 juillet 1881, à Memramcook, Nouveau-Brunswick.

M. le président et Messieurs,

Comme Acadien, je ne saurais garder le silence dans cette importante occasion, vu qu'il s'agit d'une question vitale pour la patrie; je ne voudrais pas que l'histoire qui racontera les événements du 20 et 21 juillet 1881, époque si importante de notre existence comme peuple, ait à signaler le refus d'un enfant de l'Acadie de s'enrôler sous le drapeau national et de le défendre contre toute invasion.

Je regrette amèrement d'avoir à lutter contre quelques-uns de mes compatriotes au nombre desquels se trouvent de mes meilleurs amis personnels; et contre nos frères canadiens que je respecte beaucoup et que j'admire à cause de leur attachement à leur nationalité. Mais il ne s'agit pas ici de faire de la politique ou de servir des intérêts particuliers; nous sommes convoqués ici par les organisateurs de cette convention acadienne pour "affirmer notre existence comme peuple" et prendre les moyens de conserver notre nationalité. Veillez croire, M. le président, que la politique que je me propose de suivre dans cette discussion est tout à la fois libérale et conservatrice. Je suivrai une politique libérale en reconnaissant les droits des nationalités qui composent notre société; et conservatrice en en défendant et en faisant respecter nos droits comme peuple distinct, ayant une histoire à part et une destinée à remplir. On vous a déjà démontré avec beaucoup de clarté et d'éloquence l'importance d'une fête nationale pour les Acadiens. En effet, il me semble qu'un peuple qui, pendant plus d'un siècle d'épreuves et de persécutions, a su conserver sa religion, sa langue, ses coutumes et son autonomie, doit avoir acquis assez d'importance pour mériter qu'il adopte les moyens d'affirmer son existence d'une manière solennelle; et cela ne saurait se faire plus efficacement que par la célébration d'une fête nationale qui lui soit propre. Tous les peuples ont senti le besoin de se choisir une fête nationale. Ainsi, par exemple, les Anglais ont la Saint-Georges, les Irlandais la Saint-Patrice, les Canadiens la Saint-Jean-Baptiste; les Sauvages même ont une fête nationale, la Sainte-Anne. Ainsi, M. le président, vous voyez que tous les peuples ont leur patron particulier qui les distingue les uns des autres; et par ce moyen on a conservé son identité nationale. Voyez l'Anglais: qu'il soit en Europe, en Amérique, en Asie ou en Afrique, le jour de la Saint-George lui rappelle qu'il est anglais et il veut être reconnu comme tel. L'Irlandais exilé ne saurait jamais laisser passer la Saint-Patrice sans se rappeler le souvenir de la belle Erin, patrie de ses pères. Les Canadiens-Français dispersés dans les diverses partie de l'Amérique se rassemblent, le 24 juin, chaque année, à la Saint-Jean-Baptiste, pour chanter à l'unisson "O Canada, mon pays, mes amours," et ils aiment à redire avec un légitime orgueil que le nom de Canadien, après celui de chrétien et de catholique, est le plus cher à leur coeur. Le Sauvage veut aussi montrer qu'il appartient à une tribu qu'il chérit, et le jour de la Sainte-Anne il n'échangerait pas son titre de sauvage pour tous les titres du monde. Le peuple acadien serait-il le seul à méconnaître son existence nationale, et consentira-t-il à s'effacer pour jamais de la liste des peuples? Quoi! le peuple acadien, dont l'histoire nous fait un récit si touchant de son courage et de son énergie, ne profiterait pas de cette circonstance solennelle pour protester contre une tendance qui menace de nous engloutir et de nous faire disparaître, comme peuple, de la scène publique? L'Acadie n'aura-t-elle plus d'enfants qui aimeront à se rappeler ses gloires, ses infortunes et ses triomphes? Le nom Acadien, qui déjà a résonné sous les voûtes du Vatican et dans le palais de Notre Gracieuse Souveraine aussi bien que dans la capitale de notre mère-patrie la France, ce nom si cher et si doux au coeur d'un véritable patriote est donc destiné à périr!

Non, il n'en sera pas ainsi, le jour est arrivé où le mérite doit être reconnu et justice accordée. Aujourd'hui les peuples ont les yeux fixés sur nous et se préparent à nous juger suivant nos démarches. La patrie réclame à sa défense tous ses enfants. Elle les a réunis en convention pour défendre et prendre ses intérêts et elle attend d'eux un dévouement énergique et persévérant. Puisse-t-elle ne pas être trompée dans son attente, et dans son état présent de défaillance, puisse-t-elle recevoir le soutien qu'elle a droit d'espérer de ses enfants. Nos pères, confesseurs de la foi et martyrs de la cause du Christ, qui dorment dans nos cimetières, seraient-ils déshonorés par des descendants dénaturés?

Il s'agit, messieurs, du choix et de l'adoption d'un patron national. Or je proteste au nom de la Patrie, contre l'amendement à la résolution première qui propose que la Saint-Jean-Baptiste soit choisie comme fète patronale des Acadiens et j'épouse avec beaucoup de plaisir la motion de mon ami le Dr Chiasson, qui propose la fête de l'Assomption comme fête nationale. Il s'agit d'envisager cette question sous son véritable point de vue. Il ne faut pas se laisser tromper par de beaux et éloquents discours, qui peuvent facilement entraîner les auditeurs à suivre plutôt leur imagination que leur jugement. Rappelez-vous que plusieurs d'entre vous peut-être ont perdu des causes fort justes par l'habileté et les sophismes d'un avocat adversaire; j'espère qu'il n'en sera pas ainsi en cette circonstance.

On dit que la Saint-Jean-Baptiste doit être choisie pour la fête nationale des Acadiens et on allègue que cette fête se trouve à une époque de l'année où les habitants sont libres et où les élèves des collèges se trouvent réunis, il serait beaucoup plus facile de chômer cette fête à cette époque de l'année que dans aucun autre temps.

Si nous devons considérer l'époque de l'année comme devant nous influencer dans le choix d'un patron national, je ne suis pas du tout de cet avis, car, le 24 juin, les travaux du printemps sont loin d'être terminés dans les Provinces Maritimes. Peut-être en est-il autrement en Canada. Quant à la commodité de collèges — il me semble que dans ce cas-ci, il faudrait considérer les intérêts généraux avant les intérêts personnels et particuliers.

Pour moi, ayant un collège et un couvent dans ma paroisse, cette considération me flatterait beaucoup; toutefois, je ferais volontiers le sacrifice de ces avantages en faveur du peuple en général, qui ne pouvant assister en masse dans ces localités, aimeront cependant se réunir le jour choisi pour chômer leur fête nationale, et les élèves de retour dans leurs familles contribueront de beaucoup à en relever l'éclat.

On dit de plus que la Saint-Jean-Baptiste a été chômée par les premiers Acadiens et qu'elle s'est toujours célébrée depuis. Je me suis efforcé de trouver quelques preuves certaines à l'appui de cet avancé, mais en vain. J'affirme donc que c'est un avancé gratuit et qu'il n'a pas de fondement. Je me rappelle avoir lu quelque part que les Français fêtent ce qu'ils appellent la St-Jean et non la Saint-Jean-Baptiste. Ce jours-là ont fait des feux de joie, on chante des chansons et les enfants s'amusent autour de ce feu. Toutefois personne n'oserait annoncer que la Saint-Jean-Baptiste est la fête nationale des Français.

Il paraît que l'origine de cette fête est dûe à un usage païen que les évêques français ne pouvant faire disparaître lui ont donné un nom chrétien pour le christianiser. Les premiers Acadiens ont pu imiter cet exemple, mais à part trois ou quatre paroisses acadiennes qui ont commencé à fêter la Saint-Jean-Baptiste depuis quelques années seulement, cette fête n'a jamais eu le caractère national. Ces paroisses desservies par de dignes missionnaires canadiens qui, voulant conserver le souvenir de leur pays, ont introduit cette fête dans ces paroisses et la conduite des Acadiens en participant à ces démonstrations ne saurait tout au plus que démontrer la soumission et l'obéissance traditionnelle du peuple acadien envers leurs prêtres qui étaient tout pour eux.

On dit aussi que par la confédération nous sommes tous devenus Canadiens, et par conséquent il convient de n'avoir qu'une fête nationale. Dans ce cas il faudrait que les Anglais et les Irlandais fussent invités à se réunir avec nous pour fêter une seule fête nationale, la Saint-Jean-Baptiste, car ils sont tous Canadiens. Nous sommes heureux d'être unis si étroitement à nos frères du Canada. Nous leur sommes unis par des liens du sang et de la religion, sans parler de la confédération, qui identifie plus ou moins nos intérêts politiques et civils. Cependant, si pour conserver cette union fraternelle il fallait sacrifier sa nationalité, le nom d'Acadiens, pour moi, je n'hésiterais pas un instant, et j'aimerais mieux encourir le déplaisir d'un frère que celui de ma mère, la belle Acadie. Quelques-uns disent que si les Acadiens refusent de choisir la Saint-Jean-Baptiste comme fête nationale, les Canadiens-Français cesseront de nous porter le même intérêt. La haute idée que je me suis formée de l'intelligence et de l'esprit du peuple canadien ne me permet pas d'entretenir une telle opinion d'un peuple aussi juste et aussi raisonnable.

Ils ont su conserver leur religion, leurs coutumes et leurs lois au prix de bien des sacrifices et par une énergie indomptable ils ont su faire respecter leur droits comme peuple, et maintenant le peuple canadien-français occupe une des premières places dans l'échelle sociale. Comment pourrait-il condamner chez les Acadiens ce qui a fait sa force et procuré son indépendance? Apprenons du peuple canadien une leçon importante pour notre conservation comme peuple et préservons à tout prix notre caractère national d'Acadiens-Français.

Loin de nous la pensée outrageante que notre soeur, la province de Québec, serait mortifiée de voir l'Acadie réclamer l'héritage qui lui appartient à tant de titres.

On prophétise qu'à moins que Saint Jeant-Baptiste soit choisi comme patron des Acadiens, le luxe et l'intempérance, ces deux fléaux de notre siècle, devront nécessairement nous engloutir. J'ai beaucoup de vénération pour le précurseur de Notre-Seigneur, mais il est possible d'être tempérant sans se couvrir de peau de chameau et sans manger des sauterelles. D'ailleurs, M. le président, celle que je viens proposer comme devant être notre patronne nationale ne saurait avoir de rival. Sainte Marie, qui a servi de modèle à tous les saints et qui les a tous surpassés en sainteté est encore aujourd'hui comme elle l'a été toujours la plus puissante avocate auprès du trône de Dieu. Donc, l'échange dont il s'agit ne saurait en rien préjudicier à nos intérêts religieux et nationaux. Nous sommes faibles, nous avons besoin d'une patronne puissante.

Permettez-moi maintenant de vous signaler qeulques-uns des motifs qui doivent vous engager à choisir la reine de l'Assomption comme fête nationale des Acadiens de préférence à la Saint-Jean-Baptiste. Les Canadiens ayant choisi Saint Jean-Baptiste pour patron, il me semble qu'à moins de vouloir confondre notre nationalité dans la leur il est urgent pour les Acadiens de se choisir une fête particulière. Il est bon de remarquer que nous ne sommes pas les descendants des Canadiens, mais de la France, et par conséquent je ne vois aucune raison qui nous engage à nous faire adopter la Saint-Jean-Baptiste comme notre fête nationale. A l'exemple des Anglais, des Irlandais, des Ecossais, des Allemands, nous devons tâcher de nous choisir une fête qui nous rappelle notre origine. J'ose même affirmer que la fête de l'Assomption a toujours été et doit être toujours la fête nationale des Acadiens, descendants de la race française.

Louis XIII avait fait voeu de consacrer son empire à la Sainte Vierge et il voulut que la fête de l'Assomption fût la fête nationale du royaume.

Or peu d'années plus tard il envoya des colons prendre possession de l'Acadie. Ils ont dû par conséquent emporter avec eux les usages et les coutumes de leur patrie, et si des circonstances malheureuses les ont empêchés de chômer leur fête nationale d'une manière régulière, il est pourtant vrai de dire que la dévotion nationale des Acadiens, c'est la dévotion à Marie. Entrez dans nos églises, et à côté du maître-autel vous voyez un autel à Marie orné et décoré avec plus de soin, si c'est possible, que l'autel où réside le Sauveur. Entrez dans nos maisons acadiennes et vous verrez que l'image de Marie occupe la place d'honneur dans le salon. Marie a même un autel dans bien des familles acadiennes, et pendant le mois qui lui est consacré son nom retentit partout. Les mères acadiennes, dans leurs épreuves, mettent toute leur confiance en Marie. Elle portent pour la plupart le nom de Marie, et elles aiment que leurs enfants portent aussi ce beau nom.

Un autre puissant motif qui doit nous porter à adopter la Sainte Vierge pour patronne, c'est que les évêques des Provinces Maritimes réunis au premier concile de Halifax il y a plus d'un quart de siècle, ont choisi la Vierge Immaculée pour la patronne de cette province ecclésiastique. De sorte qu'en adoptant la Sainte Vierge comme patronne nationale, on ne fait qu'entrer dans les vues de nos prélats qui ont présidé à ce concile, et je ne doute pas que ce choix serait béni par nos dignes évêques qui nous dirigent aujourd'hui.

Maintenant, mes chers compatriotes, vous êtes venus de tous les points de l'Acadie et vous représentez ici honorablement toutes les localités acadiennes des Provinces Maritimes. Mais pourquoi êtes-vous ici? Vous y êtes pour travailler au bien de votre chère Acadie. Tout à l'heure vous serez appelés par M. le président à enregistrer vos votes sur la question dont il s'agit, le choix d'un patron national.

Votre démarche demande considération, et une sérieuse réflexion. Vos compatriotes ont les yeux fixés sur vous et s'attendent à un verdict en conformité avec leur sentiment de patriotisme et d'attachement à leur chère Acadie. Votre vote est appelé à jouer un rôle important dans l'avenir de notre pays et j'ai confiance qu'aucun de vous ne souillera cette page si importante de notre histoire par un vote de trahison contre la cause acadienne. Montrez par un vote indépendant et consciencieux que vous êtes véritablement Acadiens et que vous voulez rester Acadiens. Ne rougissez pas d'un titre qui vous fait le plus grand honneur. Rappelez-vous que nous avons besoin à part la bienveillance et l'appui de nos frères du Canada, de nous organiser pour défendre nos droits religieux et nationaux. Messieurs, lorsque la fameuse question des écoles fut agitée dans cette province et que nous fîmes appel à la constitution fédérale, pour défendre notre religion et notre langue, quels furent notre surprise et notre étonnement lorsque nous fûmes informés que les Acadiens ainsi que les catholiques des provinces maritimes étaient les seuls dont les intérêts sous ce rapport avaient été ignorés. Quel en a été le résultat? On nous a abandonnés à nos propres ressources et à subir le joug de l'injustice et de l'oppression. Donc, messieurs, nécessité pour nous de ne pas trop compter sur nos voisins qui, ayant leurs propres intérêts à sauvegarder, pourraient encore oublier l'existence des cent mille Acadiens qui eux aussi veulent rester catholique et français. En faisant allusion à ce fait, messieurs, ce n'est pas par esprit de critique ni de malveillance, mais pour montrer que nous, dans les provinces maritimes, avons besoin de réunir nos forces pour protéger nos intérêts particuliers, qui ne sont pas toujours, à cause des circonstances, les mêmes que ceux de nos frères du Canada. Donc, messieurs, si vous voulez être accueillis avec joie à votre retour au milieu de vos compatriotes et recevoir la bénédiction de vos mères et épouses acadiennes, enregistrez vos noms sous la bannière de Marie. Cette démarche tout à la fois patriotique et religieuse nous méritera les éloges de l'univers entier et réjouira et fortifiera mes compatriotes délaissés depuis des siècles. Oh! qu'il sera beau de voir tous les Acadiens dispersés se réunir chaque année, comme le font leurs frères du Canada, pour célébrer leur fête nationale!

Alors l'Acadien sentira qu'il a des devoirs à remplir envers sa patrie, et aidé et encouragé par les succès du passé, il sera plus dévoué que jamais à l'avancement général de ses co-nationaux. Qu'il sera charmant, ce concert national, où toutes les voix de la grande famille acadienne se réuniront pour chanter à l'unisson le *Gaudeamus in Domino diem festum celebrantes sub honore beatae Mariae Virginis.*

Oui, nous nous réjouirons alors dans le Seigneur en ce beau jour, le 15 août, et nous célébrerons l'Assomption de

Marie au ciel avec toute la pompe et la solennité dont nous serons capables. En ce jour nous oublierons nos épreuves et nos persécutions, à la pensée que si nous sommes les dignes imitateurs de Marie dans l'adversité, nous pourrons comme elle mériter d'être conduits par les anges dans la Jérusalem céleste.

J'espère donc que par acclamation vous allez choisir la reine de l'Assomption pour patronne des Acadiens, et que lorsqu'on vous demandera de lever la main comme signe de votre approbation de Marie comme patronne de l'Acadie, toutes les mains s'élèveront vers Marie.

— IV —

Voici, en substance, le texte de la supplique rédigée par l'abbé M.-F. Richard sollicitant l'approbation de l'épiscopat de la province ecclésiastique d'Halifax en faveur de Notre-Dame de l'Assomption, fête nationale des Acadiens.

Mes Seigneurs,

A la convention nationale des Acadiens, tenue à Memramcook les 21-22 juillet dernier, il a été unanimement résolu de soumettre à l'approbation de nos évêques le choix qui a été fait par les délégués de Notre-Dame de l'Assomption comme fête nationale du peuple acadien.

En tant que promoteur de cette résolution, je profite de la réunion de Nos Seigneurs les évêques dans cette partie de l'Acadie qui porte le beau nom de Marie pour déposer à vos pieds les voeux de vos enfants acadiens, qui désirent mettre leurs intérêts nationaux et religieux sous le puissant patronage de Marie et s'enrôler sous sa bannière maternelle.

J'ai l'honneur d'être, de Vos Grandeurs,

le très humble et reconnaissant serviteur,

M.-F. Richard, ptre.

La pétition ci-dessus est par la présente approuvée.

† Michael Hannan,
Archevêque d'Halifax.

† J. Sweeney,
Evêque de St-Jean.

† P. McIntyre,
Evêque de Charlottetown.

† J. Rogers,
Evêque de Chatham.

† J. Cameron,
Evêque d'Arichat.

St-Bernard, Baie-Ste-Marie,
Le 16 septembre 1881.

— V —

LE DRAPEAU NATIONAL DES ACADIENS

Poème dédié à Mgr M.-F. Richard, promoteur du drapeau tricolore étoilé.

Ce poème, sous une forme dialoguée, explique à un Français, le sens de ce symbole de l'unité nationale du peuple acadien.

Le Français.

Si le drapeau d'un peuple est son vivant symbole,
Et s'il doit retracer son histoire et ses moeurs;
Sur ton drapeau qui flotte à toute brise folle,
Dis-moi, peuple acadien, pourquoi les trois couleurs?

L'Acadien.

Quoi, ne sommes-nous pas, les fils de cette France,
La grande nation d'où viennent nos aïeux?
C'est pour en conserver la douce souvenance,
Que nous avons choisi ce drapeau glorieux.

Le Français.

Toi qui paisiblement, végète solitaire,
Peuple à peine formé, petit peuple naissant,
Aurais-tu le dessein d'ensanglanter la terre,
Pourquoi ton étendard porte rouge de sang?

L'Acadien.

Nous avons pris le rouge, emblème de souffrance,
Car nous avons connu plus d'un malheureux jour;
Et puis, c'est la couleur du drapeau de la France,
Le pays généreux où fleurit tant d'amour.

Le Français.

Je sais qu'un rude hiver, Acadiens, vous assiège,
Et pendant de longs mois vous tient ensevelis;
Pour que votre étendard soit blanc comme la neige,
Aimez-vous à ce point ce linceul aux grands plis?

L'Acadien.

La blancheur nous convient, symbole d'innocence,
L'histoire rend hommage à notre loyauté;
Et puis, c'est la couleur du drapeau de la France,
Le pays où germa toujours la sainteté.

Le Français.

Vous possédez des lacs où vos grands bois se mirent,
Et vous avez aussi des golfes aux flots bleus;
Ces merveilles, pourtant, peu d'hommes les admirent,
Pourquoi votre étendard a-t-il l'azur des cieux?

L'Acadien.

Si nous aimons le bleu, symbole d'espérance,
C'est que vers l'avenir, nous marchons plein d'espoir;
Et puis, c'est la couleur du drapeau de la France,
Le pays où jamais ne tombera le soir.

Le Français.

C'est vrai, peuple acadien, le drapeau tricolore,
Nous parlant du passé, présage le futur;
Mais je ne comprends pas cet autre signe encore;
Pourquoi l'étoile d'or qui brille sur l'azur?

L'Acadien.

Oui, nous avons, sur le drapeau de la patrie,
Au lieu du lys des rois, mis l'astre radieux;
C'est pour nous rappeler notre Reine Marie,
L'étoile de la mer qui nous conduit aux cieux.

Le Français.

Je demeurai pensif, moi Français de la France,
Puis, je sentis mon coeur, tout à coup s'attendrir;
Et m'écriai: J'en ai maintenant l'assurance,
Que le peuple acadien n'est pas près de mourir.

Poème composé par le R.P. Birette, eudiste, jadis professeur au collège Sainte-Anne de Church-Point, Nouvelle-Ecosse.

Publié dans *l'Evangéline* du 20 août 1908.

— VI —

DISCOUR DU REV. M.-F. RICHARD, (1) PRESIDENT DE LA SOCIETE DE COLONISATION ACADIENNE-FRANCAISE, A LA CONVENTION TENUE A LA POINTE-DE-L'EGLISE, LES 13, 14 ET 15 AOUT 1890.

Monsieur le Président,

Pour la troisième fois les Acadiens se réunissent en convention dans le but de se mieux connaître, de s'entendre et de s'entr'aider. Dans certains pays où la tyrannie et la persécution veulent primer, le privilège de discussion et d'organisation est refusé aux intéressés et on se plaît à emprisonner les patriotes et les chefs populaires, afin d'empêcher le progrès et l'avancement national. Dieu merci, grâce à la protection de notre glorieuse patronne, l'Acadie commence à jouir de ses droits et ses enfants peuvent se réunir librement, élever leur drapeau à côté et sous la protection du lion britannique, sur

(1) L'abbé Richard n'a pas prononcé lui-même ce discours qu'il avait préparé, puisque son évêque lui avait refusé la permission d'assister à la troisième convention nationale des Acadiens tenue à Church-Point, en Nouvelle-Ecosse, les 13-14-15 août 1890.

les lieux mêmes où jadis leurs pères infortunés subirent un exil plus cruel que la mort. Alors le lion était furieux et affamé; il lui fallait des victimes pour satisfaire son ambition et sa malice; aujourd'hui il est devenu paisible et adouci, étant rassasié par les veaux gras que lui donnent chaque jour les colons et les agriculteurs acadiens.

Après un siècle et demi de dévouement à l'Eglise et à la couronne d'Angleterre, les Acadiens doivent avoir mérité quelque considération de la part de leur mère l'Eglise et des autorités civiles. Aussi, il est agréable de le constater, notre convention a reçu l'approbation et la bénédiction du premier dignitaire ecclésiastique de l'Acadie, et elle est protégée par la tolérance des lois britanniques, qui promettent la protection à tous les sujets loyaux de Sa Majesté. Or, nos pères et leurs descendants se sont toujours glorifiés d'être les enfants soumis et dévoués de la sainte Eglise catholique, apostolique et Romaine, et qu'ils se sacrifient pour elle.

Ce sont eux qui ont été les premiers civilisateurs de ce pays, les premiers défricheurs du sol, les premiers adorateurs du vrai Dieu sur ce continent, et ils ont été les premiers à planter la croix du Sauveur, et à la porter sur ce sol consacré par les sueurs, les larmes et le sang des confesseurs de la foi. Ce sont eux qui ont soutenu les établissements religieux dans le pays, et leurs églises sont des monuments qui parlent hautement de leur esprit de foi et de sacrifice. Ils ont été, en même temps, les fondateurs de toutes les villes et campagnes des Provinces Maritimes. Ils ont commencé dès la sixième heure à travailler à la vigne; ils ont porté le poids de la chaleur et ils sont aujourd'hui le plus puissant levier de l'Eglise et de l'Etat, puisqu'ils ne rougissent pas du travail, mais au contraire, ils sont les plus braves et les plus courageux à s'enfoncer dans les forêts vierges pour étendre les limites de la religion et de la civilisation. C'est donc une récompense bien méritée que de voir aujourd'hui les enfants des proscrits d'autrefois réunis ici en convention avec la bienveillance et la bénédiction de l'Eglise et la protection de la couronne d'Angleterre. "Gaudeamus," réjouissons-nous, à la vue de ce beau et touchant spectacle. Saluons nos frères du Canada qui sont venus de loin pour participer à notre bonheur et à l'augmenter. Salut! à vous compatriotes venus de l'exil pour revoir ce sol de l'Acadie que vous n'avez connu que par les sanglots, les larmes et les gémissements de vos pères. Salut! à vous compatriotes de la république voisine venus à cette réunion de frères pour dire, par votre présence, que l'Acadie est encore le pays que vous chérissez et la mère que vous aimez le plus. Vous tous, amis et compatriotes, renouez les liens de parenté et de famille brisés depuis près de deux siècles et entendez-vous, comprenez-vous et aidez-vous à parvenir aux destinées que la Providence vous a préparées. On vous a parlé avec éloquence et vérité sur divers sujets importants; il m'incombe de vous parler particulièrement de la colonisation et de l'agriculture que je prétends avoir été la cause première et efficiente de nos progrès passés, la sauvegarde de notre religion, de nos traditions et de notre langue, et qui seront le gage de notre prospérité future et de l'accomplissement de notre mission dans ce pays.

J'affirme d'abord que nous devons à la colonisation et à l'agriculture tous nos succès passés.

C'était une belle et noble idée qui s'empara de nos vaillants et généreux ancêtres de laisser la mère-patrie pour venir établir une colonie en Amérique. La France a engendré une grande famille, et si elle a la douleur de posséder des Caïn, des Judas et des prodigues dans ses rangs, en revanche, elle a produit une race de héros qui ne trouvent leurs supérieurs chez aucun peuple de la terre. Elle a fourni à l'Acadie les Pères Récollets, les Pères Jésuites, les dévoués Sulpiciens; des missionnaires distingués, entr'autre le fondateur, le protecteur, le père apôtre de ce beau pays, le vénérable et vénéré Abbé Sigogne. Tous, ils ont fait honneur à la fille aînée de l'Eglise en se dévouant de corps et d'âme au développement de l'Acadie. Il convient de mentionner entr'autres bienfaiteurs et vaillants défricheurs de cette contrée: les L'Escarbot, les D'Aulnay, les Razilly, les Guercheville, les Thibodeau, les Hébert, les Mélançon et une légion de vaillants patriotes qui ont été grands dans leurs projets, grands dans leur entreprise, grands dans les défaites, grands dans les succès et surtout grands dans l'adversité. J'ai mentionné ces noms en particulier, parce qu'ils ont mieux compris leur mission en Amérique: s'emparer du sol, le cultiver et s'y attacher. Ils comprirent que pour établir, consolider et maintenir une colonie, il faut à tout prix suivre cette direction avec persévérance. Malgré les épreuves, les rapines, les persécutions et dévastations répetées, ils ont travaillé avec opiniâtreté au défrichement du sol; chassés d'un domaine,ils s'emparent d'un autre, jusqu'à ce que, enfin, ils ont jeté la base d'une petite nation qui compte aujourd'hui au-delà de 120,000 âmes, qui promet de devenir importante et puissante, si leurs descendants ne dégénèrent pas et s'ils marchent sur d'aussi nobles traces. Il faut l'admettre, c'est à la colonisation et à l'agriculture qu'il faut attribuer tous nos succès passés. Si l'Eglise possède aujourd'hui dans ces provinces une existence paisible et prospère, si le culte catholique est en vénération, si nous possédons des établissements d'éducation et de bienfaisance qui n'en cèdent en rien aux deux Canadas; si nos institutions civiles sont solidement fondées, je réclame pour la colonisation et l'agriculture l'honneur et la gloire d'en avoir été la cause première et efficiente. Elles ont fait de l'Acadie ce qu'elle est aujourd'hui. C'est à cette mère féconde et à sa fille industrieuse que l'Eglise et l'Etat doivent leur prospérité dans ces provinces. Je demande donc des autorités religieuses et civiles une reconnaissance pratique et raisonnable pour les services qu'ont rendus et rendent encore mes compatriotes à la cause commune en se livrant à ces deux industries, tout à la fois si pénibles et si bienfaisantes. Puisque les Acadiens ont contribué et contribuent au maintien des institutions religieuses et civiles du pays, il est juste, il est raisonnable d'espérer que leur zèle et leur dévouement seront dûment appréciés et convenablement récomsés. La classe ouvrière et agricole ne doit pas être oubliée et ostracisée, ni réduite à une espèce d'esclavage, et puisqu'elle fournit l'existence aux oeuvres publiques, ce serait montrer beaucoup d'égoïsme et d'ingratitude que de lui refuser la somme d'importance qu'elle mérite. Honneur à nos ancêtres, premiers défricheurs et cultivateurs sur ce continent! Honneur à leurs cendres qui reposent dans nos cimetières les plus vénérables dans l'Acadie! Honneur à la classe ouvrière, à la classe agricole! vous avez droit à la première place, à la place d'honneur dans les coeurs de cette foule de peuple réunie pour applaudir à votre courage et à votre dévouement.

La colonisation et l'agriculture, car l'une engendre l'autre, ayant été la nourrice de notre enfance nationale, seront encore la sauvegarde de notre religion, de notre langue et de nos traditions, héritage précieux que nous ont légué nos pères dans la Foi et le patriotisme et que nous devons conserver scrupuleusement.

C'est un beau et ravissant spectacle, digne de l'admiration des anges et des hommes, que de voir, à la convention de Memramcook et à celle de Miscouche, les enfants de l'Acadie agenouillés et prosternés au pied des autels, sans distinction de rang, de position ou de condition, adorant, remerciant et priant le dominateur des nations qui, à la voix d'un des leurs, descendait de son trône de triomphe, pour bénir les enfants des confesseurs de la foi! Ce matin nous avons vu réunie devant l'autel de notre glorieuse patronne la nation acadienne, représentée par des délégations nombreuses de toutes les parties de l'Acadie, pour y faire sa profession de foi catholique et se réjouir dans le Seigneur à la vue des prodiges de bonté et de miséricorde dont notre patrie a été favorisée depuis son berceau. Les pères, les mères accompagnés de leurs enfants; le clergé, les hommes de profession, les législateurs, les colons et agriculteurs, les hommes de commerce, les ouvriers, en un mot l'armée acadienne, le chapelet à la main, l'arme des Acadiens par excellence, ont fait violence au ciel et ont rendu Dieu propice envers leur chère Acadie. C'est dans ces circonstances, mesdames et messieurs, qu'il est vrai de dire que la colonisation et l'agriculture ont conservé la foi chez le peuple acadien, et qu'elles doivent être considérées comme des diamants précieux pour confectionner la couronne nationale. Du moment que notre population rougira de son passé, méprisera et abandonnera cette poursuite, pour se livrer exclusivement à d'autres professions, à d'autres occupations moins honorables, de ce moment-là, la foi, l'esprit de piété, l'attachement aux vieilles traditions, à notre langue et à l'Acadie, s'affaibliront peu à peu, et le nom acadien disparaîtra de l'histoire à jamais.

Dans cette réunion acadienne, ont reconnaît nos compatriotes, à leurs manières affables simples et respectueuses, à leur langage acadien, qui n'est pas aussi dégénéré qu'on voudrait l'insinuer. L'Acadien et l'Acadienne s'y distinguent par leur franche hospitalité proverbiale, et leur attention délicate et prévenante; mais surtout par leur maintien religieux et leur piété fervente aux pieds des autels. Voulons-nous que notre population garde ce cachet distintif qui lui fait tant honneur, en même temps qu'il fait l'admiration des peuples qui nous connaissent? dans ce cas, attachons-nous à l'agriculture, encouragez, soutenez l'oeuvre de la colonisation. C'est la classe ouvrière et agricole, avant tout autre, qui est destinée à conserver la nationalité acadienne. Que l'on abandonne cette voie honorable et bienfaisante, et bientôt les noms acadiens seront anglifiés, la vieille foi catholique disparaîtra, la langue, la belle langue française sera méprisée et on ne trouvera plus sur le sol de l'Acadie que des fantômes acadiens.

Puisque la colonisation et l'agriculture ont été notre salut dans le passé, qu'elles doivent être notre sauvegarde dans l'avenir, il est donc du devoir de tous les Acadiens et des amis du pays de s'entendre et d'aviser aux moyens à prendre pour encourager ceux qui s'y destinent. Personne ne mettra en doute l'importance de la colonisation au point de vue catholique, civil et national.

L'éducation est fort importantepour nous et chacun doit s'imposer des sacrifices pour son avancement.

Bâtir des établissements pour l'éducation de notre jeunesse, les encourager et les maintenir, voilà une oeuvre belle et méritoire; mais pour avoir ces avantages et les conserver, il faut que la colonisation et l'agriculture en soient la base et le soutien. Le fort de Louisbourg était important au point de vue stratégique; mais comme l'a si bien dit un écrivain célèbre et un historien distingué: "Si la France, au lieu de dépenser des sommes d'argent fabuleuses pour cette construction fantastique et inutile, eut soutenu, encouragé et maintenu ses colonies, l'Acadie serait restée à la France et serait le plus brillant joyau de sa couronne." On a négligé, abandonné les colons défricheurs, on les a livrés à une puissance étrangère et ennemie. On a vu ces vaillants, ces courageux colons qui, par leur industrie et leur persévérance, s'étaient préparé un avenir prospère et enviable, entassés pêle-mêle sur des vaisseaux ennemis et chassés impitoyablement de leurs domaines, et pas une main charitable n'est venue à leur secours, pas une larme sympathique n'est venue consoler ces infortunés exilés. Malgré cette cruauté sans nom, la colonisation, sans appui, a repris son oeuvre bienfaitrice, elle a planté la graine de sénevé sur le sol de l'Acadie et aujourd'hui ses rameaux s'étendent sur toutes les provinces maritimes, abritent 120,000 Acadiens, maintiennent l'Eglise et l'état dans tous ses départements, et encore pas une voix autorisée ne vient plaider la cause de cette bienfaitrice générale. La colonisation a été la créatrice et la régénératrice de l'Acadie et la fondatrice du pays que nous habitons, et l'ingratitude des intéressés en a fait une martyre nationale. Sans doute, le public a la foi dans la colonisation, mais cette foi est morte, parce qu'elle n'est pas accompagnée par les oeuvres. On en parle dans nos conventions; on nomme des officiers pour sa défense et on les laisse sans secours pour mener à bonne fin une oeuvre d'une importance vitale. On voudrait que notre pauvre population, que les esclaves fissent tous les frais, subissent toutes les privations inséparables de cette carrière si difficile, et que les bénéfices en revinssent à l'organisation ecclésiastique et civile sans se donner la peine de les secourir dans leur oeuvre de dévouement. Ceux qui, touchés des privations et des misères de cette classe méritante, se dépensent et se sacrifient pour elle, sont accusés des motifs les plus indignes, et on les verrait écrasés sous le fardeau, périr dans la tempête, sans se donner la peine de venir à leur secours.

La théorie ne suffit plus, il faut arriver à la chose pratique. La population d'aujourd'hui n'est pas trompée comme l'étaient leurs pères. Ils ne sont pas disposés, ni capables de subir toutes les privations, les ennuis, les difficultés et tous les inconvénients inséparables de cette oeuvre de sacrifice. D'ailleurs, mille tentations, mille attraits sont semés sur les pas de notre jeunesse acadienne. Elle est généreuse et industrieuse, mais la colonisation n'ayant aucun appui véritable, ne présentant rien d'attrayant à leurs yeux, ils la considèrent plutôt comme une oeuvre d'esclavage que nationale, tant la classe dirigeante est apathique à son égard. De là, l'émigration que tous les patriotes regrettent et condamnent et avec raison; mais pourquoi ne pas prévenir cet exil forcé en montrant plus de sympathie, plus d'encouragement, plus d'intérêt pratique à l'endroit de la colonisation et de la culture du sol? Je ne crains pas de le dire, le devoir m'oblige de le dire, les intérêts de la religion et de la patrie me forcent de le dire, c'est une honte pour notre pays de ne pas avoir une seule organisation autorisée dans l'intérêt de la colonisation. Etudiez ce qui se passe dans la république voisine et dans le bas et haut Canada et vous y trouverez une leçon importante sous ce rapport.

Ecoutez Léon XIII, le bon, le grand, le savant et surtout le charitable et sympathique Léon XIII. Il n'est plus le roi de l'Italie, il est détrôné et prisonnier dans son propre domaine au

Vatican; mais cela ne lui ôte pas le titre de roi spirituel du monde catholique, de père commun des fidèles, l'ami et le protecteur de l'ouvrier et l'opprimé.

Voici ce qu'il écrit à l'univers catholique et chrétien. "Il faut fonder des oeuvres pour venir en aide à la classe ouvrière. Il faut chercher à rendre plus supportable aux pauvres les inconvénients de la vie présente en amenant ceux qui possèdent des biens de ce monde à acquérir des trésors précieux dans le ciel, par une large pratique de la bienfaisance, au lieu de faire de ces biens un usage abusif ou de fomenter la cupidité." Le Saint-Père ajoute: "Ces oeuvres ont pour but de rendre moins pénible la vie des ouvriers et de les soulager dans leurs difficultés économiques." C'est bien là, *lumen caeli*. C'est la lumière qui vient éclairer le monde et lui faire connaître ses devoirs envers une classe méprisée et abandonnée. Il parle de l'abondance du coeur et justifie les efforts de ceux qui défendent la cause de cette classe méconnue et inappréciée, et qui sacrifient leurs biens, leur personne, leur avenir à leur avantage. Que font tous les grands hommes et les vrais amis de la classe ouvrière? par exemple, le cardinal Lavigerie, le cardinal Manning, le cardinal Gibbons, le cardinal Taschereau, l'archevêque Walsh, l'archevêque Ireland et les prélats de l'Eglise catholique? Ils travaillent à organiser des sociétés pour venir en aide à la classe pauvre et ouvrière. Le cardinal Gibbons disait dernièrement à un interlocuteur: "La tendance du temps est vers la combinaison, l'organisation et c'est l'unité d'action qui est essentielle dans ce siècle, pour arriver à de grands résultats. Le pouvoir de l'organisation ne saurait être méconnu. L'évidence de sa puissance se fait sentir dans tous les départements de la vie." Il vaut mieux, dit ce savant et dévoué patriote, dépasser les limites de la prudence dans la libre discussion des intérêts du peuple, que, par une timidité exagérée, négliger de s'en occuper. L'admirable archevêque Walsh, de son côté, le vaillant et intrépide défenseur de ses compatriotes opprimés, écrivait dans la presse "The tenants funds" s'élève à £60,000; ceci représente l'assertion d'un principe fondamental du christianisme que la propriété du plus pauvre est aussi sacrée que celle des plus riches seigneurs. C'est donc l'union de sentiment et d'action, la combinaison, l'organisation et l'esprit de sacrifice qu'il faut pour réussir dans de grandes choses. Or, pour nous Acadiens et pour notre jeune pays, la "grande chose," c'est la colonisation, c'est notre fort national qu'il nous faut bâtir. Mais pour cela, il faut s'entendre, il faut s'organiser. Il s'agit de réunir nos forces vers ce but important et de montrer que le peuple acadien est vivant et vivace. Pour arriver à ce résultat si désirable, un projet de loi a été préparé par un Acadien qui occupe aujourd'hui une position fort honorable dans la magistrature au Nouveau-Brunswick, un homme digne, un citoyen éclairé et un patriote dévoué, Son Honneur le juge Landry, lequel projet a été passé à la dernière session de la législature provinciale du Nouveau-Brunswick, et chaleureusement appuyé par les représentants acadiens de la chambre, ainsi que tous les représentants du peuple, sans distinction de croyance et de nationalité.

Cette société, incorporée sous le titre de "Compagnie de colonisation des Provinces Maritimes", a pour but de venir en aide aux colons et fonder et établir de nouvelles colonies dans les différentes Provinces Maritimes. Les fonds de cette société seront administrés par un corps régulier d'officiers et de directeurs, légalement organisé et autorisé à posséder et à administrer des biens fonds, meubles et immeubles et de manipuler les argents perçus au profit de cette oeuvre si importante. Il ne s'agit pas de spéculation privée, de profits personnels, mais l'unique but est de promouvoir les intérêts du pays par le moyen de la colonisation. Jusqu'ici, cette industrie nationale a été laissée à l'initiative des particuliers; l'oeuvre est devenue aux yeux d'un grand nombre une entreprise privée et personnelle, de sorte que la responsabilité et le fardeau n'étaient pas réglés d'après la justice distributive. Puisque c'est une oeuvre d'un intérêt général, il est juste et équitable que tous les membres de la société qui doivent bénéficier de ces efforts, partagent aussi la responsabilité. Or, nulle personne qui prétend vivre dans les Provinces Maritimes peut avancer qu'il n'a aucun avantage à espérer de la colonisation, et par conséquent chacun doit être prêt à porter sa quote-part des responsabilités. Nous voilà réunis en convention pour se voir, se serrer la main et consolider notre existence nationale. Il s'agit d'ériger un monument, non seulement à l'honneur d'un apôtre, d'un père, d'un bienfaiteur insigne; mais un monument à l'honneur de nos ancêtres, premiers colonisateurs dans le pays. Ce monument, ce mémorial sera l'établissement de la "Compagnie de colonisation des Provinces Maritimes". Rappelez-vous, chers compatriotes, qu'en contribuant à ce mémorial, vous honorez la mémoire et le souvenir de vos ancêtres, de vos pères et de vos mères, qui ont si bien mérité de la patrie. Pour vous encourager, vous avez l'Eglise qui a toujours loué l'oeuvre de la colonisation. Vous avez l'exemple des anciens missionnaire de l'Acadie, des législateurs et des vrais amis du pays, qui ont favorisé cette oeuvre par excellence. Vous avez ce beau, ce magnifique panorama qui se déroule devant vos regards émerveillés; ces belles, ces magnifiques paroisses de la Baie Sainte-Marie, où réside une population heureuse et prospère, ayant ses autels, ses institutions et son autonomie particulière, qui parlent hautement à l'honneur de la colonisation. Tous, vous avez vu les grandes et fertiles paroisses de l'Ile Saint-Jean et du Nouveau-Brunswick qui sont des monuments indestructibles du courage et du dévouement de nos ancêtres et qui plaident éloquemment la cause des colons. Il s'agit d'élever un monument à l'abbé Sigogne, d'heureuse mémoire. C'est une belle et généreuse idée que celle-là; mais s'il était permis à l'Abbé Sigogne de se lever sur son séant et de nous dire ce que son coeur de père, d'ami, et d'apôtre lui ispirerait, il ne manquerait pas de dire à ses enfants chéris, les Acadiens, comme il leur a dit de son vivant, avant tout, emparez-vous du sol, suivez les nobles traces de vos ancêtres, colonisez et cultivez, c'est là le premier de vos devoirs. Que vous diraient les anciens missionnaires acadiens, les Girouard, les Boudreau, les Poirier, les Babineau, s'ils étaient présents ici aujourd'hui? Ce qu'ils nous diraient? c'est que notre prospérité et notre bonheur dépendent largement du zèle et du dévouement à la cause de la colonisation, la pierre angulaire de l'édifice national. Consultez les cendres inanimées, les ossements arides qui reposent dans vos cimetières, restes mortels d'une race de héros, de fervents catholiques, de vrais patriotes, de braves et d'honnêtes cultivateurs. Interrogez les débris des exilés de 1755 parsemés le long des cours d'eau de ce continent et dans les forêts voisines, qui ont si bien servi les intérêts de l'Acadie.

Prêtez une oreille attentive, écoutez respectueusement ce que vous diront ces voix éloquentes; vous entendrez des voix plaintives et aimantes qui vous diront: n'abandonnez pas la patrie que nous avons tant aimée. Aimez, chérissez le sol de l'Acadie. Soyez braves et courageux, étendez le domaine de la religion et de la civilisation, et restez Acadiens. A l'oeuvre donc, amis compatriotes, du moment que la nouvelle compagnie sera finalement organisée, que ses embranchements seront établis, que ce fort national par excellence sera commencé, envoyez des pierres plus ou moins précieuses pour cette construction fondamentale de notre nationalité en Amérique. Montrez que vous êtes Acadiens de coeur et d'action. L'union fait la force. Soyez unis, non pas pour nuire aux autres nationalités avec lesquelles nous devons vivre en paix et en frères, mais dans le but d'encourager les plus faibles dans la course du progrès. Aimez-vous comme des frères, supportez-vous comme membres de la même famille acadienne. Tendez la main aux infirmes; soyez portés et généreux pour toutes les oeuvres qui intéressent la religion et le pays que vous habitez. Portez avec fierté le drapeau acadien; si ses couleurs ne vous rappellent pas le drapeau de Saint-Louis, elles vous rappelleront au moins les couleurs favorites de votre glorieuse patronne et celles des martyrs de la cause catholique et nationale. Guidés par l'étoile qui le décore et qui la désigne comme l'étendard acadien, marchez de conquêtes en conquêtes. Attachez-vous au sol de l'Acadie. Ne délaissez pas une mère qui vous a enfanté dans la douleur, qui vous aime tendrement et qui a besoin de vos services, de vos bras et de votre dévouement. Ne vous éloignez pas de cette terre qui doit vous être chère à tant de titres, et si les circonstances exigent que vous vous en éloigniez pour un temps, que ce soit dans le but de venir rejoindre vos parents chéris, vos amis d'enfance et déposer vos cendres à côté des vrais serviteurs de la patrie. Ne pensez pas que le vrai bonheur consiste seulement dans le maniement de l'argent et qui s'échappe aussitôt. Le vrai bonheur se trouve au milieu des siens, à l'abri du clocher paroissial, éloigné des centres de corruption, où l'on contracte des maladies incurables pour l'âme et le corps. Vivre et mourir pour sa patrie, conserver sa langue maternelle, ses traditions et sa religion, et finir ses jours entre les bras d'une mère, d'un parent, d'un ami, muni des secours de notre sainte religion, voilà le bonheur véritable et seul digne d'envie.

Il y a des forêts vierges en abondance encore inoccupées dans nos provinces, surtout au Nouveau-Brunswick, qui attendent la hache du bucheron pour devenir fertiles et assurer un avenir prospère. Nos gouvernements, voyant notre détermination à établir le pays, deviennent mieux disposés et nos représentants travaillent avec énergie dans cette direction. A l'oeuvre donc, amis compatriotes, mettez de suite la main à la charrue sans regarder en arrière et sans tenir compte des difficultés à surmonter. Le vrai soldat ne s'effraie pas à la vue de l'ennemi et au premier coup de canon; le navigateur courageux ne s'épouvante pas dans la tempête, le vrai patriote ne doit pas non plus reculer devant les obstacles et les difficultés à surmonter. Il adopte pour devise celle des soldats de l'Eglise et de la Papauté.

"Aime Dieu et vas ton chemin."

— VII —

SERMON DE CIRCONSTANCE

prononcé par Mgr M.-F. Richard, P.D., curé de Rogersville, dans l'église de Memramcook, à l'occasion de la réception offerte par les Acadiens à Mgr Edouard Leblanc, leur premier évêque, le 17 décembre 1912.

"Je viens vous apporter une heureuse nouvelle qui causera une grande joie à tout le peuple".

Monseigneur,

Révérends Pères

Chers amis.

La mission de l'Ange chargé d'annoncer aux hommes la réalisation prochaine des promesses faites par Dieu à nos premiers parents, fut honorable et glorieuse. Depuis des siècles, les hommes de bonne volonté attendaient l'avènement du Sauveur, du Rédempteur promis. Dieu n'avait pas jugé à propos de révéler d'une manière précise le temps, le lieu et les circonstances de cet événement mémorable.

Cependant, fidèle à sa promesse, Il est venu au milieu des siens, et les circonstances de sa venue ont étonné l'univers.

Ma mission vis-à-vis de vous, en ce moment, est aussi honorable et glorieuse. Il m'est très agréable d'être le messager de l'Acadie pour vous annoncer une heureuse nouvelle qui causera une grande joie au peuple acadien; c'est que le Saint-Siège a daigné exaucer les prières de ses enfants de l'Acadie en leur accordant un évêque de leur nationalité, en récompense de leur fidélité séculaire à la Sainte Eglise de Rome.

Pie X, que je m'empresse de proclamer le Père de l'Acadie, avait lui aussi fait des promesse à l'Acadie. Il avait dit au délégué acadien chargé de porter aux pieds du Père commun des fidèles la supplique respectueuse des rejetons des martyrs et des confesseurs de la foi en Acadie: "Certainement, avait-il déclaré, les Acadiens auront un évêque de leur race. Je veux les récompenser de leur longue et inviolable fidélité à l'Eglise, de leur attachement à la chaire de Pierre. Ils demandent la mitre pour l'un des leurs: la mitre viendra. *Mitra veniet*".

Le Saint-Père n'avait pas déterminé le temps, le lieu et les circonstances de la réalisation de cette promesse. Enfin! Elle est arrivée la mitre si longtemps attendue et désirée par le peuple acadien.

Nous sommes réunis pour offrir nos félicitations et nos voeux à celui qui a l'insigne honneur et le privilège d'être le premier Acadien à porter cette couronne promise aux vainqueurs.

Il appartenait à la baie Sainte-Marie, berceau de la Nouvelle-Acadie après le "grand dérangement", de donner le premier évêque à l'Acadie. Nous applaudissons de tout coeur et avec bonheur au choix qui a été fait et nous prions l'élu du Seigneur et du Saint-Siège d'agréer les voeux que nous formulons pour son bonheur en cette vie et dans l'autre.

Comme catholiques, nous nous réjouissons dans le Seigneur de voir notre Mère la Sainte Eglise étendre ses rameaux dans notre patrie et abriter, sans distinction, tous ses enfants fidèles et dévoués.

Comme Acadiens, nous nous réjouissons de l'honneur qui vient d'être conféré à notre patrie, si longtemps victime d'ostracisme, si longtemps humiliée, si longtemps méprisée.

Gaudeamus in Domino! Réjouissons-nous dans le Seigneur! Cette fois, il s'agit de la glorification de l'Acadie! Oui, réjouissons-nous, mais que nos réjouissances soient dignes, délicates et chrétiennes!

Réjouisons-nous dans le Seigneur! Tous les peuples, comme les individus, ont leurs jours d'épreuves et de réjouissances! Dieu l'a voulu ainsi pour faire mériter ses fidèles serviteurs et les rendre dignes de ses récompenses.

L'Acadie, notre chère patrie, a été privilégiée sous ce rapport. Elle a passé par le creuset des souffrances, des humiliations, de la persécution. Ces épreuves ont été longues, terribles, mais, ayant été forte, résignée et confiante dans le malheur, elle devait avoir ses jours de consolation et d'allégresse. Elle devait recevoir la récompense promise aux fidèles serviteurs.

Ce n'est pas ici le lieu de rappeler les jours sombres et pénibles de notre histoire; la circonstance qui nous réunit ne nous permet pas d'évoquer des souvenirs qui pourraient nous inspirer d'autres sentiments que ceux qui conviennent à une célébration comme celle d'aujourd'hui où les coeurs sont tous à la joie.

L'Acadie a déjà eu ses jours de récompense. En 1881, dans cette même vénérable église de Memramcook, sous les murs de notre Université Saint-Joseph, les Acadiens se réunissaient pour la première fois en convention afin de jeter les bases d'une vie nouvelle. A cette réunion plénière du peuple acadien fut discutée la question d'une fête nationale pour l'Acadie; le choix des délégués s'est porté sur l'Assomption de la Sainte Vierge. Ce fut un jour de réjouissance par excellence: l'Acadie que l'on croyait morte se réveillait comme miraculeusement et depuis, elle a donné des signes d'une vitalité prodigieuse.

Plus tard, à l'occasion de ses réunions périodiques, l'Acadie a vu ses enfants se livrer à l'allégresse. Lorsque pour la première fois, à la convention de Miscouche, sur l'île Saint-Jean, ils contemplèrent le drapeau national, avec l'étoile pour écusson, les coeurs battirent à l'unisson à la pensée que l'Acadie était une patrie avec une destinée particulière sur ce continent.

Lorsqu'ils entendirent le chant de l'Ave Maris Stella, ce fut, au déploiement de cet insigne national, un élan d'enthousiasme et de jubilation tel que les Acadiens n'en avaient jamais vu de pareil. Aujourd'hui, lorsque cet hymne à Marie est chanté dans nos églises, ou dans nos réunions patriotiques, tous les coeurs ressentent, je ne sais quelle émotion qui les transporte et les enivre de bonheur.

Qui n'a pas éprouvé des sentiments profonds de joie lorsque le carillon ne la cathédrale de Saint-Jean, le 10 au matin, a fait entendre du haut de sa tour, l'air de notre chant national, appelant les Acadiens à la consécration du premier évêque de leur race! On sait que le son des cloches avait jadis appelé les Acadiens (de Grand-Pré) au jour de leur expropriation. Cette fois, c'est de la glorification de l'Acadie dont il s'agit.

Depuis, les Acadiens ont marché à pas de géant dans la voie du progrès. Ils sont arrivés à se faire représenter dans les hautes sphères sociales. Le clergé acadien s'est multiplié d'une manière prodigieuse, grâce à nos institutions nationales. Il manquait cependant quelque chose au bonheur du cher petit peuple de l'Acadie. Un ostracisme humiliant pesait péniblement sur son existence. Les aînés de la famille catholique en ce pays et ayant porté tout le poids de la chaleur dans la vigne de l'Eglise, ils devaient mériter mieux que l'oubli. Il semblait dur à ce petit peuple de se voir ignoré et privé d'avoir voix et place dans les rangs de la hiérarchie de l'Eglise; Il s'adressa respectueusement et directement au Saint-Père qui ne manqua pas de comprendre la situation. L'auguste vieillard du Vatican fut ému et touché au récit franc et véridique du représentant de l'Acadie et, versant des larmes d'attendrissement sur la position accablante qui nous était faite, il résolut d'y apporter remède.

Enfin, les promesses sont accomplies et l'Acadie a son évêque dans la personne de Mgr Leblanc que nous sommes venus saluer et féliciter comme premier évêque d'origine française en Acadie.

Il ne faut pas se faire illusion; ce n'est pas parce que nous sommes d'origines française que le Saint-Père, dans sa mansuétude, nous a donné un évêque de notre race, mais parce que nos pères furent de fervents et dévoués catholiques et que leurs descendants sont et veulent rester dans le giron de l'Eglise catholique, apostolique et romaine et soumis à son chef vénéré qui siège dans la chaire de Pierre avec un éclat merveilleux.

Réjouissons-nous dans le Seigneur! Chez les autres peuples de la terre les shismes, l'apostasie et l'hérisie ont fait des ravages désastreux. En Acadie, Dieu et Marie en soient loués, les descendants des expulsés de 1755, sont restés fermes dans la foi de leurs aïeux et le plus solide appui de l'Eglise de Jésus-Christ et du catholicisme dans ce continent.

Réjouissons-nous! Nos réjouissances, dans les circonstance, sont bien légitimes, et la reconnaisance doit nous porter à l'action de grâces. D'abord notre gratitude doit s'élever jusqu'à Dieu, auteur de tous ces dons. C'est à Dieu que nous devons la préservation. Pour ce bienfait insigne, soyons reconnaissants et montrons-nous dignes des ancêtres, en vivant et agissant par esprit de foi en toutes choses. Il ne faut pas oublier que c'est par Marie, notre glorieuse Patronne, que le peuple acadien a obtenu ces faveurs célestes. L'Acadie est le royaume de notre reine du ciel. Les Acadiens l'ont choisie pour leur reine et leur patronne. C'est aux pieds de cette bonne mère, à Sainte-Marie-Majeure, à Rome, que le délégué de l'Acadie avait déposé la requête des Acadiens qui demandaient un évêque de leur nationalité, avant de la soumettre au Saint-Père: peut-on douter de l'intercession de Marie auprès du Souverain Pontife en cette mémorable occasion?

Soyons des sujets dignes d'Elle et de son Fils, notre Roi suprême! L'Eglise, fondée par Notre-Seigneur et confiée à ses apôtres à leurs successeurs, réclame aussi notre gratitude, et notre dévouement. Elle a été notre force et notre soutien dans les épreuves et l'abandon et elle vient de manifester sa sollicitude maternelle par l'élévation à l'épiscopat de Mgr Leblanc qui est chargé des intérêts religieux de ses diocésains, mais aussi d'une surveillance paternelle sur toute l'Acadie.

Soyons sa joie et sa couronne et faisons en sorte qu'il n'ait jamais lieu de rougir de ses compatriotes et qu'il puisse, dans ses rapports avec le Saint-Siège, réjouir toujours le coeur de notre Père commun, le bon pape Pie X, en ayant que des choses consolantes à lui communiquer sur ses enfants de l'Acadie. Pontife Eternel, bénissez celui qui vient d'être consacré votre apôtre, dirigez-le, fortifiez-le, sanctifiez-le, sauvez-le.

Patronne de l'Acadie, tendez une main secourable à votre enfant privilégié. Marchez devant lui, comme l'étoile de l'Orient, pour l'éclairer et le conduire dans le chemin de la vie jusqu'au port de l'éternité.

Nous vous élevons un trône, un monument commémoratif et de reconnaissance en Acadie. Daignez, ô glorieuse Patronne, protéger l'Acadie et son premier évêque et du haut de votre trône, répandez à pleines mains vos bénédictions sur notre famille acadienne.

Martyrs et confesseurs de la foi, notre gloire et notre couronne, soyez, du haut du ciel, notre appui et le soutien de notre premier évêque acadien!

En terminant, Monseigneur, nous réclamons votre bénédiction. Elevez vos mains consacrées exprès pour bénir, et versez avec abondance cette manne céleste sur votre humble serviteur, sur nos institutions, sur notre bon peuple et sur l'Acadie toute entière. Ainsi-soit-il.

IMPRIMATUR

Arthur Gallant, vicaire général,

Cum permissu superiorum.

Editeur: LES PERES TRAPPISTES
Rogersville, R.R. no 3,
Nouveau-Brunswick, Canada.

Imprimeur: LES EDITIONS DU RENOUVEAU ENR.,
Charlesbourg-Est, P.Q.

Relieur: AU VESTEMENT DU LIVRE INC.
Loretteville, P.Q.

Maquette de la couverture: SIMON

Montage: CLAUDE

Distributeur: LE COMITE DU MONUMENT N.-D. DE L'ASSOMPTION
Rogersville, N.-B.

ACHEVE D'IMPRIMER

PAR

LES EDITIONS DU RENOUVEAU ENR.,

A CHARLESBOURG-EST,

LE SIX NOVEMBRE

MIL NEUF CENT SOIXANTE-TREIZE,

POUR

LES PERES TRAPPISTES

Rogersville, R.R. no 3,

Nouveau-Brunswick, Canada.